LE COMPLEXE
DE CENDRILLON

COLETTE DOWLING

LE COMPLEXE
DE CENDRILLON

Les femmes ont secrètement peur
de leur indépendance

traduit de l'américain par
Marie-France de Paloméra

BERNARD GRASSET
PARIS

L'édition originale de cet ouvrage a été publiée par Summit
Books, Simon & Schuster Building, New York, en 1981 sous le
titre :

The Cinderella Complex
Women's Hidden Fear of Independence
(ISBN : 0-671-40052-5)

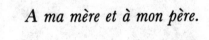

A ma mère et à mon père.

CHAPITRE PREMIER

LE DÉSIR D'ÊTRE SAUVÉE

Je suis couchée, seule, au deuxième étage de notre maison, avec une mauvaise grippe, essayant de ne pas la transmettre au reste de la famille. La pièce me paraît grande, froide et, à mesure que les heures passent, étrangement inhospitalière. Cela me rappelle quand j'étais petite, vulnérable, désarmée. Lorsque la nuit tombe, je me sens terriblement malheureuse, moins malade de grippe que d'anxiété. Et je me demande ce que je fais, si seule, avec si peu d'attaches, si... flottante ? Etrange que d'être aussi mal à l'aise, coupée de mon mari et de mes enfants, de ma vie remplie et astreignante... comme débranchée...

Le fil de mes pensées s'interrompt brusquement et je sais : je suis *toujours* seule. Elle est apparue soudain, sans préparation aucune, cette vérité que je m'appliquais tant à fuir : je hais la solitude. Je voudrais être un kangourou, vivre à l'intérieur de la peau de quelqu'un d'autre. Plus que d'air, d'énergie et même de vie, j'ai besoin d'être à l'abri, au chaud, je veux qu'on me prenne en charge. Et je découvre avec stupéfaction que cela n'a rien de nouveau. C'était là, cela fait partie de moi. Depuis longtemps.

Depuis cette journée passée au fond de mon lit, j'ai appris qu'il y a d'autres femmes comme moi, que nous sommes des milliers et des milliers à avoir grandi d'une certaine façon et à nous être retrouvées incapables d'affronter la réalité de l'âge adulte, à savoir que nous sommes seules responsables de nous-mêmes. Et si nous le reconnaissons pour la forme, au fond nous ne l'acceptons pas. Tout, dans l'éducation que nous avons reçue, nous a dit que nous ferions partie de quelqu'un d'autre, que nous serions protégées ; entretenues, maintenues à flot par la félicité conjugale jusqu'au jour de notre mort.

Et bien sûr, l'une après l'autre et chacune à notre manière, nous avons découvert qu'on nous avait menti. Mais il a fallu arriver aux années soixante-dix pour que s'amorce notre virage culturel et qu'on prête attention aux femmes, qu'on réfléchisse à leur identité profonde, qu'on les traite autrement que par le passé. On attendait plusieurs choses de nous. On nous disait soudain que nos vieux rêves de petites filles étaient fades et déshonorants et qu'il y avait mieux à désirer : l'argent, le pouvoir et, condition insaisissable entre toutes, la liberté. La capacité de choisir ce que nous allions faire de nos vies, ce que nous penserions, ce que nous jugerions important. La liberté est préférable à la sécurité, nous disait-on ; la sécurité paralyse.

Mais, nous nous en aperçûmes vite, la liberté fait peur. Elle nous offre un champ de possibilités pour lesquelles nous ne sommes pas toujours armées : la promotion, la responsabilité, l'occasion de voyager seules, sans homme qui nous fraie le chemin, la chance de nous faire des amis personnels. De nombreuses perspectives s'ouvrirent très rapidement aux femmes, mais cette liberté s'accompagnait de nouvelles exigences : nous devions devenir adultes et cesser de nous abriter derrière la protection de quelqu'un que nous avions résolu d'estimer « plus costaud », nous devions commencer à prendre des décisions fondées sur nos propres valeurs, et non plus sur celles de nos maris, de nos parents ou de quelque professeur. La liberté exige que nous devenions vraies, fidèles à nous-mêmes. Et c'est là que, soudain, tout se complique ; lorsque nous renonçons à ne plus être que la bonne épouse, la bonne fille ou l'élève « accomplie ». Il est évident qu'en nous détachant de ces modèles imposés pour nous affirmer seules, nous constatons que les valeurs que nous croyions nôtres ne le sont pas. Elles appartiennent à d'autres — aux personnes marquantes d'un passé tout aussi indélébile et qui englobe tout. L'heure de vérité sonne enfin : « Je n'ai pas vraiment de convictions personnelles. Je ne sais pas vraiment ce que je crois. »

Cette prise de conscience peut être particulièrement éprouvante. Tout ce qui nous paraissait naguère si sûr semble s'ébouler, comme à la suite d'un glissement de terrain, et nous nous retrouvons doutant de tout et terrifiées. La disparition vertigineuse de structures anciennes et dépassées — ces convictions auxquelles nous ne croyons plus — peut signifier le début de la vraie liberté. Mais le fait qu'elle soit terrifiante peut aussi nous faire battre précipitamment en retraite vers ce qui est sûr, familier, connu.

Pourquoi, alors que nous avons la possibilité d'aller de l'avant, préférons-nous en général tourner les talons ? Parce que les femmes ne sont pas habituées à affronter leur peur et à passer outre. On nous a encouragées à éviter tout ce qui nous effraie, on nous a appris, depuis la petite enfance, à ne faire que ce qui nous procure un sentiment de bien-être et de sécurité. *On ne nous a pas préparées à la liberté ; on nous a préparées à son inverse, à la dépendance.*

Le conflit s'amorce dès l'enfance, dans cette période où nous étions en sécurité, où l'on s'occupait de tout pour nous et où nous pouvions compter sur papa et maman chaque fois que nous avions besoin d'eux. Nos nuits ignoraient les cauchemars, les insomnies ou la litanie envahissante et obsédante de ce que nous avions raté ou aurions pu mieux réussir ce jour-là. Nos nuits,

c'était être dans nos lits à écouter le bruit du vent dans
les arbres jusqu'à ce que vienne le sommeil. Il existe,
comme je l'ai appris, un rapport entre notre besoin
féminin de tâches domestiques et ces rêveries lénifiantes
à propos de l'enfance, qui semblent se situer juste au-
dessous de la surface du conscient. Ce rapport est lié à
la dépendance, au besoin de s'appuyer sur quelqu'un —
de retrouver l'enfance, d'être nourrie, prise en charge,
protégée. Ces besoins de dépendance persistent en nous
à l'âge adulte et réclament leur satisfaction au même
titre que notre besoin d'indépendance. Jusqu'à un
certain point, ils sont parfaitement normaux, chez les
hommes comme chez les femmes. Mais chez celles-ci,
comme nous allons le voir, on encourage dès l'enfance
un besoin de dépendance malsain. Pour peu qu'elle
s'analyse, n'importe quelle femme sait qu'elle n'a
jamais appris à accepter l'idée de se prendre en charge,
de se défendre, de s'affirmer. Elle peut, au mieux, avoir
joué le jeu de l'indépendance tout en enviant intérieurement les garçons (et plus tard les hommes) pour leur
propre indépendance apparemment si naturelle.

Ce n'est pas la nature qui confère aux hommes cette
autonomie : c'est leur éducation. Ils apprennent à être
indépendants à partir du jour de leur naissance. Et tout
aussi systématiquement, les femmes apprennent qu'elles sont hors de la course, qu'un jour, d'une façon ou
d'une autre, quelqu'un viendra les sauver. C'est le
conte de fées, le message de vie que nous avons en
quelque sorte absorbé en même temps que le lait
maternel. Nous pouvons aller voir un peu ce qui se
passe ailleurs, nous irons à l'université, nous travaille-
rons, nous voyagerons, peut-être même gagnerons-nous
confortablement notre vie, mais sous tout cela subsiste
le sentiment que ces expériences ont quelque chose de
limité dans le temps. Il nous suffit de tenir bon, de
poursuivre le conte de notre enfance, et un jour
quelqu'un viendra nous sauver de l'anxiété indissocia-

ble d'une vie authentique. (Le garçon, lui, apprend qu'il ne peut compter que sur lui-même.)

Autant vous dire tout de suite que si j'ai été amenée à me pencher sur ce sujet, c'est à la suite de mon expérience personnelle, et que cette réflexion n'est que très récente. Pendant longtemps, j'ai trompé tout le monde et moi-même avec une pseudo-indépendance assez élaborée, en réalité une façade que j'avais édifiée au fil des années pour cacher mon besoin effarant d'être prise en charge. Ce camouflage était si convaincant que j'aurais pu continuer à le prendre indéfiniment pour la réalité s'il ne s'était produit un événement troublant qui vint en craqueler le mince vernis.

Cela se passa quand j'eus trente-cinq ans. Une série d'événements me fit découvrir des sentiments que je m'ignorais, des sentiments d'incompétence cachée si menaçants pour ma sécurité que j'aurais fait n'importe quoi pour amener quelqu'un d'autre à prendre la relève quand les choses devinrent difficiles. Autrement dit, quand les exigences de la vie commencèrent à ressembler dangereusement à des exigences réelles, importantes, adultes, et non simplement aux incursions d'une enfant précoce dans un monde où on peut se tirer d'affaire en « faisant semblant ». Divorcée depuis plusieurs années, pourvue de trois jeunes enfants dont j'assumais seule la charge, je m'apprêtais à entrer dans une phase de développement personnel particulièrement intéressante. Or ce qu'elle avait de pénible fut étrangement multiplié par deux en raison d'un élément nouveau : j'étais amoureuse.

L'effondrement des ambitions

En 1975, je quittai New York et ce qui avait été une lutte solitaire de quatre années pour joindre les deux bouts comme unique parent, et j'allai vivre avec mes enfants dans un petit village de la vallée de l'Hudson, à

cent cinquante kilomètres au nord de Manhattan.
J'avais rencontré un homme qui me paraissait le
compagnon idéal : stable, intelligent, doté d'un humour
merveilleux. Nous avions trouvé à louer une grande
maison accueillante avec du terrain, un jardin et des
arbres fruitiers. Dans ma nouvelle euphorie, je me dis
que je n'aurais pas plus de mal à vivre de ma plume au
hameau de Rhinebeck que dans la métropole de
Manhattan. *Ce que je n'avais pas prévu — et que rien ne me
permettait de prévoir —, ce fut l'effondrement surprenant de mes
ambitions qui devait se produire dès que je recommençai à
partager ma maison avec un homme.*

Sans que je l'aie consciemment décidé ni que je m'en
sois même aperçue, ma vie changea du tout au tout.
J'avais l'habitude de passer plusieurs heures par jour à
écrire, précisant la carrière dans laquelle je m'étais
lancée dix ans plus tôt. A Rhinebeck, mon temps
sembla être absorbé par les occupations ménagères —
occupations bénies s'il en fut. Après des années de repas
surgelés préparés en vitesse et avalés devant la télévision parce que je n'avais pas le temps d'en faire plus, je
me remis à cuisiner. Six mois après notre installation à
la campagne, j'avais pris cinq kilos. « C'est sain,
pensai-je, bizarrement ravie par ce changement. Nous
sommes tous plus détendus. » Je me mis à porter des
chemises à carreaux et des salopettes confortables. Je
traînais toujours un peu — m'occupant d'une plante,
faisant du feu, regardant par la fenêtre. Le temps
semblait voler. Les journées splendides de l'automne
firent insensiblement place à l'hiver, et je mis alors des
bottes et un anorak et coupai du bois. Mes nuits étaient
sans rêves, mais j'avais souvent du mal à me lever le
matin. Rien ne m'obligeait à sauter du lit.

Ce repli inattendu vers les joies domestiques aurait
dû me troubler davantage, être un signe. Après tout,
j'étais capable de subvenir seule à mes besoins, je
l'avais même fait quatre ans durant. Oui, mais quatre

ans où j'avais vécu dangereusement, quatre ans pendant lesquels je m'étais sentie perpétuellement sur la brèche. Le père de mes enfants était trop malade pour contribuer à leur entretien ; j'étais donc habituée à régler les factures. Mais la plupart du temps, je m'étais sentie terrifiée — par la montée inexplicable des prix, par le propriétaire, par l'idée que je ne serais pas capable de tenir bon et de nous garder à tous la tête hors de l'eau, mois après mois, année après année. Le fait de douter aussi profondément de mes aptitudes ne me semblait ni étrange, ni inhabituel. La plupart des mères seules ne ressentaient-elles pas cela ?

Mon installation à la campagne pendant ce splendide automne pourpre m'était donc apparu comme une trêve fantastique dans ce que j'avais considéré jusqu'alors, quoique assez vaguement, comme mon combat. Le destin m'avait ramenée dans un lieu différent, un espace intérieur assez proche en somme de celui qui avait été le mien enfant, un univers de tartes aux pommes, de couettes matelassées et de robes d'été fraîchement repassées. Maintenant, j'avais un jardin et des fleurs, une grande maison pleine de chambres, de canapés confortables, de coins et de recoins. Me sentant à l'abri pour la première fois depuis des années, je me mis en devoir d'élaborer le havre paisible dont l'image s'attarde en nous comme un « souvenir global » des aspects les plus positifs de l'enfance. Je fis un nid et le calfeutrai avec les bouts et morceaux de coton et de duvet les plus moelleux que je pus trouver.

Et puis, je m'y cachai.

Le soir, je préparais des repas somptueux que j'étalais fièrement sur la table magnifiquement garnie d'une vraie salle à manger. Pendant la journée, je lavais, je ratissais, je surveillais mes semis. Le soir, jouant les collaboratrices, je dactylographiais les manuscrits de Lowell. Tout en ayant vécu pendant dix ans de ce que j'écrivais, j'avais l'impression que m'es-

crimer sur une machine à écrire pour quelqu'un d'autre
était ce que j'avais à faire. Je me sentais... *en règle avec
moi-même* (autrement dit, je le sais maintenant, douillettement installée et en sécurité). Cela continua ainsi
pendant plusieurs mois. Lowell écrivait, téléphonait et
menait ses affaires à son grand bureau devant le feu de
la salle de séjour. Je meublais le temps en agrafant du
tissu sur les murs de la chambre des filles. De temps à
autre, je m'installais à mon bureau et j'essayais de
travailler un peu, fourrageant dans mes papiers, incapable de me concentrer. S'il m'arrivait d'éprouver un
sentiment de frustration parce que, apparemment,
j'avais perdu le chic pour décrocher des contrats, je me
disais : « La chance va tourner. »

   La chance n'avait rien à voir avec tout cela. A mon
insu, l'idée que j'avais de moi-même s'était complètement modifiée. Ainsi que ce que j'attendais de Lowell.
Dans mon esprit, il était devenu le soutien de la famille.
Et moi ? Je me reposais de toutes ces années où je
m'étais battue, à mon corps défendant, pour m'assumer
seule. Quelle femme libérée aurait pu imaginer un tel
revirement ? A peine la possibilité de m'appuyer sur
quelqu'un s'était-elle présentée que j'avais cessé
d'avancer ; en fait, j'avais pilé net. Je ne prenais plus de
décisions, je ne sortais plus, je n'allais même pas voir les
amis. En six mois, je n'avais eu aucun travail à rendre à
une date précise ni à supporter aucune des frictions
qu'entraîne l'établissement d'un contrat avec un édi-
teur. Du jour au lendemain, je m'étais de nouveau
glissée dans le rôle traditionnel de la femme : l'assistante, la fée du logis, la secrétaire. La dactylo des rêves
de quelqu'un d'autre.

La fuite devant le stress

   Comme Simone de Beauvoir l'observait pertinemment il y a plus d'un quart de siècle, les femmes

acceptent leur soumission pour éviter la tension qui naît d'une vie authentique. Cette « fuite devant le stress » était devenue mon but caché. J'avais fait marche arrière — ou plus exactement recommencé à traînasser comme dans un grand bain tiède — parce que c'était plus facile. Parce que bichonner ses plates-bandes, faire sa liste de courses et être une bonne « partenaire » — entretenue — crée moins d'anxiété que le fait d'être lâchée dans le monde adulte et d'avoir à se débrouiller seule.

Lowell, pourtant, n'était pas ce que vous appelleriez un « mâle traditionnel », car il ne m'encourageait pas dans ma régression. Mécontent de ce qui semblait vouloir de plus en plus se transformer en inégalité permanente (il paierait les factures, je ferais les lits), il finit par attaquer : je n'apportais plus d'argent dans le ménage, dit-il. Sur le plan financier, il assumait tout — moi, mes trois enfants et lui-même — et je n'avais même pas l'air de me rendre compte de cette inégalité. Cela l'attristait, déclarait-il, que je semble me contenter de rester assise et de profiter de sa bonne volonté.

Cette accusation indirecte — je ne remplissais pas ma part du contrat — me rendit folle de rage. Aucun homme n'avait jamais émis une idée pareille. N'appréciait-il pas tout ce que je faisais pour lui, le ravissant foyer que je lui bichonnais, et tous ces merveilleux gâteaux et soufflés ? Ne remarquait-il pas que lorsque des amis venaient passer le week-end, c'était *moi* qui changeais les draps et nettoyais la salle de bains qui leur était réservée ?

Car dans notre répartition des tâches domestiques, qui faisait tout « le sale boulot » ? Moi. Mais il était également vrai que je m'étais moi-même octroyé ce rôle sans jamais amener le sujet sur le tapis. Au plus profond de moi-même, je *voulais* faire ce sale boulot. C'est la

planque idéale. Vous pouvez exiger en retour un prix
déraisonnable : votre dû en tant que femme.

Quand Lowell et moi avions décidé de quitter New
York et de partager une maison à la campagne, notre
accord prévoyait que chacun continuerait à s'assumer
sur le plan matériel. Avec quelle facilité j'avais négligé
cette clause ! J'avais vaguement pensé à proposer
plusieurs idées d'articles et de livres, mais sans vraiment m'investir émotionnellement ni intellectuellement
dans l'entreprise. Quand j'y réfléchis maintenant, je
suis stupéfaite de ne pas avoir réellement éprouvé le
besoin de travailler. Au lieu de cela, je savourais la
volupté d'être une femme au foyer. Et voici que Lowell
me disait : « Ce n'est pas juste. » Et moi, je pensais :
« Mais qu'est-ce qui n'est pas juste ? N'est-ce pas ainsi
que les choses sont censées se passer ? »

Une transformation profonde s'était produite. Quand
j'étais seule, quand le besoin d'assurer ma subsistance
et celle de mes enfants était clair et sans ambiguïté, je
m'étais débrouillée pour poursuivre ma carrière et me
comporter au moins en adulte indépendante ; mais dès
que Lowell était arrivé, j'avais régressé. En un rien de
temps, j'étais redevenue aussi dépendante dans mes
pensées, mes sentiments et mes actions que je l'avais été
pendant mes neuf années de mariage. Cette constata-
tion fit office de détonateur. J'étais sortie du mariage
parce que je m'étais mise à détester ma dépendance.
Ma vie m'avait paru étouffante et réductrice. Or je
rejouais le même scénario, simplement en l'agrémen-
tant de jardin, de feu dans la cheminée et d'une grande
vieille maison pour mieux faire passer la pilule.

L'aspect économique de la situation jouait un rôle
capital dans ce qui se passait. Parce que j'avais laissé
retomber sur les épaules de Lowell la responsabilité de
tout payer, j'oubliais sereinement l'anxiété qui peut
accompagner le fait d'avoir à gagner sa vie. Bien que
j'aie du mal à l'admettre aujourd'hui, j'exploitais

Lowell. Je ne voulais pas des tensions liées à la responsabilité d'avoir à subvenir à mes besoins. Viscéralement, je pensais aussi qu'il était normal que Lowell travaille plus dur et prenne plus de risques, pour la simple raison qu'il était un homme. Je le croyais, au moins en partie, parce que cela me simplifiait la vie de le croire. C'est là que l'exploitation entre en jeu. (J'avais aussi le sentiment que ce n'était pas tout à fait « féminin » de se consacrer corps et âme à son travail — comme si je risquais d'une certaine façon de perdre de ma féminité en allant me bagarrer pour me faire une place dans le marché commun de l'économie adulte. En fin de compte, cette petite intuition, fondamentalement négligée, devait jouer un rôle surprenant dans mes démêlés avec l'indépendance.)

Une fois par mois, Lowell prenait son carnet de chèques et réglait le loyer, l'électricité, l'eau et le mazout. Il s'occupait aussi de l'entretien de la voiture. (D'ailleurs, c'était lui qui la conduisait : j'avais une vraie phobie de la conduite et je ne pouvais ni ne voulais passer mon permis.) Pour bien montrer que je coopérais en gentille fille que j'étais, je n'achetais jamais rien de personnel — pas de vêtements, pas de produits de beauté, pas de babioles pour la maison. Je me lançais avec fierté dans des compositions artistiques à base de vieux objets dénichés à la cave. La distance que j'avais prise avec l'argent me permettait de rester essentiellement coupée de la réalité. « J'aimerais travailler, répétais-je avec insistance à Lowell. Si seulement on me donnait à écrire quelque chose qui m'intéresse. Est-ce de ma faute si tous mes projets sont tombés à l'eau ? »

« Si tu continues comme ça, que va-t-il se passer ? » finit-il par demander au bout d'un an.

Ce « que va-t-il se passer ? » me fit froid dans le dos. Cela prouvait, semblait-il, que son attachement à moi n'était guère profond, sinon il ne m'aurait pas bousculée ainsi. Il ne m'aurait pas dit ce qu'il disait, qui signifiait en fait : « Je ne veux pas te prendre en charge. »

Le fait que je ne fasse strictement rien sur le plan professionnel entama bientôt l'estime que j'avais de moi-même. Il suffit de trois ou quatre mois seulement d'entière dévotion à l'idéal domestique pour que ma dépendance devienne évidente. Mon extase de ménagère s'évanouit du jour au lendemain et la dépression s'installa comme la glace sur un lac en hiver. D'abord, je sentais que mes droits s'étaient extrêmement réduits. Sans même m'en apercevoir, je m'étais mise à demander à Lowell la permission de faire telle ou telle chose. Voyait-il un inconvénient à ce que je reste tard à Manhattan pour rendre visite à une amie ? Pensait-il que nous pourrions aller au cinéma vendredi soir ?

Inévitablement, un sentiment de déférence s'installa ; je me sentais intimidée par l'homme qui subvenait à mes besoins. C'est alors que je commençai à lui trouver des défauts, à le houspiller et à le critiquer pour des idioties, signe on ne peut plus manifeste de mon impuissance [1]. J'en voulais à Lowell de se sentir plus à l'aise que moi avec les gens, de la souplesse avec laquelle il s'adaptait aux concessions, dans sa vie sociale comme dans son travail. Il semblait tellement sûr de lui. Je découvris qu'à cause de cette assurance, je le détestais.

Tandis que Lowell fonçait, le succès semblant le guetter à chaque tournant, je me sentais déprimée et anxieuse et je dormais mal la nuit. Je me découvris une terrible envie de contacts sexuels, ou plus exactement des contacts que m'apportaient les rapports sexuels — car je commençais à douter de mes capacités de séduction comme de toutes les autres. S'il fallait décrire cette période, je dirais que toute l'image que j'avais de moi était remise en question. J'avais perdu confiance dans mes capacités d'écrivain, d'individu capable de se frayer son chemin dans le monde et, c'était inévitable, d'amante.

Et, fait peut-être symptomatique entre tous, je manquais désormais du recul nécessaire pour prendre les choses avec humour. Un cercle vicieux s'était mis en place : j'avais perdu mon respect de moi-même et je n'arrivais pas à remonter la pente. Complètement recroquevillée, je croyais que je ne pourrais me redresser que si quelqu'un me tenait à bout de bras. Je voulais que Lowell comprenne à quel point j'étais bloquée et qu'il sympathise. Je voulais qu'il voie que tout, dans ma vie, avait conspiré à m'empêcher de réellement m'assumer. J'en étais profondément convaincue ; j'avais l'impression d'être handicapée pour le restant de mes jours.

« Regarde comme j'ai été élevée, disais-je. Personne n'attendait de moi que je doive définitivement gagner ma vie, alors comment pourrais-je croire que j'en suis capable ?

— Je ne marche pas, répondait-il. Tu as réussi à le faire, et très correctement, pendant toutes les années où tu étais seule. Maintenant, soudain, tu es paralysée. Il y a quelque chose d'anormal là-dedans. »

Le pire dans tout cela, c'est que, intellectuellement, nous partagions la même théorie : nous étions *tous les deux* convaincus que les femmes devaient s'assumer seules. Comment avais-je pu régresser aussi vite ? Que m'était-il arrivé ?

Beaucoup de choses, comme je l'appris par la suite. Un grand nombre des difficultés auxquelles je me heurtais plongeaient leurs racines profondes dans l'enfance. Néanmoins, l'explication ne me suffisait pas. Au milieu de toute cette détresse et de cette confusion, j'étais consciente de ne rien avoir fait pour modifier la situation, qu'il existait certaines déformations dans ma façon de voir les choses, et que *je m'employais activement à conserver ces déformations*.

Mes rapports avec Lowell — lui m'entretenant, moi

me laissant entretenir — étaient visiblement faussés. Au
même titre que mes rapports avec moi-même. Pour une
raison ou une autre, je me considérais moins forte que
Lowell, moins compétente. *Ça,* c'était une déformation
essentielle, sur laquelle il venait s'en greffer une autre :
Lowell « devait » me prendre en charge. Car telle est la
fausse logique des faibles (ou de celles qui s'obstinent à
se juger ainsi). Aux forts revient la « charge » de nous
traîner derrière eux ; s'ils ne le font pas, ne cessons-nous
de leur répéter sur tous les tons, nous y laisserons notre
peau.

Une fois que j'eus reconnu que j'étais *en colère* à l'idée
de devoir redevenir responsable de ma vie, en colère
contre Lowell qui « m'obligeait » à l'être, je fus envahie
par un sentiment de honte et d'isolement profond.
Comment était-il possible que l'indépendance me terrifie à ce point ? En matière de féminisme, j'étais revenue
à l'âge de la pierre. *Connaissais-je quelqu'un, avais-je déjà
rencontré quelqu'un préférant — comme je semblais le faire — la
dépendance à l'autonomie ?*

Dans les périodes de ma vie où je me suis sentie le
plus effrayée et le plus seule, j'ai éprouvé le besoin
d'écrire. Celle-ci ne fit pas exception. Peut-être qu'en
décrivant ce que je ressentais, je découvrirais que je
n'étais pas un cas unique. Je ne supportais pas l'idée
que je pouvais être une anomalie, une sorte de ratée
impuissante et dépendante, seule au monde.

Je dus commencer par mettre par écrit ces sentiments
avant d'avoir le courage d'en discuter avec quelqu'un.
Je n'avais jamais entendu quiconque décrire ce genre
d'expérience. Un directeur de magazine que je connaissais bien me déçut quand je lui parlai de mon article. Il
m'écouta avec sympathie et ne parut pas comprendre ce
dont il s'agissait. Je pris une profonde inspiration et
plongeai de nouveau, car si ce type ne comprenait pas,
je ne voyais pas qui d'autre en serait capable. Pendant

que je recommençais mon histoire et lui racontais ce qui m'était arrivé depuis mon installation à la campagne, et que je lui expliquais pourquoi je voulais écrire à ce propos, je fus de nouveau envahie par le même sentiment. Je savais quelque chose, j'avais appris quelque chose et je n'allais pas permettre que cette prise de conscience perde de son relief sous prétexte que quelqu'un d'autre ne la percevait pas. Je dis donc à cet homme que mon expérience et son enseignement étaient importants. Qu'il était important pour les femmes en particulier d'entendre parler des difficultés sur lesquelles j'avais buté. Ce que j'avais vécu faisait apparaître quelque chose de réel, de paralysant, un phénomène psychologique auquel le mouvement des femmes ne s'était pas encore attaqué : ce que je voulais qu'il publie décrivait ce qu'obtiennent les femmes en s'accrochant à leurs attitudes de dépendance dans la vie — ces petites douceurs que les psychiatres appellent les « bénéfices secondaires ».

« Je crois que je commence à voir de quoi tu veux parler », finit-il par me dire.

Autres femmes, mêmes conflits

Un mois plus tard, mon essai faisait la couverture du *New York,* avec pour titre : « Au-delà de la libération, les confessions d'une femme dépendante ». Le déferlement de lettres qui s'ensuivit fut une révélation. Ce n'était pas la première fois que des lectrices m'écrivaient, mais jamais, semblait-il, je n'avais touché une corde aussi sensible. « Vous n'êtes pas seule », me disaient-elles avant de se jeter à l'eau et de raconter, avec un soulagement palpable, leur expérience personnelle.

Chaque jour, le facteur débarquait avec un nouveau paquet de lettres que j'emportais dans un petit bistrot derrière la maison pour les lire et pleurer. Ces lettres

arrivaient des quatre coins de l'Amérique ; elles étaient
écrites par des femmes d'une trentaine d'années, des
femmes à la cinquantaine bien sonnée, des femmes qui
travaillaient, qui allaient travailler, qui avaient travaillé. Toutes souffraient des mêmes anxiétés, luttant
pour conquérir leur indépendance grâce à des emplois
qualifiés, à un travail satisfaisant, à de meilleurs
salaires — et cependant, là-dessous perçait l'amertume.
L'amertume et la colère, ainsi qu'un terrible et douloureux sentiment de confusion, un « est-ce vraiment ce
qu'on doit éprouver ? ».

 « Après avoir travaillé des années dans un journal,
écrivait une femme de Santa Monica, j'ai décidé de me
mettre à mon compte. De toute façon, les revenus de
mon mari ne me permettaient pas de m'en sortir
autrement, n'est-ce pas ? » Une décision positive, ou du
moins qui pouvait l'être, mais qui déclencha un conflit
terrible à l'égard de l'homme sur lequel elle s'appuyait
affectivement pour faire ce pas en avant. Depuis,
écrivait-elle, « je suis prise entre un sentiment de
culpabilité totale dû au fait que je compte sur lui et la
rage à l'idée qu'il puisse me contester ce droit [2] ».

 Le conflit entre le désir de se débrouiller seule et celui
de s'accrocher à quelqu'un « au cas où » (cet as qu'on
garde en réserve et qui explique pourquoi certaines
personnes vont à l'église le dimanche) crée une ambivalence chronique qui sape l'énergie. A trente-quatre ans,
une femme qui disait s'être « libérée sous caution de
deux mariages », avoir élevé deux enfants et repris ses
études de droit, constatait qu'elle restait irrémédiable-
ment empêtrée « dans cette double contrainte névrotique » qui la faisait « haïr et redouter en même temps la
dépendance et la liberté ». Elle avait été fonctionnaire
pendant une brève période, puis avait décidé d'ouvrir
son propre cabinet en s'associant à un confrère aussi
inexpérimenté qu'elle. La façon dont chacun menait sa
barque était, observait-elle, assez étonnante. « Dès le

départ, il n'a eu aucun doute sur le bien-fondé de ce qu'il avait à faire. Je n'ai jamais éprouvé ce sentiment d'assurance. Chaque fois que j'affronte une situation nouvelle, je continue à me demander s'il vaut mieux foncer ou courir me réfugier derrière un homme qui me protégera. Comme il est facile de tomber dans ce piège, et comme je deviens paresseuse et dépendante chaque fois qu'il y a dans les parages quelqu'un que je peux utiliser ainsi ! »

Le désir d'être sauvée. Même si nous ne le percevons pas aussi nettement que cette femme, il est bel et bien ancré en nous, émergeant au moment où nous nous y attendons le moins, imprégnant nos rêves, étouffant nos ambitions. Il est possible que le désir qu'ont les femmes d'être sauvées remonte au temps des cavernes, où la force physique de l'homme était nécessaire pour protéger mères et enfants contre une nature sauvage. Mais ce désir ne se justifie plus et ne mène à rien. Nous n'avons pas besoin d'être sauvées.

Aujourd'hui, les femmes sont prises sous le tir croisé des théories sociales anciennes et de celles qui sont radicalement nouvelles. Une chose est pourtant sûre : nous ne pouvons plus retomber dans notre « rôle » traditionnel. Il n'est pas fonctionnel, il ne constitue pas un choix réel. Nous pouvons *penser* qu'il l'est, *désirer* qu'il le soit, mais nous nous trompons. Le prince charmant a disparu. L'homme des cavernes est devenu plus petit, plus faible. Pour ce qui est des qualités requises pour survivre dans le monde moderne, il n'est ni plus fort, ni plus intelligent, ni plus courageux que nous.

Mais il est, ô combien, plus expérimenté.

Faire face ou l'effondrement de la fausse autonomie

Les présages étaient là depuis longtemps, présents sous la surface immédiate des choses comme les feux

d'un bouleversement sismique. Une transformation
sociale n'intervient pas du jour au lendemain. Le
« rôle » des femmes avait commencé à se modifier bien
avant que la libération des femmes eût un nom. Le fait
que le terrain devenait hasardeux pour les femmes, que
nous ne distinguions plus la voie qui s'ouvrait devant
nous, nous a peut-être plus effrayées que nous n'en
avions conscience à mesure que nous parvenions à l'âge
adulte. Quelque chose se passait, mais ni nous ni nos
parents ne savions quoi. Ces derniers, pour la plupart,
ratèrent, bien involontairement, l'éducation de leurs
filles dans les années quarante et cinquante parce qu'ils
ignoraient totalement ce pour quoi ils les élevaient.
En tout cas, ils ne les préparaient pas à l'indépendance.

Quand j'atteignis l'âge du lycée, j'avais déjà adopté,
comme beaucoup de filles, une sorte de décontraction
trompeuse, ce qu'un psychiatre aurait vite qualifié de
« défense contre-phobique », une carapace qu'on se
fabrique pour cacher sa peur et son insécurité. Quelque
chose minait mon assurance, un sentiment de confusion
sur ce que j'étais et ce que je voulais faire de ma vie, et
sur ce qu'étaient les filles en général. Mais tout le
monde s'y méprit. J'étais insolente avec mes professeurs, caustique avec les garçons. Pendant ma première
année à l'université, j'appris à argumenter avec élégance et recherche, à discuter. Plus tard, avec l'apparition du Mouvement pour le développement humain, je
devins la vedette de mon groupe de rencontres
— intransigeante, agressive, montant presque en épingle mon « honnêteté ». Un ancien détenu noir de notre
groupe, un homme qui avait grandi dans la rue et passé
dix-sept ans en prison, me dit que même lui avait peur
de moi pendant nos réunions. Ah ! ce pouvoir, cette
autonomie grisante !
Quand vint le moment où cette « autonomie » s'ef-

fondra, les gens qui me connaissaient furent étonnés :
« Toi si forte, si équilibrée », disaient-ils.

Quand, après que mon mariage fut parti à vau-l'eau,
je fus atteinte de phobies, à peine capable de marcher
dans la rue à cause de mes crises d'angoisse et de
vertige, moi aussi je fus déroutée par la disparition
subite de mon ancienne force apparente. N'étais-je donc
pas solide et équilibrée ? N'avais-je pas réussi à conserver intacte ma cellule familiale, pratiquement seule,
pendant des années ?

En regardant en arrière, il me semble évident aujour-
d'hui qu'il y avait toujours eu des signes révélateurs
d'un manque d'harmonie accablant entre mon moi
profond et mon moi apparent. Ce dernier était « fort »
et « indépendant » (surtout comparé à l'idée qu'on se
fait des femmes). Le moi profond était habité par le
doute et l'effacement. Il s'était produit à l'université un
épisode étrange que je m'étais empressée d'oublier. Un
dimanche, pendant la messe, je dus soudain partir en
courant de la chapelle. Le cérémonial, l'encens et la
solennité distante du rituel m'avaient couverte de sueur
et j'éprouvais une angoisse et une nausée comme je n'en
avais jamais connu jusque-là : mon premier « accès de
panique ». Que m'arrive-t-il ? me demandais-je en
m'accrochant au banc devant moi pour résister aux
vagues de vertige qui me submergeaient. Il me fallut ce
qui me sembla une éternité pour avoir le courage de
quitter la chapelle. Aujourd'hui, je pense que ce départ
symbolisait un autre départ, plus profond, qu'il était
une prémonition du fait que je ne pouvais pas indéfiniment en revenir aux rites du catholicisme. Y aurait-il
jamais du reste quelque chose à quoi je pourrais
revenir ?

C'est un problème que je décidai d'ignorer pendant
de nombreuses années. Le premier homme de ma vie,
mon mari, ne pouvait pas me prendre en charge, en tout
cas pas sur le plan émotionnel. Ses propres problèmes

psychologiques l'empêchaient de contribuer à la stabilité de notre union, et encore plus de m'apporter le type de sécurité intérieure qui me viendrait, croyais-je, d'un autre.

Le second homme de ma vie, Lowell, refusait de me prendre en charge (ou plutôt d'endosser le rôle traditionnel et de faire semblant). Il me signifiait clairement qu'il voulait une femme capable de s'assumer et je lui rétorquais tout aussi clairement que je voulais que lui m'assume. Du fait que je ne réussissais pas à le glisser dans mes vieilles idées préconçues sur ce qu'un homme « doit faire », il se créa une impasse psychologique qui me conduisit, après bien du temps, à modifier certaines de mes attitudes destructrices.

Dans l'immédiat, je devais d'abord croire en moi et rassembler les éléments bruts et fondamentaux qui me permettraient d'y parvenir. Si étrange que cela paraisse, ils me faisaient encore défaut. On peut s'étonner qu'une fille privilégiée, appartenant à un milieu privilégié, ayant un professeur d'université pour père et une femme parfaitement agréable pour mère, en vienne à mettre en place un mépris de soi aussi profond et impitoyable. Quoi qu'il en soit, j'en étais là à l'âge adulte. Doutant de mon intelligence. Doutant de mes charmes. Car là résidait ce fichu « double handicap » : douter de ma capacité à me débrouiller seule dans la vie, en femme nouvelle, et douter tant autant de ma capacité de réussir en ayant recours à l'ancienne manière, en séduisant un homme afin d'en faire mon protecteur. Ne comprenant pas, sous le coup de cette confusion des genres qui assaille tant de femmes aujourd'hui, je ne savais jamais où je me situais. Pendant toutes ces années passées à faire « ce qu'il fallait faire » — aller à l'université, travailler dans l'équipe de rédaction d'une revue, me marier, arrêter de travailler, avoir des enfants, les élever et commencer, lentement, à retravailler à des heures indues ou pendant la sieste des petits —, pendant toutes ces années donc, j'avais été fondamentalement en conflit avec moi-même. Tandis que la famille applaudissait et apportait des gâteaux, approuvant la façon dont je me glissais en douceur dans mon « rôle » ici-bas, pendant toutes ces années où je m'imprégnais de mon personnage comme seules les femmes savent le faire, je me cachai qui j'étais.

Au cœur du problème

Ainsi, comme le montrait sans ambiguïté l'article du *New York,* il y avait d'autres femmes comme moi, des femmes qui se sentaient dépendantes, frustrées, en colère. Des femmes qui aspiraient avec ardeur à l'indé-pendance, mais étaient effrayées par ce qu'elle risquait de signifier. En réalité, la peur paralysait leurs efforts pour s'affranchir. *Pourquoi est-ce que personne n'en parlait ? Combien de femmes souffraient-elles en silence, ne sachant où elles en étaient ? La peur sévit-elle à l'échelle d'une épidémie chez les femmes ?* Je voulais des faits, je voulais des théories. Je voulais entendre les femmes parler de leurs vies maintenant qu'il est entendu que nous sommes libres. Je sentais qu'il se passait quelque chose dont on ne parlait pas, sur quoi on n'écrivait rien ; quelque chose qui échappait à tous les articles et études.

Le besoin psychologique d'éviter l'indépendance — le « désir d'être sauvée » — me semblait un pro-blème important, sans doute le plus grand que doivent affronter les femmes aujourd'hui. On nous a préparées par notre éducation à dépendre d'un homme et à nous sentir nues et terrifiées si nous en sommes dépourvues. On nous a appris à croire que nous, femmes, sommes incapables de nous tirer seules d'affaire, que nous sommes trop fragiles, trop délicates, que nous avons besoin de protection. Si bien que maintenant, en ces temps éclairés que nous vivons, quand notre intellect nous dit de voler de nos propres ailes, nous sommes plaquées au sol par des problèmes émotionnels non résolus. Nous réclamons d'être sans entraves et libres, et en même temps qu'on nous prenne en charge.

Les aspirations à la dépendance des femmes sont, pour la plupart, profondément enfouies. La dépendance est effrayante. Elle nous angoisse parce qu'elle s'enracine dans la petite enfance, dans la période où nous étions réellement impuissantes. Nous faisons de notre mieux pour nous cacher ces besoins à nous-mêmes. Surtout maintenant, avec cet élan nouveau vers l'indépendance qu'encourage notre société, nous trouvons tentant d'isoler et d'étouffer cette autre composante de nous-mêmes [3].

C'est précisément elle qui, enfouie et niée, crée le conflit. Elle surgit dans nos fantasmes et dans nos rêves. Elle prend parfois la forme d'une phobie. Elle influence la façon dont les femmes pensent, agissent, parlent — et pas seulement certaines femmes, mais pratiquement toutes. Les besoins cachés de dépendance mettent en difficulté la femme au foyer protégée qui doit demander à son mari la permission d'acheter une robe, comme la femme d'affaires aux revenus plus que confortables et qui est pourtant incapable de dormir les nuits où son amant est en voyage. D'après Alexandra Symonds, psychiatre new-yorkaise qui a étudié cette question de dépendance, il s'agit d'un problème auquel se heurtent la plupart des femmes qu'elle a rencontrées. Même celles dont la réussite semble la plus flagrante ont tendance, dit-elle, « à se subordonner aux autres, à en devenir dépendantes et à consacrer, de façon tout à fait inconsciente, l'essentiel de leur énergie à rechercher amour, aide et protection contre ce qui est perçu comme difficile, risqué ou hostile dans la vie ».

Le « complexe de Cendrillon »

Si nous voulons être libres, une seule voie s'offre à nous : nous devons nous émanciper de l'intérieur. *La thèse développée ici est la suivante : la dépendance personnelle, psychologique — le besoin profond d'être prise en charge par les autres — est la principale force qui immobilise les femmes aujourd'hui. C'est ce que j'appelle le « complexe de Cendrillon », soit tout un réseau d'attitudes et de peurs largement refoulées qui maintient les femmes dans une sorte de pénombre et les empêche d'utiliser pleinement leur intelligence et leur créativité. Comme Cendrillon, les femmes attendent encore aujourd'hui qu'un élément extérieur transforme leur vie.*

En me servant de mon expérience personnelle comme tremplin, j'ai inséré les matériaux psychologiques et psychanalytiques constituant l'information de ce livre dans la continuité des récits des femmes (en signalant quand les noms et les détails ont dû être modifiés). Vous rencontrerez dans les pages qui suivent des femmes célibataires, des femmes mariées, des femmes s'étant choisi un compagnon. Certaines ont une vie professionnelle, certaines ne sont jamais sorties de chez elles, certaines enfin ont tenté l'aventure, mais battu en retraite. Des femmes sophistiquées de la ville, des femmes vivant à la campagne et coupant leur bois, des veuves, des divorcées, d'autres qui veulent divorcer, mais n'en ont pas le courage. Des femmes qui aiment leurs compagnons, mais qui craignent d'y perdre leur âme. Beaucoup des femmes avec qui j'ai parlé avaient fait des études supérieures, d'autres non, mais presque toutes restaient très au-dessous de leurs capacités naturelles et vivaient dans un univers incertain défini par leur sexe et qu'elles s'étaient constitué elles-mêmes. En situation d'attente.

Quelques-unes des femmes que j'ai interviewées

pendant mes recherches oublient « le problème ». Intellectuellement, elles savent que tout ce qu'elles veulent — ou ont voulu — c'est la liberté. Affectivement, cependant, elles manifestent tous les signes d'un conflit intérieur profond et douloureux.

D'autres luttent par intermittence, avec des aperçus fugitifs de ce qui les rend anxieuses et souvent déprimées.

D'autres enfin ont le courage de se jeter à l'eau, reconnaissant leur désir profond d'être protégées et prises en charge — capables alors de trouver une nouvelle force en même temps que de savoir, avec réalisme, qui elles sont et ce qu'elles peuvent réellement accomplir. Ces femmes deviennent *courageusement vulnérables,* pour reprendre les termes d'une psychanalyste. Au lieu de s'obstiner dans une vie de refoulement et de négation de soi, elles font face et affrontent la vérité de leur moi profond, réussissant à triompher des peurs qui les faisaient hésiter au coin de l'âtre. Celles-là se sont authentiquement libérées et elles ont beaucoup à nous apprendre.

NOTES

1. Les personnes dépendantes expriment souvent leur agressivité par la critique, celle-ci devenant un substitut pour des actes concrets. « C'est une méthode très efficace dans le cas d'individus anxieux ayant peu d'estime de soi », écrit Martin Symonds. « En exprimant ainsi leur réprobation, ils créent l'illusion que si *eux* faisaient " ça ", ils le feraient mieux. L'exemple classique est celui du passager qui ne cesse de critiquer le conducteur ; or, la plupart du temps, le passager ne sait pas conduire. »

2. Cette « rage » me rappelle ces femmes qui se disaient « furieuses mais dépendantes » en décrivant leurs sentiments à Ruth Moulton. Ces femmes « exigeaient d'être, à un degré

anormal, rassurées par les hommes et si elles n'obtenaient pas ces assurances, elles s'en prenaient à leurs maris dans un processus de " transformation malveillante ", pour reprendre l'expression de Sullivan. Le mari qui ne répond pas à leur attente devient soudain " le méchant père ". Alors qu'au début du mariage la patiente et son mari auront bravé parents et conventions, plus tard le mari se transformera en ennemi et se substituera aux parents ».

3. Qu'est-ce que la dépendance ? » demande Judith Bardwick. « Au début, c'est la relation normale du nouveau-né au monde qui l'entoure. Plus tard, chez les enfants et les adultes, elle semble être une défense contre le stress, une réaction aux frustrations, ou une protection contre de futures frustrations. Elle peut être de type affectueux — on accapare et on force le comportement affectueux ou protecteur de l'autre, surtout d'un adulte. Un comportement dépendant peut aussi être de type coopératif — on obtient l'aide de l'autre pour résoudre le problème contre lequel on bute. Elle peut enfin être de type agressif — on s'approprie l'attention ou l'affection et on empêche ainsi quelqu'un d'autre d'en bénéficier. Dans tous les cas, la dépendance signifie l'absence d'indépendance. Etre dépendant, c'est compter sur l'autre pour vous soutenir. »

CHAPITRE II

LA DÉROBADE :
LE REPLI DES FEMMES DEVANT LES DÉFIS

Il est parfois plus facile d'affronter des difficultés extérieures, une crise ou un drame, qu'un défi venu de l'intérieur — en l'occurrence, accepter de prendre des risques, de devenir adulte.

Je me suis toujours considérée comme une lutteuse, quelqu'un qui, lorsque sonnerait l'heure de la bataille, se taillerait péniblement un chemin dans les plus infâmes marécages, sans se laisser abattre. Il y avait eu des périodes exigeant courage et force d'âme, et je m'étais montrée à la hauteur. Après la fin de mon mariage, il devint très vite évident que c'était moi qui devrais faire vivre les enfants. Mon mari commença à souffrir d'accès maniaco-dépressifs qui conduisirent à son hospitalisation. Pendant neuf ans, jusqu'au jour où il mourut d'un ulcère non soigné, il fit environ une fois par an un séjour à l'hôpital. Entre ces périodes, un traitement au lithium lui assurait une stabilité relative. Mais cette maladie constituait un tel handicap que, malgré une intelligence vive, il ne pouvait effectuer que des travaux particulièrement ingrats — serveur, plongeur et finalement coursier pendant les cinq dernières années de son existence. Je pris deux décisions, dont les conséquences furent parfois pénibles. Je ne l'abandonnerais pas en période de crise, et je n'empêcherais pas les enfants d'aller le voir, sauf quand il serait en période d'agitation et d'hallucination.

Le mal des maniaco-dépressifs est fuyant et insaisissable et les épisodes d'agitation semblent survenir de façon cyclique, mais sans qu'on puisse prédire leur apparition. Ed se réfugiait souvent en catastrophe dans notre appartement lors de la phase la plus aiguë d'une période d'agitation, convaincu qu'il était sur le point de gagner une grande élection nationale. Puis, après plusieurs semaines sans sommeil, son organisme fonctionnant au-delà des limites de l'endurance, il partait en titubant dans les rues avant de s'effondrer dans la dépression et la paranoïa. J'allais le voir dans des services hospitaliers où se répercutaient les échos de la solitude et du désespoir. Et si j'appris quelque chose, ce fut qu'il y a des situations dans la vie où nous ne pouvons strictement rien faire.

En même temps, une partie de moi, secrète et cachée, s'apitoyait sur mon propre cas. Passer si vite — une courte année — de la condition d' « épouse » protégée et entretenue à celle de « mère seule » avec trois enfants, livrée à moi-même et doutant terriblement de mes capacités de nous faire tous vivre, était tout bonnement terrifiant. Je ne savais faire qu'une chose : écrire, et j'y réussissais tout juste, je commençais à peine à y croire en 1971. La nécessité très réelle d'avoir à payer chaque mois mon loyer me stimula et me fascina d'abord. Rien ne pouvait mieux me pousser à travailler. En moins d'un an, la moitié des femmes que je connaissais le mieux avaient quitté leurs maris pour aller vivre seules dans de grands appartements à loyer modéré (comme moi), avec des enfants (comme moi) et des soucis (comme moi). Nous devînmes très proches. Nous nous voyions tous les jours, nous nous téléphonions tous les soirs. En réalité, nous formions un réseau de soutien mutuel et Dieu sait comment nous nous serions débrouillées s'il n'avait pas existé.

Mais nous nous cachions aussi. On aurait dit que nous nous préoccupions davantage de continuer à mener exactement la même vie qu'avant, lorsque la figure paternelle était présente, que d'essayer d'en profiter pour créer quelque chose de neuf. Il est surprenant que j'aie pu vivre si longtemps sans vraiment rien *décider*. Je ne voulais pas être seule, me percevoir en tant que personne seule, et c'est pourquoi je continuais à partager mes responsabilités comme je l'avais toujours fait. Aucune de nous ne voulait réellement prendre de décisions. Nous passions notre temps à nous consulter, en particulier sur tout ce qui avait trait aux enfants. Nous nous prêtions de l'argent et nous nous fixions des rendez-vous au coin de la rue dans le petit matin new-yorkais. Parfois, nous nous arrêtions au beau milieu de la rue pour mettre la tête sur l'épaule de l'autre et pleurer. Nous exprimions sans la moindre honte notre sentiment profond de faiblesse, mais nous trouvions aussi notre nouvelle vie passionnante. Nous buvions du vin tard dans la nuit, nous fumions un joint et nous recommencions à sortir comme de vraies collégiennes. J'ignorais complètement quel genre d'homme m'intéressait ou me convenait. Quand je rencontrais des hommes et que je sortais avec eux, mon attitude était celle d'une adolescente : celui-ci avait une drôle d'allure, celui-là était autoritaire et pressant, le suivant était séduisant mais trop sûr de lui. Sortir avec des hommes me terrifiait. Je me sentais comme une gamine de quatorze ans emprisonnée dans le corps d'une femme qui en avait trente-trois. Je commençai à me mettre des rouleaux, à m'épiler les sourcils et à m'inquiéter de mon haleine.

Nous grandissions, voilà tout. Voluptueuses, bourrées d'esprit, avec cette touche de sophistication que seule peut vous donner la fréquentation de Manhattan, nous étions en pleine puberté, un goût d'huile de foie de morue encore sur le palais. Le fait de ne pas avoir d'homme à la maison, pas de mari, nous révélait telles que nous étions : affolées, anxieuses, incroyablement en retard dans notre développement mental aussi bien que psychologique. Jubilantes parce que nous sortions de notre cage, mais psychologiquement recroquevillées devant la nouvelle liberté qui nous était donnée de diriger enfin notre existence. Devant nous s'ouvraient seulement les obscurs sentiers non défrichés qui mènent au cœur de la jungle.

Mon attitude à l'égard de l'argent était particulièrement révélatrice de mon refus de m'engager dans le monde des adultes. Je n'en avais pas assez, mais je me sentais incapable de faire quoi que ce soit pour y remédier. Gagnant ma vie avec ma plume, je vivais au mois le mois, attendant quelque « trêve » magique, espérant que l'anneau de mariage passerait à ma portée et que je pourrais l'attraper. Pendant ces premières années de vie solitaire, je n'ai jamais pris la mesure des réalités financières de ma vie professionnelle, je n'ai jamais songé à me recycler, jamais envisagé quoi que ce soit pour rendre ma situation plus stable. Je gardais obstinément la tête dans le sable, les yeux résolument fermés, espérant que « ça s'arrangerait ». J'avais bien conscience de certaines tristes réalités parce que, chaque mois, les factures devaient être payées, mais je réagissais à tout cela avec une passivité effrayée. Je ne faisais aucun progrès sur la voie de l'autonomie : j'évitais simplement le pire.

En même temps, j'étais fermement convaincue que je ne voulais pas me remarier. Mariée, je n'avais pas eu la force de résister à ces accablants besoins de dépendance ; seule, j'y étais obligée. Dans un sens, mon instinct ne se trompait pas. Même si la dépendance sous-jacente n'avait pas cédé d'un pouce, en état de sommeil sous ma lutte frénétique de femme seule, au moins ne passais-je pas mon temps à agir en fonction d'elle, et à renforcer mon impuissance de jour en jour comme du temps où j'étais mariée.

Mais, par ailleurs, une partie de moi secrète, inconsciente, attendait qu'on la tire de nouveau d'affaire. Telle une adolescente, je jouissais de ma liberté nouvellement découverte, mais à la moindre perturbation je regrettais le cocon des jours anciens. Intérieurement, je différais mon passage à l'âge adulte. La peur m'avait amenée à vivre dans un champ strictement restreint qui m'empêchait d'apprendre, de me développer l'esprit, de découvrir ce dont j'étais vraiment capable.

Au plan psychologique, les choses étaient plus compliquées qu'un simple complexe d'infériorité et de timidité. J'oscillais entre une idée démesurée de mes capacités et le sentiment particulièrement humiliant de mon incompétence. Or, tout en étant viscéralement consciente de cette situation impossible, je ne voyais pas comment en sortir. « *Woman is loser* » (« la femme est une perdante »), gémissait Janis Joplin. Je me passionnai alors pour les nouvelles théories qui faisaient des femmes des opprimées. Malheureusement, les idées-forces les plus dans le vent du mouvement féministe rejoignaient ma propre paralysie et l'accentuaient encore. J'utilisais le féminisme pour justifier ma stagnation. Au lieu de me concentrer sur mon développement personnel, je concentrais mon attention sur « eux ». C'étaient « eux » qui m'empêchaient de prendre mon élan. Les femmes n'arrivaient à rien parce que les hommes ne le leur *permettaient* pas, un point c'est tout.

Il se passa quelque chose d'inattendu : je me mis à mieux écrire et ma carrière décolla. Cela aussi m'inquiéta et je fus incapable de suivre le mouvement et d'accélérer. Au lieu de me réjouir de cette percée dans l'écriture, je commençai à me dire que je n'étais pas spécialement douée, mais seulement astucieuse et que je savais m'y prendre avec les gens. Je « me débrouillais » comme journaliste. J'en fichais plein la vue ; jusqu'au

jour où l'on découvrirait la fumiste que je me savais
être.

A ce stade, j'aurais dû commencer à soupçonner
qu'en m'accrochant à une opinion aussi négative de
moi-même, j'obtenais quelque chose. Je ne voulais pas
vraiment réussir ; je ne voulais pas aller jusqu'au bout,
jusqu'au point où chacun saurait, une fois pour toutes,
que je n'avais besoin de personne pour me prendre en
charge. « Je peux m'assumer. » En prononçant ces
mots et en les avalisant, je me maudissais, je brûlais
mes derniers vaisseaux. « Je peux m'assumer ! » C'était
de la démence que de tenter ainsi le sort et les dieux.
Une fois que vous admettez ça, vous déclarez forfait,
vous renoncez à toute possibilité d'arguer de votre
impuissance.

Le petit jeu était donc le suivant : « Je peux m'assumer... en quelque sorte. » Malheureusement, vous ne
pouvez à la fois vous dérober et aller de l'avant. Au lieu
de s'élargir, ma vie se rétrécissait. J'appris une foule
d'astuces pour me défiler. Je passais presque tout mon
temps libre — et une grande quantité de celui qui ne
l'était pas — avec les autres. Je me disais que j'en avais
besoin après ces longues années de mariage sans amis.
Il est probable que j'en avais réellement besoin, mais
j'utilisais aussi les gens pour éviter de réfléchir sur moi-
même. Je papillonnais, je devins la reine de West End
Avenue. Je travaillais très tard dans la nuit et me levais
très tard le matin. Même écrire finit par être une
soupape de sécurité. Cela me permettait d'exercer une
pression exactement au centre du volcan, de lâcher un
peu de vapeur et d'aller faire la sieste en ignorant une
fois de plus la cause du feu destructeur qui grondait en
moi.

*Nous ne le savons pas, parce que le seul fait d'assumer seules
nos besoins nous semble un effort trop extrême, mais tergiverser
n'est pas en soi une occupation noble. C'est faire du sur-place,*

nager sans avancer. « *Se tâter* », *c'est refuser le défi. Les femmes ont besoin de faire plus. Nous devons découvrir de quoi nous avons peur et dépasser cette peur.*

La petite fille a la vie dure

> J'ai beaucoup de mal à faire quelque chose seule.
> J'ai toujours eu l'impression que ma place était derrière quelqu'un. J'avais un frère plus âgé qui était parfait. Finalement, j'étais ravie de grandir dans son ombre. Là, je me sentais en sécurité.
> Souvent, j'éprouve un sentiment d'illégitimité parce que je ne suis pas mariée et que je n'ai pas d'enfants, bien que je sache que c'est extra et dans le vent, surtout ici, à San Francisco. Mais on ne m'a pas élevée comme ça et ce n'est pas ce que je veux être. Je n'ai jamais vraiment senti que je voulais être indépendante.

Ce constat de dépendance est extrait de l'interview enregistrée d'une psychanalyste ayant réussi dans la vie, célibataire, une femme de trente-deux ans qui possède un doctorat de psychologie. Comme le montrent ces phrases, cette féministe ne sait pas exactement quel est son rôle dans le monde — son besoin profond de s'abriter « derrière » quelqu'un est en contradiction flagrante avec son désir de réussir, d'être aux premières lignes, de se débrouiller seule.

« Chaque fois que la vie devient trop difficile, les femmes ont toujours la possibilité de tout laisser tomber et de se mettre sous la protection d'un homme ; il faut une volonté d'acier pour tenir bon en tant que femme indépendante », écrit Judith Coburn dans *Mademoiselle*. « Quand je laisse les factures s'empiler, la voiture se déglinguer ou les projets de voyage tomber à l'eau, j'émets en réalité le message suivant : vous voyez bien, je n'y arrive pas toute seule, j'ai besoin qu'on vienne à mon secours. »

Une autre femme, qui compose des chansons avec talent et s'estime « féministe militante », essaie de comprendre pourquoi elle n'arrive pas à rassembler l'énergie voulue pour se lancer dans la chanson. « Peut-être que je veux tout simplement qu'un homme s'occupe de moi », dit-elle pour expliquer sa léthargie intérieure.

Ecoutez les femmes parler aujourd'hui, et vous découvrirez vite que la « nouvelle femme » n'est pas vraiment nouvelle : elle est une mutante. Elle vit dans une sorte de pays de légende, oscillant entre deux groupes de valeurs, l'ancien et le nouveau. Sur le plan émotionnel, elle n'a conclu de trêve ni avec l'un ni avec l'autre ; et elle n'a pas davantage trouvé comment faire siens les deux à la fois. « Toutes les portes sont ouvertes », écrit Anne Fleming Taylor dans *Vogue,* mais le problème est de savoir par laquelle entrer. « Si nous sommes de bonnes mères, pouvons-nous travailler ? Si nous faisons bien notre travail, pouvons-nous aimer ? Entrerons-nous dans l'arène ou non ? Pouvons-nous rester à la maison sans nous sentir coupables, inutiles et étrangement blessées ? »

Perplexes et inquiètes, les femmes renoncent à vivre pleinement, à utiliser au maximum leurs capacités. Une femme agent de tourisme que j'ai rencontrée l'été dernier me disait : « Nous ne sommes pas encore capables de nous débrouiller seules et de dire : " Oui ! Je peux le faire, je suis qualifiée. " Les femmes continuent à avoir peur. »

Pourquoi les femmes sont-elles si craintives ? La réponse à cette question est à la racine du « complexe de Cendrillon ». L'expérience personnelle n'y est pas étrangère. Si vous ne vous décidez pas à faire quelque chose, vous aurez peur votre vie durant du monde extérieur et de son fonctionnement. Mais beaucoup des femmes qui parviennent à des résultats appréciables dans leur travail et leur carrière gardent cette inquiétude au fond d'elles-mêmes. Il est d'ailleurs étrange, comme nous le verrons plus loin, qu'un aussi grand nombre de femmes conservent, aujourd'hui encore, un tel fond de doute sur leurs capacités tout en affichant une assurance à toute épreuve. Les recherches actuelles en psychologie ont montré que ce doute profond *est caractéristique des femmes aujourd'hui.*« *Nous avons découvert que la passivité, la dépendance et surtout le manque d'estime de soi sont les variables qui différencient les femmes des hommes et qui reviennent en permanence* », déclare la psychologue Judith Bardwick.

Rares sont les femmes qui ont besoin d'études pour en être convaincues. Le manque d'assurance semble nous poursuivre depuis l'enfance, avec une intensité si manifeste qu'il paraît parfois doté d'une existence autonome. Miriam Shapiro, une femme peintre de New York, dit avoir toujours vécu avec le sentiment qu'une enfant désarmée l'habitait, « une créature fragile, sans défense, timide, doutant d'elle ». C'est seulement lors-qu'elle peint, ajoute-t-elle, que cette enfant cachée est « capable de s'affirmer, de devenir plus vivante, et plus libre dans ses mouvements ».

Nous avons beau nous évertuer à vivre en adultes — souples, puissantes et libres —, la petite fille se cramponne et chuchote ses mises en garde effrayées à notre oreille. Les effets de ce sentiment d'insécurité sont largement répandus et à l'origine d'un phénomène social gênant : les femmes pensent et agissent très au-dessous de leurs capacités. *Pour des raisons qui sont à la fois culturelles et psychologiques — un système qui n'attend pas vrai-ment grand-chose d'elles associé à leur peur d'affronter le monde extérieur — les femmes s'imposent leurs propres limitations.*

Le fameux « manque de réussite » féminine

Considérons pour commencer l'histoire de notre progrès économique au cours des deux dernières décennies. Malgré la prise de conscience des années soixante et soixante-dix, la situation des femmes est pire aujourd'hui qu'au temps des crinolines et des guêpières. Nous gagnons moins d'argent (par comparaison avec les hommes) qu'il y a vingt ans. Aux Etats-Unis, en 1956, les revenus des femmes représentaient soixante-trois pour cent de ceux des hommes. Aujourd'hui, ce chiffre est inférieur à soixante pour cent. Malgré l'action politique et l'introduction des études féministes à l'université, nous entrons pour la plupart dans le monde du travail avec des emplois mal payés et gravissons l'échelle des salaires avec une démarche de crabe, en prenant en quelque sorte la tangente. Les deux tiers des femmes qui travaillent gagnent moins de dix mille dollars (soixante-dix mille francs) par an.

[Les tableaux de l'économie française (édités par l'INSEE) signalaient, en s'appuyant sur des statistiques de 1974, que les salaires moyens des femmes sont en général inférieurs de 33 % aux salaires moyens des hommes. Cet écart s'accentue à mesure qu'on s'élève dans la hiérarchie des catégories socioprofessionnelles : personnel de service : 16 %, ouvriers : 31 %, cadres supérieurs : 37 %. Ces chiffres sont pris dans le numéro spécial de la *Revue française des affaires sociales,* (octobre-décembre 1981) consacré au travail des femmes.

Parmi la population active, 16 % des femmes gagnent plus de 6 000 F par mois, contre 35 % des hommes. Deux sur mille gagnent plus de 18 000 F alors que l'on compte deux hommes sur cent à ce même salaire. (Enquête du *Nouveau F,* n° 5, juin 1982.) (*N.D.T.*)]

Quoi qu'il en soit, nos revenus ne nous permettent guère plus que de payer la baby-sitter, et aucunement d'assurer notre avenir. Les augmentations de capital, les participations aux bénéfices, les plans d'épargne-retraite sont des luxes réservés à la fraction entreprenante de la population ; aux hommes. Nous constituons, et volontiers semble-t-il, une armée de bourdons sous-payés si massive et à l'existence si prédéterminée que les sociologues se sont employés à nous trouver une nouvelle étiquette : « les quatre-vingts pour cent ». Ces « quatre-vingts » représentent le pourcentage de femmes qui effectuent des tâches subalternes ou d'O.S. pour des salaires de misère —, de celles qui, sur le plan économique, se débattent au fond du panier de crabes.

Jusqu'à une période récente, les statisticiens nous renvoyaient l'expression « les femmes dans la main-d'œuvre » comme si nous étions une armée d'amazones prêtes à prendre le pouvoir. La notion de la force naissante des femmes et de leur mobilité était dans l'air depuis au moins un quart de siècle. Mais, comme les sociologues commencent enfin à le reconnaître, « pour une femme qui réussit sur le plan professionnel, il y en a une dont " la participation à la vie active " consiste à manier une perforatrice pendant huit heures chaque jour ouvrable, une autre dont le travail revient à faire les lits et le ménage et une troisième qui passe sa journée à taper des lettres et à classer du courrier dans les grands bureaux impersonnels de la bureaucratie américaine ». (C'est ce que rappelait James Wright, de l'université du Massachusetts ; il concluait, à partir des données réunies par six grandes enquêtes nationales, que le degré de satisfaction des femmes travaillant à l'extérieur n'était pas supérieur à celui des femmes travaillant chez elles. On ne s'étonnera pas du manque d'enthousiasme relevé dans les statistiques si l'on sait que quatre-vingts pour cent des femmes qui travaillent quittent le confort de leur foyer pour aller faire le ménage dans les bureaux et/ou faire du classement, cela pour un bas salaire (et aux Etats-Unis) sans retraite assurée.)

En surface, le problème peut sembler identique pour

les hommes et pour les femmes : seul un nombre infime d'individus des deux sexes s'élèvera au sommet de l'échelle. Mais dans le cas des femmes, c'est une autre histoire. Les études ont régulièrement fait apparaître que si le quotient intellectuel est étroitement lié à la réussite chez les hommes, il n'a strictement rien à y voir chez les femmes. Cette différence scandaleuse fut pour la première fois mise en évidence par une étude réalisée par l'université de Stanford sur les enfants doués. Plus de six cents enfants possédant un QI supérieur à 135 (soit un pour cent de la population) furent sélectionnés dans les écoles californiennes. On suivit leurs progrès jusque dans l'âge adulte. Les emplois occupés par les femmes dont le QI, pendant l'enfance, était voisin de celui des hommes n'offraient pour la plupart aucun intérêt. *Deux tiers des femmes ayant un QI égal ou supérieur à 170, soit au niveau du « génie », étaient ménagères ou employées de bureau* [1].

Le gaspillage des possibilités des femmes représente une fuite de cerveaux qui touche le pays tout entier. Les psychiatres ont commencé à se pencher sérieusement sur ce problème. Frappée par le nombre de femmes en conflit avec la réussite, Alexandra Symonds observait que les femmes douées éprouvent souvent de la répugnance à aller de l'avant et à occuper des postes qui leur apporteraient une réelle autonomie. Elles hésitent devant les promotions ou en éprouvent une anxiété non justifiée. Beaucoup gravitent autour de mentors, préférant un travail de collaboratrice brillante, mais non reconnue, auprès d'hommes au pouvoir, refusant à la fois le crédit et la responsabilité de leur contribution personnelle. En psychothérapie, elles s'accrochent à ce rôle effacé. « Elles opposent, consciemment ou inconsciemment, une résistance à chaque pas vers une saine affirmation de soi », déclare Alexandra Symonds. « Certaines femmes disent carrément qu'elles aiment être prises en charge et qu'elles n'ont aucun désir de changer cette situation. D'autres... viennent avec l'intention apparente de progresser, mais quand elles sont confrontées à la possibilité d'un changement réel, assorti de choix inévitables qui conduisent à la séparation et à l'émergence de soi, elles paniquent. »

Dans sa clientèle de Manhattan, le Dr Symonds compte de nombreuses femmes qui réussissent sur le plan professionnel et sont en pleine ligne ascendante ; or elle a constaté qu'il existait chez elles un problème d'autolimitation largement répandu. Compte tenu de leurs dons innés, beaucoup trop de femmes paraissent handicapées et incapables d'utiliser pleinement toutes leurs possibilités.

Pourquoi ? Qu'est-ce qui freine les femmes ?

La peur, répond Alexandra Symonds. Les femmes fuient l'anxiété inhérente à tout processus de développement. Cette attitude tient à la façon dont elles ont été élevées. On ne leur a pas appris, quand elles étaient enfants, à s'affirmer ni à être indépendantes, mais au contraire à être timorées et dépendantes. Le fait que le feu soit passé au vert et que les femmes aient maintenant la « permission » d'affirmer leur indépendance les a plongées dans une profonde incertitude. Autour du « noyau de dépendance », installé dès l'enfance chez les femmes par l'éducation, se développe, pour citer Alexandra Symonds, « toute une constellation de traits de caractère liés entre eux et se renforçant mutuellement ». C'est un processus qui couvre de nombreuses années et, « comme dans le cas de n'importe quel type de caractère, ces traits ne peuvent pas être abandonnés sans anxiété ».

Ainsi, parce qu'elles ont à renoncer — ou pensent devoir renoncer — à tout un modèle de personnalité, les femmes se sentent terriblement déchirées. Les vertus du modèle dépendant comme étant celui qui convient le mieux aux femmes leur ont été chantées par la plus influente des psychanalystes. Le passage suivant, tiré de l'ouvrage classique d'Helen Deutsch *la Psychologie des femmes*, a peut-être des résonances un peu étranges et démodées (il parut en 1944), mais ne nous y trompons pas ; il reflète très exactement les idées de nos mères et de nos pères pendant que leurs filles grandissaient. La femme « compagne de vie idéale » présentée par Helen Deutsch appartient à la fibre même de notre être. Helen Deutsch assure au monde que c'est en se subordonnant à leurs compagnons que les femmes ont le plus de chances d'être heureuses.

> Elles paraissent aisément influençables, elles s'adaptent à leur compagnon et le comprennent. Elles sont les assistantes les plus agréables et les plus amicales, et elles désirent rester dans ce rôle ; elles ne se targuent pas de leurs propres droits, bien au contraire.

Pour décrire l'originalité et la productivité dont les femmes sont capables, Helen Deutsch a les accents d'une maîtresse de novices d'un couvent :

> ... Elles sont toujours prêtes à abandonner leurs propres réalisations sans éprouver le sentiment d'un sacrifice quelconque, et elles se réjouissent des réalisations de leur compagnon... Elles ont un extrême besoin d'être aidées quand elles s'engagent dans une activité dirigée vers l'extérieur.

Les psychiatres éclairés de notre époque reconnaissent les qualités de contorsionnistes exigées des femmes à un âge où on leur demandait d'étouffer leurs instincts les plus sains. Comme le fait remarquer Alexandra Symonds, les femmes ne naissaient pas « idéales », elles devaient s'efforcer de le devenir. « Etre capable de renoncer à sa réussite personnelle sans avoir l'impression qu'on se sacrifie exige un effort de tous les instants. Pour être charmante et non agressive, une femme passe sa vie entière à refouler ses pulsions hostiles ou son irritation. Même la saine affirmation de soi sera souvent sacrifiée car on y verra, à tort, de l'hostilité. Si bien que les femmes répriment leurs initiatives, renoncent à leurs ambitions et aboutissent malheureusement à une dépendance excessive accompagnée d'un profond sentiment d'insécurité et de doute quant à leurs capacités et leur valeur. »

Sans perdre de vue l'énorme changement qui se produit à l'heure actuelle dans ce que notre société juge être le comportement féminin « approprié », revenons aux attitudes courantes des femmes à l'égard du travail et de l'argent. (Ces attitudes, comme nous le verrons, jouent un rôle capital dans ce que les sociologues appellent le « manque de réussite féminine ».)

Certaines des tendances qui se dessinent (ou commencent à être reconnues) font peu à peu apparaître que les femmes n'ont pas été simplement maintenues en état de dépendance matérielle ; elles-mêmes sont fortement responsables de cette situation. Aux Etats-Unis, pendant la période comprise entre 1960 et 1976, par exemple, le nombre de femmes possédant un diplôme d'études supérieures a augmenté de presque quatre cents pour cent.

[En France, les femmes représentaient en 1977 31,3 % des titulaires d'un diplôme équivalent ou supérieur à la licence, 49 % des titulaires du baccalauréat, 60,3 % des titulaires du BEPC. (*Revue française des affaires sociales*, n° 4, octobre-décembre 1981). (*N.D.T.*)]

Or plus de la moitié des élèves de sexe féminin de terminale en Amérique continuent à déclarer prudemment qu'elles ne visent que trois grandes catégories d'emploi : le secrétariat et le travail de bureau, l'enseignement et les services sociaux, le secteur hospitalier et les emplois de personnel soignant.

[En 1979, celles-ci représentent maintenant 49 % de la population étudiante, contre 35 % en 1955. Mais leurs choix d'orientation n'ont guère évolué, elles continuent à s'orienter plus vers les sections lettres et pharmacie que vers les sciences ou les formations demandant un haut niveau en mathématiques ou en physique. (*N.D.T.*)]

« La discrimination sexuelle sur le marché du travail est une réalité, mais l'absence de productivité du travail des femmes s'explique essentiellement par leur refus de s'engager à long terme dans la vie professionnelle », écrit Judith Bardwick dans *The Psychology of Women : A Study of Biocultural conflicts.* Se fondant sur les informations recueillies au conseil national de la main-d'œuvre, à la commission présidentielle sur le statut des femmes et au comité de l'université Radcliffe sur l'enseignement supérieur, Judith Bardwick conclut : « Les filles douées pour les études ont moins de chances d'aller à l'université et de compléter leur diplôme de fin d'études secondaires que les garçons de même niveau intellectuel ; si elles le font, elles vont moins loin ; elles utilisent moins souvent le doctorat qu'elles auront en main ; et même si elles l'utilisent, elles sont moins productives que les hommes, ne se marient pas et continuent à travailler à temps plein. »

Les femmes s'entêtent à *choisir* des métiers mal payés. En 1976, quarante-neuf pour cent des licences, soixante-douze pour cent des maîtrises et cinquante-trois pour cent des doctorats donnés aux femmes représentaient six secteurs traditionnellement mal payés.

[Ces secteurs sont l'éducation, les lettres et le journalisme, les langues étrangères et la littérature, le secteur sanitaire et social, et les métiers de la documentation. (*N.D.T.*)]

« Si les femmes continuent à s'accrocher aux professions traditionnelles et presque exclusivement féminines, dit Pearl Kramer, chef économiste du Bureau régional de planification de Long Island, l'écart entre ce qu'elles gagnent et ce que gagnent leurs homologues masculins ne sera jamais rattrapé ».

C'est le fameux « manque de réussite féminine ». On sait déjà depuis longtemps que les femmes n'accomplissent pas ce dont elles sont capables. *Ce qu'on n'a pas compris, c'est le rôle joué par les femmes elles-mêmes dans le maintien de cet écart.* Nous ne sommes pas simplement exclues du pouvoir (si systématique qu'ait été cette exclusion) : *nous évitons activement ce pouvoir.* « Regardez comme nous sommes devenues indépendantes ! » exultons-nous en voyant le nombre de femmes qui sont sorties de chez elles pour aller travailler. Mais creusez un peu au-dessous des chiffres trompeurs du Bureau des statistiques et vous découvrirez que, de nos jours, beaucoup de femmes ne veulent pas vraiment travailler. Avoir à le faire leur paraît quelque chose d'imposé, voire insultant. Au fin fond de leur cœur, elles continuent à croire que des femmes ne doivent pas vraiment *être obligées* de gagner leur vie. Beaucoup d'entre elles, lorsqu'elles quittent la chaleur et la sécurité de leur cuisine pour entrer dans les rangs de la population laborieuse, le font moins par désir de s'assumer ou par un souci d'honnêteté envers leur mari que par leur conscience d'une crise économique. L'inflation galope à bride abattue et leur tendre époux ne gagne pas assez pour suivre le mouvement.

Ou bien il n'y a pas de tendre époux. Il s'est remarié, il est mort ou il a fait sa valise au milieu de la nuit pour aller roucouler dans les bras d'une femme plus jeune et moins pesante. Veuves ou divorcées, les épouses en rade ont peu d'argent pour assurer leur subsistance et celle de leurs enfants. Dans ce contexte, l'idée de « se remettre à travailler » est moins positive et enthousiasmante que nous voudrions l'imaginer. Il peut exister, au début, une certaine exaltation ressemblant à la joie de l'adolescente qui touche sa première paie, mais la fièvre de l'émancipation fait vite place à un doute horrifiant : *cela pourrait toujours continuer comme ça.*

Les indices d'un contrecoup

Il semblerait que certaines femmes, au moins, ne se contentent pas de freiner à mort, mais amorcent un processus de réaction contre leur nouvelle liberté, un recul. Une enquête a montré que les patrons se plaignaient de la résistance opposée par le personnel féminin aux cours de perfectionnement spécialement conçus à leur intention par les entreprises. « Nous sommes obligés de les y traîner de force », déclarait un des directeurs de General Motors. Un chef du personnel concluait, avec moins d'irritation, mais autant de suffisance : « C'est une histoire de conditionnement social. Jusque-là, les femmes n'ont jamais ambitionné ces postes et on a du mal à les convaincre de le faire [2]. »

Certaines femmes mariées quittent leur emploi en prétextant qu'elles sont incapables d'assumer la tension et l'anxiété causées par leur travail. « Elles ont en quelque sorte le sentiment que " le rêve américain " échappe à leurs doigts actifs », pouvait-on lire dans un article de *Better Homes and Gardens* commentant une enquête récente sur les réactions de trois cent mille lectrices à l'égard du travail [3]. Mariées pour la plupart et mères de famille, ces femmes ont tendance à déplacer l'anxiété que suscite en elles leur propre développement pour la reporter sur une question moins épineuse : « On a davantage besoin de moi à la maison. » En réalité, elles avaient perdu ce sentiment d'être « nécessaires » si important pour l'équilibre psychologique qu'elles s'étaient construit, et avaient projeté cette perte sur leur foyer, se persuadant que maris et enfants se sentaient « abandonnés » du fait de leur absence. Pataugeant, inquiètes, certaines de ces épouses avaient convaincu leurs maris de déménager et étaient allées vivre dans des maisons plus petites et dans des quartiers moins agréables parce qu'elles voulaient arrêter de travailler et « se consacrer de nouveau » à la famille, décision qui leur procurait, disaient-elles, un sentiment de « soulagement intense[4] ».

Il y a aussi le syndrome du « je-veux-un-autre-enfant », un moyen approuvé par la société d'obtenir de rester à la maison (ou de s'y replier). D'après Ruth Moulton, psychiatre féministe enseignant à l'université de Columbia, même les femmes très douées deviendront enceintes pour échapper à l'anxiété liée à une carrière prometteuse[5]. Elle citait comme cas type celui d'une artiste qu'elle connaissait et qui avait fait deux enfants « par accident », à cinq ans d'intervalle ; chaque fois, elle avait eu la possibilité de monter une exposition individuelle de ses œuvres et, chaque fois, elle avait « choisi » la grossesse à la place. De telle sorte que l'exposition fut remise jusqu'au moment où elle eut dépassé la cinquantaine, « ce qui raccourcissait considérablement le temps dont elle disposait pour se développer et réussir ».

Examinant la liste de ses patientes au cours des dernières années, Ruth Moulton constatait qu'elle pouvait facilement dénombrer vingt femmes âgées de quarante à soixante ans qui avaient utilisé la grossesse pour fuir le monde extérieur : « Dans au moins la moitié de ces cas, un troisième ou un quatrième enfant fut conçu exactement au moment où les aînés étaient au collège ou au lycée et où la mère se trouvait plus libre de consacrer son énergie à un travail extérieur. »

C'est ce que Ruth Moulton appelle le syndrome du « maternage compulsif », c'est-à-dire un désir de maternité motivé non par la gratification qui accompagne celle-ci, mais parce qu'elle fournit un substitut à une action dans le monde extérieur. (Les femmes « utilisent la grossesse comme moyen de sortir » de l'armée, reconnaissait le major Kathleen Carpenter

dans un rapport de 1977, « Evaluation of Women in the
Army ».)

La « grossesse-pour-éviter-le-stress » n'exerce certainement pas une influence positive sur la plus révérée
des institutions : la famille américaine. Un cycle destructeur s'installe et se reproduit quand les femmes font
des enfants pour éviter l'anxiété indissociable du développement de toute personne. Elles s'irritent progressivement du rôle étroit et restrictif qu'elles ont elles-
mêmes choisi comme échappatoire et deviennent parfois phobiques ou hypocondriaques. Mais, et c'est peut-
être le plus important, *elles ne forment pas leurs enfants à
l'indépendance.* Comme le dit Ruth Moulton, la femme
dépendante dépend de ses propres enfants et ce facteur
« contrarie le développement indépendant et l'individuation de tous ceux qui sont en cause ».

Une des idées mises en avant ces derniers temps (elle
paraît séduire tout le monde, les féministes, les non-
féministes et les hommes) est que les femmes doivent
avoir, avant toute chose, la possibilité de choisir. Elles
doivent pouvoir choisir, par exemple, de travailler ou
non ; d'être salariées à temps plein ; de rester chez elles
pour se consacrer « à leur famille ». Personne n'a
d'ordres à nous donner, ne peut nous dire que nous
« devons » ou « ne devons pas » faire ceci ou cela.
Insinuer que les femmes se défilent en restant chez elles
est aussi arbitraire, disent les féministes, que de ressas-
ser que celles qui restent à la maison veulent travailler à
l'extérieur. Rester chez soi avec les enfants et tenir une
maison, nourrir physiquement et affectivement un mari
pour que lui puisse supporter les tensions liées au fait de
travailler à l'extérieur et de gagner le pain quotidien de
la famille — ce sont là autant de contributions importantes, semble-t-il, à la société et dont une femme peut à
juste titre s'enorgueillir. Mais ce « droit de choisir » si,
oui ou non, nous assurons notre propre subsistance a

puissamment contribué à creuser le fossé de la réussite
féminine. Parce que la société leur permet de choisir de
rester à la maison, les femmes peuvent éviter de se
prendre en charge — et c'est ce qu'elles font souvent.

En réalité, beaucoup de femmes qui ne sont pas
« obligées » de travailler, parce que leur mari peut et
veut assurer leur subsistance, s'abstiennent de le faire.

On relève une corrélation intéressante entre le nombre croissant de femmes qui travaillent et l'augmentation du nombre de mariages qui battent de l'aile.
Quarante-deux pour cent du nombre total des femmes
actives sont également chefs de famille.

[Selon l'enquête sur l'emploi de l'INSEE, on comptait 48,3 % de femmes actives chefs de famille en France
en 1980. Ce chiffre était de 46,9 % en 1978.]

*Le plus surprenant, à notre époque, est que la moitié des
femmes qui sont mariées et vivent avec leur mari continuent à
préférer rester chez elles au coin du feu.*

[En mars 1981 (toujours selon l'enquête de
l'INSEE), 51,9 % des femmes mariées préféraient
rester au foyer, dont 38 % ayant entre 15 et 55 ans.]

Il y a là quelque chose qui cloche. Ce qui vous met la
puce à l'oreille, qui vous pousse à faire le rapprochement, c'est la triste situation économique des femmes
âgées en Amérique. Alors que tout le monde parle de
choix, nous ferions certainement mieux de nous demander : « Qui prend les femmes en charge une fois qu'elles
vieillissent ? » La réponse est évidente : personne. Une
fois que les femmes ont les cheveux gris, l'ancien mot
d'ordre « les femmes et les enfants d'abord », qui
assurait leur survie, est depuis longtemps périmé. La
réalité les saisit brutalement à la gorge le jour où les
hommes disparaissent. Les derniers chiffres officiels
montrent que cinquante-six ans est l'âge moyen du
veuvage pour les femmes en Amérique. Et même celles
qui travaillent durant toute leur vie d'adulte ne sont pas
protégées dans leur vieillesse ; une sur quatre sera

pauvre, considérablement plus pauvre qu'un homme à
âge égal. En 1977, le revenu moyen des femmes âgées
était de trois mille quatre-vingt-sept dollars (vingt et un
mille six cents francs), soit cinquante-neuf dollars par
semaine (quatre cent dix francs), contre presque le
double chez les hommes. (Une des principales raisons
pour lesquelles les femmes qui ont travaillé ont des
revenus aussi bas après leur retraite est que celle-ci est
liée à l'échelle des salaires et que les femmes, comme
nous l'avons déjà dit, ne gagnent que soixante pour cent
de ce que gagnent les hommes.)

Telle est donc l'amère vérité que les femmes plus
jeunes — encore romantiques, encore amoureuses,
encore douillettement installées dans l'illusion que les
femmes peuvent en toute sécurité laisser les autres les
prendre en charge — refusent de regarder en face. Le
mythe veut que la sécurité pour une femme consiste à
rester constamment et définitivement attachée à « la
famille », lovée en elle, collée à elle comme un mollus-
que à sa coquille. Mais quand vient le temps où ces
femmes vieillissent, elles sont tragiquement privées de
leurs droits, brutalement coupées de la vie économique
avant de savoir ce qui leur est arrivé. Une vieillesse
dévastée, tel est le résultat le plus poignant, sinon le
plus destructeur, du « complexe de Cendrillon ». *Il y a
quelque chose de pathologique dans cet aveuglement obstiné, dans
notre incapacité (ou refus) de voir le lien qui existe entre la
sécurité illusoire que nous associons au statut de femme mariée et
la solitude et la pauvreté des femmes âgées, souvent veuves.* Nous
voulons si désespérément croire que quelqu'un s'occu-
pera de nous. Nous voulons si désespérément croire que
nous n'avons pas à être responsables de notre bien-être.

Trouble en Atlanta

Ce mythe est particulièrement répandu chez les
femmes de la bourgeoisie. Décidées à voir la vie en rose,

elles considèrent toujours le travail comme une sorte d'expérience, presque un jeu. Elles soupirent après les emplois à mi-temps, ceux qui « élargiront leur horizon » ou leur permettront « de sortir de chez elles et d'avoir des contacts ». Il existe un certain type de femme mariée, jeune, appartenant à la haute bourgeoisie : elle s'interroge sur les possibilités qui lui sont offertes, elle a plus ou moins décidé de jouir de la sécurité matérielle aussi longtemps qu'elle le pourra parce que l'avenir prometteur qui l'appelle la terrifie plus qu'il ne la fascine. J'ai eu l'occasion de rencontrer plusieurs femmes de ce genre lors d'un dîner à Atlanta, en Géorgie.

Elles étaient délicates et raffinées, la trentaine à peine entamée, séduisantes et débordantes de vie. Elles avaient pour maris des hommes en pleine réussite — des agents de change, un haut fonctionnaire du Département d'Etat, un professeur de psychologie d'une université locale. Une de ces femmes, que j'appellerai Paley, correspondait parfaitement à l'image classique de la Sudiste ardente et coquette. Une autre, Helen, était de Cambridge et venait de s'installer dans le Sud. Quant à Lynann, elle avait toujours habité Atlanta où elle menait une existence heureuse. Toutes disaient éprouver une certaine frustration dans leur vie — leurs enfants allaient en classe ou s'apprêtaient à le faire — mais n'envisageaient que mollement de travailler. Elles disaient vouloir faire quelque chose de facile — un travail demandant peu de temps de présence et bien payé. Elles en avaient assez du bridge, disaient-elles (sans renoncer pour autant à leurs clubs).

Jusque-là, seule Paley avait sauté le pas. « Je travaille dans un petit restaurant diététique à côté de la maison », expliqua-t-elle. « Quelques jours par semaine seulement, pendant deux heures, mais avec les

pourboires, je gagne plus d'argent en une heure que
mon mari ! »

Les autres éclatèrent de rire. Dans la vie de Paley,
l'argent n'avait jamais été vraiment un problème. Elle
venait d'une petite ville de Géorgie où tout le monde se
connaissait et était plein aux as. Maintenant, elle vivait
à Atlanta, toujours aussi « folle » que lorsqu'elle était
étudiante dans cette bonne vieille université de Géorgie.

Après le dîner, le ton parut changer. Les femmes
laissèrent les hommes dans la salle à manger de style
Chippendale et se regroupèrent à un bout du salon où
elles se mirent à parler de la monotonie de leur vie. Un
peu embarrassées, elles se moquèrent de leurs discussions qui tournaient autour « de la moquette et de la
blancheur des cols de chemise ». Elles auraient pu être
ces femmes que Betty Friedan avait découvertes vingt
ans plus tôt en étudiant les diplômées de Smith College
qui tournaient en rond dans les banlieues résidentielles
du Nord-Est. Seulement, on n'était plus en 1960, mais
en 1980. Et ces femmes n'étaient pas encore sur le point
de devenir folles de frustration. A vrai dire, elles étaient
trop confortablement installées dans la vie — déjeuners
au country-club, voitures trop bien suspendues, réceptions à foison, et les vieux souvenirs des années de fac
pour leur rappeler qu'un jour, elles s'étaient imaginées
autrement ; qu'elles s'étaient senties libres, « dans le
coup » ; qu'elles s'étaient vues faisant une foule de
choses.

Dans la planque dorée que constituait pour elles leur
vie de femme mariée, elles avaient du mal à accepter
l'idée de devoir commencer au bas de l'échelle. « Il
n'est pas question que je travaille pour quelqu'un »,
lâcha Lynann. Elle déclara avoir suffisamment réfléchi
au problème pour être sûre de ne pas vouloir jouer les
sous-fifres. « Je veux faire partie de ceux qui dirigent,
de ceux qui donnent les ordres ! » (Rire général.)

Envisageait-elle de retourner à l'université et d'obtenir sa maîtrise pour que son rêve devienne une réalité ? Non, pas vraiment. Elle avait entendu parler d'un « petit cours » qui l'intéressait, qui lui donnerait « certains outils et façons de me présenter pour que j'aie l'air intelligente. » (Rires.)

Paley avait conscience du contexte social dans lequel elles vivaient retranchées. « Pour beaucoup de femmes, à Atlanta, le point d'honneur reste la quantité d'argent que gagne votre mari et le pied sur lequel il vous fait vivre. L'important, c'est : quelle voiture peut-il vous acheter ? êtes-vous aidée pour les enfants, pour la maison ? pouvez-vous vous permettre de voyager ? »

Et puis, il y avait le problème de la monotonie. Que faisaient-elles pour meubler les temps morts où elles n'étaient pas en train de courir les magasins ou de servir de chauffeurs à leurs enfants ? Elles lisaient des romans d'amour. En se moquant d'elles-mêmes. Maintenant, elles étaient grandes, elles connaissaient la vie. Elles entreprirent de classer les auteurs de romans à l'eau de rose en vogue selon leur mérite littéraire. Chacune apporta sa contribution avec enthousiasme.

« Combien de temps passez-vous réellement à lire ce genre de livres ? » demandai-je.

Paley — cheveux permanentés, ongles faits, sandales à brides et probablement de l'esprit à revendre — me dit : « Je lis et je lis et je lis. Je peux facilement rester sur un livre des heures durant. Je suis tellement prise par ma lecture que ma petite fille pourrait partir dans la rue sans que je m'en aperçoive. Quand elle pleure, il y a des moments où je ne l'entends même pas. »

Ce sont des femmes protégées : jeunes, séduisantes, coquettes — et en sécurité. Il est entendu pour elles que la dépendance financière est leur dû en tant que femmes. En échange, elles se consacrent à leur maison, heureuses et fières de leurs talents de ménagère, d'organisatrice, de mère et d'hôtesse. Mais intérieurement,

sans en avoir conscience, elles se sont fixé un ordre du
jour : elles évitent, presque rituellement, de penser au
caractère essentiellement précaire de leur existence.
Elles ne réfléchissent pas à ce qui leur arriverait si leur
mariage devait se briser. Il y a des divorces, bien sûr.
Elles en voient autour d'elles et les femmes qui en sont
victimes font preuve d'un grand courage en essayant de
rassembler tant bien que mal les fils épars de leur
existence. Mais pour les femmes dont la sécurité
matérielle est assurée, le divorce n'est pas *vraiment* une
éventualité. C'est bon pour les autres, pour celles qui
ont... disons, moins de chance.

Comme le cancer. Ou la mort.

Lorsque la dépression paraît

Directement issu du trouble d'épouses au foyer
semblables à ces femmes d'Atlanta, un autre phénomène culturel a fait son apparition : celui de la « femme
au foyer déracinée ». Vaste sous-culture de femmes qui,
sans métier leur permettant de gagner leur vie, se sont
retrouvées veuves ou ont été abandonnées par leur
mari. Ces ménagères déracinées constituent une classe
de vingt-cinq millions de handicapées émotionnelles.
Ces femmes à qui on avait dit que la société les
récompenserait d'avoir été de bonnes épouses et de
bonnes mères et d'avoir entretenu le feu de l'âtre, ces
femmes ont vraiment été « prises au dépourvu », déracinées par le bouleversement sismique des mœurs
conjugales. Elles se croient incompétentes. Les talents
qu'elles ont pu avoir naguère, à leur sortie de l'école ou
de l'université, se sont depuis longtemps atrophiés.
Leurs muscles n'ont jamais servi ; leur esprit non plus.
Ce sont des femmes qui ont passé leur vie à croire au
mythe de Cendrillon : les hommes seraient toujours là
pour les entretenir. *Les statistiques d'un centre pour « femmes*

au foyer déracinées » *du Maryland montrent la cruauté de ce rêve. Dix-sept pour cent seulement des femmes aidées par le centre recevaient quelque chose de leur mari. Un tiers vivaient dans le dénuement. Et ces femmes ne sont pas vieilles. Leur âge va de trente à cinquante-cinq ans.*

En encourageant plus ou moins le divorce — en même temps que l'idée nouvelle de la mère travaillant —, la société a fait voler en éclats la sécurité de femmes comme celles-ci, d'où, selon Milo Smith, cofondatrice de l'organisation « Femmes au foyer déracinées » et directrice du centre d'Oakland, en Californie, la colère des femmes qu'elle essaie d'aider. Elles se font mal à l'idée que, soudain, tout a changé. Elles sont irritées d'avoir à partir de chez elles, à apprendre un métier et à aller travailler.

Et puis, elles sont déprimées. « Le suicide est notre plus gros problème, me disait Milo Smith. Rien qu'ici, nous avons eu quatre tentatives cette année. »

Le jour où j'ai visité ce centre (il y en a une dizaine dans le pays), les femmes qui venaient chercher de l'aide étaient bien coiffées, les lèvres brillamment maquillées. Plusieurs, trop grosses, portaient de longues robes indiennes. Tandis qu'elles attendaient d'être reçues, les membres du personnel, également des femmes déracinées, les accueillaient avec chaleur et leur apportaient du café. Comme d'anciennes détenues, ces ex-femmes entretenues essayaient de s'entraider. Les arrivantes avaient le regard vif et semblaient soucieuses de plaire. L'insécurité brillait dans leurs yeux comme de la fièvre.

« Beaucoup d'entre elles sont dans une situation épouvantable la première fois qu'elles viennent », disait Milo Smith, une femme d'une soixantaine d'années qui s'est lancée dans cette entreprise après avoir été elle-même, quelques années plus tôt, une veuve effrayée ne possédant aucun métier. « Ce sont de vraies droguées officiellement reconnues. Intoxiquées par le valium que leur administrent leurs médecins. »

Effondrées depuis le jour où leur mari les a quittées, anéanties par le sentiment d'avoir perdu non seulement ce mari, mais un style de vie d'où elles tiraient leur identité, ces femmes courent chez leur médecin de famille en ayant besoin de beaucoup plus que ne peut donner un docteur — et reviennent avec des pilules. Le désespoir de la femme au foyer déracinée est tangible. La société ne sait qu'en faire — et elles, ayant perdu leur raison d'être, ce pour quoi elles étaient nées et avaient été élevées, ignorent quoi faire d'elles-mêmes. Leur propre estime semble s'évanouir du jour au lendemain. En me montrant le foyer du centre, Milo Smith ajoutait : « Presque toutes les femmes qui passent cette porte se sont mis dans la tête qu'elles étaient désormais laides, vieilles, grosses et inutiles. »

Pire, elles ont l'impression que cette image d'elles-mêmes récemment ternie est un mal qu'on leur a fait et elles veulent se venger. « Ces femmes gaspillent leur énergie à tout retourner contre elles pour gommer leur personnalité », ajoutait Milo Smith. « Elles sont terriblement rigides et intransigeantes. C'est une des caractéristiques de l'image dépressive. Vous essayez de leur faire faire quelque chose pour elles-mêmes, elles reviennent avec de faux prétextes. La femme au foyer déracinée vous opposera cinquante bonnes raisons pour vous prouver qu'elle est incapable de faire ce que vous pensez pouvoir l'aider. Tout vient de leur peur. »

« La femme déprimée est quelqu'un qui a perdu », dit Maggie Scarf dans son enquête sur le « nombre terrifiant de dépressions » chez les femmes que font apparaître de nombreuses études, sur la montée des tentatives de suicide (surtout chez les plus jeunes) et sur la quantité astronomique de tranquillisants ingurgités pour assoupir les troubles émotionnels. Une étude réalisée par l'Institut national de santé mentale, terminée au début des années soixante-dix, montrait qu'un tiers des femmes ayant entre trente et quarante-quatre ans avaient recours à des médicaments pour soigner leur état psychologique. Quatre-vingt-cinq pour cent d'entre elles disaient ne jamais avoir vu de psychiatre.

Qu'est-ce que la femme déprimée a perdu au juste ? « Quelque chose de vital », dit Maggie Scarf. « Ce que j'ai vu apparaître avec une régularité effarante, c'est que la " perte " en question est celle d'une relation affective capitale dont souvent dépend le sentiment d'identité. »

Les femmes comptent sur les autres pour se définir, pour savoir qui elles sont. Elles se voient dans les yeux de l'autre, à un point tel que si quelque chose arrive à celui-ci — s'il meurt, s'il part ou même s'il change —, elles ne peuvent plus se voir. Comme le disait une femme qui avait perdu son amant trois ans plus tôt (exprimant, j'en suis sûre, le sentiment de millions d'autres femmes) : « Je commence à avoir l'impression de ne plus exister. »

Les répercussions du « complexe de Cendrillon » sur les femmes qui travaillent

Le besoin de « l'autre » et l'attachement à cet autre empêchent, par bien des façons, les femmes d'effectuer un travail productif — de faire preuve d'originalité et d'enthousiasme, de s'engager à fond. Le mythe selon lequel notre salut réside dans l'attachement s'accompagne d'un corollaire caché : on ne nous obligera pas à travailler éternellement. Qu'il se produise soudain quelque chose qui fait du travail une nécessité, et beaucoup de femmes sont envahies par une furieuse rage intérieure. Etre obligées de travailler signifie, d'une façon ou d'une autre, qu'elles ont échoué en tant que femmes.

Ou cela prouve que ce rêve est un miroir aux alouettes.

« J'aurais aussi bien pu travailler à la chaîne dans
une fabrique d'épingles, compte tenu du plaisir que me
procurait mon travail. » C'est ainsi qu'une femme
évoque ses souvenirs de conservateur de musée. Trente
et un ans, non mariée, elle faisait un métier prestigieux
dans le monde de l'art de Washington quand, soudain,
tout ce qui lui paraissait naguère si passionnant devint
terne et ennuyeux. Quelque chose se passa en elle le
jour de son anniversaire, échéance qu'elle s'était fixée
pour être libérée de son indépendance. « Trop tard »,
avait claironné une petite voix intérieure. « Tu ne
devrais pas être obligée de continuer à travailler. Les
femmes de ton âge devraient pouvoir choisir de ne pas
travailler; elles devraient pouvoir rester chez elles et
peindre, ou créer, ou élever des enfants. »

Elle avait l'impression d'avoir raté une possibilité en
or; ridicule, peut-être, mais elle était en colère et elle se
mit en veilleuse. Elle s'aperçut qu'elle effectuait son
travail quotidien d'une façon mécanique, comme sans
comprendre. Elle avait perdu son excitation à tester ses
possibilités de création et à les appliquer. Des années
plus tard, elle me dira : « J'avais le sentiment de ne rien
faire d'important, de m'escrimer sur une série intermi-
nable de corvées qui n'étaient que des obligations. Mon
efficacité avait diminué de moitié. Pourquoi me donner
le mal de finir une tâche si on me demandait aussitôt de
m'atteler à autre chose d'aussi astreignant ? »

Une femme que je connais, diplômée de l'Université,
est aujourd'hui femme de ménage et nettoie des appartements à New York, parce que, dit-elle, « je ne veux
pas avoir l'impression de faire quelque chose de défini-
tif, d'avoir choisi une activité qui signifie : Voilà le
genre de boulot que tu vas faire et c'est comme ça que
tu vas gagner ta vie ». Cette femme a vingt-quatre ans
et possède une intelligence exceptionnelle. Outre ses
ménages, elle rédige, en tant que pigiste, de très

brillants textes publicitaires. Son patron la trouve fantastique — et elle l'est — sinon que tous les deux mois environ elle craque et commence à ne plus rendre son travail en temps voulu. Elle est « bloquée », incapable d'écrire une ligne. Cela se produit chaque fois qu'elle commence à gagner un peu plus d'argent que ce qu'il lui faut pour son loyer et les charges de son studio minuscule de Greenwich Village. « Si je n'ai pas l'impression qu'on va me couper l'électricité d'une minute à l'autre, il me semble que la vie n'est pas réelle », dit-elle. « Devoir travailler simplement pour tenir le coup jusqu'au mois suivant est une chose. Mais l'idée de devoir travailler parce que c'est ce qu'on fait quand on est grand, que ça va être votre vie... je ne supporte pas. C'est complètement névrotique et infantile, mais *au fond de moi-même, je ne veux pas subvenir à mes besoins. Je veux que quelqu'un d'autre s'en charge.* »

Il y a de nombreux signaux d'alarme indiquant que les problèmes fonctionnels dont souffrent les femmes sont dus à leur attitude à l'égard du travail. Certaines s'encroûtent dans des emplois qui les abêtissent. D'autres s'insurgent contre « la compétition qui caractérise le monde masculin du travail », disant qu'elles « refusent » d'entrer dans ce jeu. Mais ce sont souvent ces mêmes femmes qui envient les hommes parce qu'ils sont capables de faire des choses dont elles se sentent incapables ou qu'elles trouvent anormalement difficiles. Négocier, par exemple. Démarrer leurs propres projets. Demander — et obtenir — plus d'argent[6]. Bref, participer activement à leur bien-être personnel. Il existe chez les femmes tout un réseau de difficultés psychologiques dont les symptômes restent douillettement enfouis jusqu'à ce qu'elles cherchent un emploi ou essaient de se lancer dans une profession. Alors, soudainement, le monde bascule.

Il est bien connu, par exemple, que l'anxiété suscitée par les tests est plus élevée chez les femmes que chez les

hommes. Le simple fait d'avoir à subir des tests pour
entrer dans une profession, changer d'orientation ou
monter en grade peut saborder les ambitions d'une
femme. (Certaines sont terrifiées par tous les examens,
qu'il s'agisse d'entrer à l'université, de passer son
permis de conduire ou de devenir courtier en immobi-
lier.)

De même, parler en public est plus dur pour les
femmes. Dans une enquête portant sur deux cents
étudiants de troisième cycle à l'université de Columbia,
un professeur a constaté que cinquante pour cent des
femmes étaient incapables de parler en public, contre
vingt pour cent des hommes. Chez certaines, l'anxiété
était si inhibante qu'elle produisait des vertiges et des
évanouissements.

La communication en général est difficile pour les
femmes qui ont peu d'estime d'elles-mêmes et qui
abritent le désir secret d'être prises en charge. Certaines
se troublent, oublient ce qu'elles voulaient dire, n'arrivent pas à trouver le mot juste, ne peuvent pas regarder
les gens dans les yeux. Ou bien elles rougissent,
bégaient ou se rendent compte que leur voix tremble.
Ou encore elles ont du mal à poursuivre leur raisonne-
ment dès que quelqu'un en prend le contre-pied.
Parfois, elles s'énervent et fondent en larmes — surtout
si la contradiction vient d'un homme.

Plusieurs des femmes que j'ai interrogées disaient que
leur impression de communiquer, de savoir ce qu'elles
savent, leur autorité, diminuaient dès qu'elles n'avaient
plus l'initiative de la discussion et que celle-ci revenait à
l'homme.

Toutes ces difficultés sont en réalité des formes
d'anxiété liée à la performance, elle-même étant ratta-
chée à d'autres peurs plus générales qui découlent d'un
sentiment d'inadaptation et d'impuissance dans la vie :
la peur d'être critiquée parce qu'on ne fait pas ce qu'il
faut, la peur de dire « non », la peur d'exprimer ses

besoins de façon claire et directe, sans arrière-pensée. Les femmes sont particulièrement touchées par ce genre de peurs ; on nous a, en effet, appris à croire que nous assumer, nous affirmer, n'était pas féminin. Nous voulons — intensément — plaire aux hommes, être inoffensives, douces et charmantes, bref, « féminines ». Ce désir empêche les femmes de conduire leur vie en étant heureuses et efficaces. A cause de lui, nous nous comportons en véritables gourdes. Lors d'une réunion de l'Académie américaine de psychanalyse à Beverly Hill, Alexandra Symonds déclara devant ses confrères sidérés : « Il est déplacé pour une directrice de banque d'éclater en sanglots quand son supérieur la critique. Il est inacceptable qu'une rédactrice en chef gagnant trente mille dollars par an [deux cent dix mille francs] joue de son charme quand son projet est refusé, ou qu'un professeur d'université boude parce qu'on l'a chargée d'un cours sans intérêt, dans l'espoir que le doyen s'en apercevra et y remédiera. Ce sont des types de comportement qu'on peut attendre de " la-petite-fille-à-son-papa ", mais en aucun cas d'une femme libérée agissant de façon autonome. »

Alexandra Symonds n'inventait pas une brochette de « petites filles » bien payées pour le besoin de la cause. Ces femmes « réussissant » dans leur vie professionnelle étaient des patientes en détresse, des « superwomen » en conflit profond avec leurs sentiments de dépendance intérieurs.

L' « *allure* » *et le langage de la petite fille*

A mesure que les femmes gravissent l'échelle professionnelle et celle du monde des affaires, certains maniérismes et affectations font mentir l'assurance qu'elles essaient d'afficher. Les femmes qui n'ont pas renoncé intérieurement à être « la petite-fille-à-son-papa » peuvent, en effet, émettre des messages très déroutants pour leurs collègues et les gens avec qui elles traitent. Il existe souvent une composante schizoïde dans la façon dont se présentent les femmes d'affaires intérieurement dépendantes — quelque chose d'assez voisin de style « habillée pour réussir », à mi-chemin entre l'angélisme retrouvé et la dernière couverture de *Cosmopolitan*. Elles semblent si coriaces — jusqu'au moment où elles commencent à jouer de la paupière et des fossettes et à se comporter, en gros, comme de faibles créatures ou des allumeuses.

Cette attitude n'est guère appréciée des hommes avec qui ces femmes font précisément des affaires. Un journaliste financier, un agent de change de Wall Street et un directeur d'agence de publicité me confiaient récemment leurs impressions sur la manière dont les femmes se présentent et agissent quand elles négocient. Voici quelques extraits de la conversation :

JOURNALISTE : Il y a quelques mois, j'ai interviewé une femme qui occupe un poste important à la Bourse de New York. Elle avait une petite blouse de soie blanche, des tonnes de maquillage, des ongles longs et vernis et des boucles d'oreilles en or qui n'arrêtaient pas de bouger et de cliqueter. J'avais du mal à la regarder tellement elle avait de choses sur elle, toute cette toilette. En parlant, elle passait d'un style à l'autre. Pendant un moment, elle était très sérieuse et sûre d'elle. Et puis, le temps d'une seconde, elle faisait marche arrière, avec un petit rire, un haussement d'épaules, un petit mouvement de tête.

AGENT DE CHANGE : C'est comme les femmes avec qui je travaille. Cela vous donne un curieux sentiment d'incertitude, comme si vous ne saviez pas dans quels personnages elles vont se glisser la fois suivante. Vous commencez à guetter des signes, à vous demander quand elles vont remettre ça.

JOURNALISTE : Cette femme parlait extrêmement lentement. Elle choisissait ses mots avec soin, elle était hyperconsciente de la façon dont elle parlait, de l'effet qu'elle produisait. Et puis, elle a fait ce que font beaucoup de femmes qui ont des postes importants : elles finissent leurs phrases en baissant la voix et en hochant légèrement la tête.

PUBLICITAIRE : Ouais, je connais. C'est une sorte de façon de vendre le produit sans en avoir l'air ; elles finissent leur phrase avec un petit air de ne pas y toucher. Elles cachent ce qu'elles vous vantent parce qu'elles ne veulent pas avoir l'air de vraiment le « vendre ».

JOURNALISTE : On dirait que les femmes ont peur de suivre la force d'un argument. Elles parlent, elles parlent, elles arrivent vraiment à monter leur argumentation, et puis soudain, c'est comme si elles voyaient leur force et elles se sentent obligées de faire marche arrière. Je crois qu'elles ont peur du pouvoir.

AGENT DE CHANGE : C'est très courant, cette baisse du ton de la voix et ce mouvement de tête.

PUBLICITAIRE : Le mouvement de tête, c'est pour vous faire dire que vous êtes d'accord.

AGENT DE CHANGE : Absolument.

PUBLICITAIRE : J'ai remarqué qu'en affaires, les femmes ne se laissaient jamais aller dans la conversation. Vous ne les entendez jamais dire : « Vous êtes cinglé ? » ou quelque chose de ce genre. Très souvent, on constate que les hommes, eux, laissent leur personnalité s'exprimer. C'est comme ça qu'ils font des affaires. Ils se fichent d'être ce qu'ils pensent qu'ils devraient être. Ils jouent le jeu à fond. Les femmes sont polies et formalistes. Elles veulent faire tout dans les règles. Elles me rappellent ces filles qui étaient toujours premières dans les petites classes.

AGENT DE CHANGE : C'est pour ça que les femmes réussissent si bien dans les relations avec la clientèle, par exemple. Les gens peuvent tempêter, hurler, elles sont là derrière leur fard et leur fond de teint et elles attendent. C'est exactement ça ; elles attendent. Dans un sens, c'est comme si elles n'étaient pas là. Les vêtements, le maquillage et la féminité barrent le passage.

JOURNALISTE : C'est la situation type de l'adolescence : la fille va faire un tour dans la voiture de son copain. On dirait que ça la suit toute sa vie. La femme va faire un tour dans le monde des hommes. Quand une femme monte dans la voiture de l'homme, autrement dit dans les institutions de celui-ci, elle se promène. Elle n'essaie pas de se mettre à la place du conducteur, d'agir comme elle l'entend, de changer les choses. Elle n'essaie même pas de chercher le pouvoir. Elle a la dépendance de la personne véhiculée. Elle suit le mouvement.

Les femmes ne sont pas à l'aise quand il s'agit d'être directes ; de dire carrément ce qu'elles veulent ; de vendre ce en quoi elles croient, surtout si elles sont obligées de ne pas tenir compte des opinions des autres. Alors se profile — parfois aux moments les plus inattendus — la tentation de se glisser dans le rôle de l'ingénue, ou de la séductrice, ou de la toute petite fille. Il suffit d'un regard ou d'un geste — « un petit haussement d'épaules, un petit mouvement de tête », comme disait le journaliste.

Dans *Femmes, Argent et Pouvoir,* Phyllis Chesler, psychologue, écrit que les femmes ont délibérément (quoique pas toujours consciemment) recours à ces procédés pour continuer à se prélasser sur la banquette arrière. « Des femmes appartenant à toutes les classes, chez elles et en public, utilisent un langage corporel élémentaire pour signifier à l'autre le respect qu'elles éprouvent à son égard, leur propre inconséquence, leur impuissance... attitude qui est censée mettre cet autre à l'aise et placer les hommes sur un piédestal. »

Les femmes utilisent d'autres techniques pour installer en permanence les hommes — en tout cas, quelqu'un d'autre qu'elles — « sur un piédestal ». Toute une floraison récente de recherches sur le langage des femmes et ses schémas montrent que la peur et l'insécurité modèlent notre façon de parler — notre diction, notre choix des mots, nos intonations, notre débit généralement hésitant, et même la hauteur de ton (certaines femmes prennent une voix de petite fille pour mieux appeler au secours). Le linguiste Robin Lakoff a constaté qu'on retrouvait immanquablement les caractéristiques suivantes dans la façon dont les femmes parlaient :

— Utilisation d'adjectifs « vides » (merveilleux, divin, terrible, etc.), pauvres en connotations et produisant un effet de gonflement. En général, on ne prend pas au sérieux les gens dont les phrases sont truffées d'adjectifs de ce genre.

— Utilisation de phrases clichés à la suite d'affirmations. (« Il fait vraiment chaud aujourd'hui, vous ne trouvez pas ? »)

— Utilisation de la baisse de ton ou du ton interrogatif à la fin d'une affirmation, ce qui affaiblit celle-ci.

— Utilisation d'expressions atténuantes ou correctrices (« un peu comme », « on dirait », « je suppose ») qui donnent un caractère hésitant, non engagé, au langage.

— Utilisation d'un langage « hypercorrect » et excessivement poli (articulation de toutes les syllabes, par exemple, ou réserve exagérée à l'égard de l'argot).

Les observations de Lakoff — d'abord très controversées — ont déclenché une vague d'études d'un bout à l'autre du pays. Les constatations auxquelles celles-ci ont abouti sont venues renforcer les siennes : les femmes utilisent bel et bien des styles de langage marqués par l'hésitation. Sally Genet, de l'université Cornell, a inventé l'expression « timidement déclaratif » pour

qualifier notre flottement devant les affirmations fortes
et directes.

En parlant avec aussi peu d'assurance, nous sommes
pleinement responsables de ce qui se passe — ou ne se
passe pas — quand nous traitons avec les autres. « Le
langage peut non seulement *refléter* les différences du
pouvoir, observe Mary Brown Parlee, une psychologue
de la rédaction de *Psychology Today,* mais il contribue
parfois aussi à *créer* ces différences. »

Autrement dit, les femmes d'affaires qui tablent sur le
mode « timidement déclaratif » ne sont peut-être pas
près d'entrer dans le club des Cinq Cents (plus gros
revenus) de *Fortune;* et d'ici longtemps.

La féminité connaît actuellement une nouvelle crise,
un conflit au sujet de ce qui est ou n'est pas « féminin »,
qui empêche beaucoup de femmes de vivre une vie
heureuse et harmonieuse. La féminité a été depuis trop
longtemps associée — et même identifiée — à la
dépendance. Succombant à ce que j'appelle la « panique des genres », les femmes craignent qu'un comportement indépendant ne soit pas féminin (voir chapitre VI). Nous ne pensons pas vraiment qu'il soit
masculin, mais en même temps nous ne le ressentons
pas comme féminin. Une jeune femme agent de change
exprimait de façon imagée cette nouvelle incertitude :
« Je crois », me disait-elle, « que quelqu'un — homme
ou femme — m'apprendra à agir comme un homme.
Une fois que ce sera fait, je redeviendrai une femme. Je
serai enceinte et je resterai à la maison avec mon bébé
pendant six ans ou plus. Et puis je redeviendrai un
homme. »

La terrible confusion qui installe le doute chez les
femmes quant à leur féminité est fortement liée au fait
que nous avons décidé de ne pas vivre comme nos
mères. Les psychiatres commencent à voir que plus nos
mères ont été confinées et dépendantes, plus nous

voulons filer au plus vite vers d'autres horizons. « La mère effacée et souffrant en silence — même si elle *dit* à sa fille : " Ne te laisse pas avoir comme moi, fais quelque chose " — se sentira parfois irritée et menacée parce que sa fille ne voudra pas reproduire ce modèle », note Alexandra Symonds.

Le ressentiment des mères est souvent responsable de l'installation de trois types de personnalité caractéristiques chez leurs filles. Le premier est une dépression chronique larvée, un courant sous-jacent de tristesse ou de déprime qui semble permanent. C'est le cas typique, dit Alexandra Symonds, de la femme qui se consacre à fond à son travail et donne beaucoup aux autres, tout en étant, elle-même, en état de manque sur le plan émotionnel.

Le deuxième syndrome qu'on voit souvent apparaître chez les femmes refusant le modèle maternel est une incertitude sur leur identité en tant que femme (une confusion des genres analogue à celle qu'exprimait la jeune agent de change). « J'ai été frappée par la panique, voire la terreur, qu'éprouvent ces femmes devant les aspects de leur personnalité qu'elles jugent masculins », remarque Alexandra Symonds en observant que des femmes qui luttent avec acharnement pour vivre de manière indépendante continuent encore à fuir devant ce que la culture attend d'elles.

Enfin, il y a le noyau de dépendance que ces femmes nient pendant des années, souvent caché par une façade d'indépendance remarquablement convaincante. La femme faussement indépendante peut travailler à plein temps, s'occuper de sa famille, cuisiner et renoncer aux surgelés, et faire preuve en général d'un besoin compulsif d'être « fantastique » à la fois chez elle et à son travail. Elle peut aussi pleurer en dormant quand son mari est en voyage.

De nos jours, une femme aura fortement tendance à essayer de résoudre ses problèmes en modifiant les

choses en surface — en se mariant (ou en divorçant), en
changeant de travail, en déménageant, en se syndicali-
sant ou en se battant pour les droits des femmes. Mais si
elle est paralysée par des conflits de dépendance non
résolus, sa vie ne changera pas parce qu'elle aura trouvé
le « bon » mari, le « bon » boulot ou le « bon » style de
vie. Son action militante pour les droits des femmes
atténuera peut-être son impression d'isolement. Mais
aucune de ces modifications extérieures ne résoudra les
attitudes confuses et autodestructrices qu'elle abrite au
plus profond d'elle-même.

Les femmes qui veulent se sentir plus en accord avec
elles-mêmes doivent commencer par regarder en elles.
Après m'être entretenue avec des psychothérapeutes et
des psychiatres de diverses parties du pays, après avoir
interviewé des femmes et simplement observé celles qui
vivaient autour de moi, j'en suis venue à la conclusion
suivante : *la première chose que les femmes doivent déterminer,
c'est dans quelle mesure la peur gouverne leurs vies.*

La peur irrationnelle et capricieuse — une peur qui
n'a rien à voir avec leurs capacités ni même avec la
réalité — est une épidémie chez les femmes aujourd'hui.
La peur d'être indépendantes (cela pourrait vouloir dire
que nous finirons seules et sans personne pour s'occuper
de nous) ; la peur d'être dépendantes (cela pourrait
vouloir dire que nous serons avalées par un « autre »,
dominateur) ; la peur d'être compétentes et de bien faire
ce que nous faisons (cela pourrait vouloir dire que nous
serons obligées de continuer à bien faire ce que nous
faisons) ; la peur d'être incompétentes (cela pourrait
vouloir dire que nous devrons continuer à nous sentir
complètement ramollies, déprimées et appartenant à
une catégorie inférieure).

Le conflit né de cette peur est présent à tous les stades
de la vie d'une femme, depuis le moment où elle devient
pubère et désireuse d'attirer les hommes (peut-être ne
mettra-t-elle le grappin sur aucun, peut-être réussira-

t-elle, mais alors, elle se retrouvera piégée et freinée pour le restant de ses jours). La peur est tangible chez les femmes au foyer abandonnées par leurs maris et chez les veuves qui découvrent qu'elles sont incapables de se débrouiller seules après la mort de leur conjoint. Elle est présente chez celles qui essaient de se lancer dans un métier, chez celles qui veulent se libérer de leur mariage, mais ont peur de se jeter à l'eau, chez celles qui en sont sorties, mais se retrouvent paralysées à l'idée de surnager seules.

Et, plus poignant que tout peut-être, elle est présente chez des femmes qui se sont hissées au sommet de l'échelle professionnelle — et qui *croyaient* avoir surmonté ce problème — pour découvrir qu'à un point X de leur carrière, là où elles ne peuvent plus éviter d'agir avec une authentique indépendance si elles veulent aller jusqu'au bout, elles sont soudain submergées par l'anxiété et ne peuvent plus avancer. *La phobie a si totalement infiltré l'expérience vécue des femmes qu'elle constitue une véritable tare cachée. Elle a été mise en place par de longues années de conditionnement social et elle n'en est que plus insidieuse : nous sommes, en effet, si totalement acculturées que nous n'identifions même pas ce qui nous est arrivé.*

Les femmes deviendront libres seulement lorsqu'elles cesseront d'avoir peur. Nos vies ne changeront vraiment, nous ne nous émanciperons réellement que lorsque nous commencerons, dans un processus annihilant le lavage de cerveau auquel nous avons été soumises, à nous dégager des anxiétés qui nous empêchent de nous sentir compétentes et entières.

NOTES

1. Les femmes d'âge moyen qui étaient douées étant enfants sont plus amères et déçues par leur vie que les hommes ayant présenté les mêmes dons au départ. D'une façon générale, les hommes ont beaucoup plus « réalisé » dans leur vie — leur vie professionnelle — et les femmes ont tendance à regretter rétrospectivement ce qu'elles jugent avoir été des « occasions manquées ».

Une étude faisait apparaître que, à la différence des hommes, l'importance et la complexité de l'ego décroissent chez les femmes entre dix-huit et vingt-six ans.

La sociologue Alice Rossi souligne que la société « attend des hommes qu'ils ambitionnent les emplois les plus prestigieux et les plus conformes à leurs capacités, et même à ce que ces emplois mettent à l'épreuve leurs possibilités et les amplifient ; sinon, on ne les jugera pas assez " stimulants ". Si un homme végète dans un travail qui n'utilise pas à fond ses capacités, nous aurons tendance à y voir un " problème social ", un " gaspillage de talents ". En revanche, non seulement nous acceptons que les femmes travaillent en deçà de leurs capacités, mais nous les encourageons à le faire pour que leur énergie puisse se reporter sur le rôle central qu'elles occupent dans la famille ».

2. En 1980, 478 380 femmes salariées ont suivi des formations financées directement par leur entreprise ou par l'intermédiaire d'un fonds d'assurance formation. Mais ni la nature ni la durée des formations ne leur permettaient l'acquisition d'une qualification. On note aussi que la part des femmes n'atteint que 29 % de l'ensemble des stagiaires en 1980. [*Revue française des affaires sociales,* n° 4, octobre-décembre 1981. (*N.D.T.*)]

3. Kathy Keating, analysant les résultats de cette enquête, écrivait que les femmes au foyer « ne vivent pas obligatoirement dans un monde semé de roses ». Elles s'inquiètent surtout de la fréquence des divorces chez leurs amies d'âge moyen. Mais « la crainte la plus souvent exprimée et avec le plus d'hostilité est que le mouvement des droits des femmes ait déprécié le rôle de la mère à plein temps ».

Ces femmes semblent ne pas faire le rapprochement entre le fait de ne pas travailler et d'être dépendantes (Dieu sait qu'elles le sont) et leur inquiétude à propos du taux des divorces.

4. S'aventurer dans le monde extérieur après être restée à la maison avec les enfants est une expérience souvent redoutable. Les

femmes au foyer reconnaissent rarement à quel point elles sont protégées et épargnées — jusqu'au moment où elles tentent leur « réinsertion ». « A la maison, note Ruth Moulton, une femme pouvait rester essentiellement infantile et dépendante tout en semblant assumer la charge de toute la famille. C'est seulement lorsqu'elle essaie de sortir de chez elle qu'elle découvre l'étendue de ses phobies, son étroitesse de vues, son manque d'information et de préparation. »

5. La « grossesse-comme-échappatoire » est un phénomène reconnu. Lorsque les enfants sont jeunes, observe Judith Bardwick, les mères dotées d'une instruction supérieure se plaignent souvent d'étouffer chez elles et disent attendre avec impatience le jour où elles pourront reprendre leurs études et « utiliser leurs vraies capacités ». « C'est facile à dire, écrit-elle, mais c'est moins facile d'affronter un échec de ces " vraies capacités " et la perte de l'estime de soi. A mesure que les enfants grandissent et que la possibilité d'entrer dans la vie professionnelle devient réelle, leur intérêt diminue. Le mécanisme logique et évident pour se bloquer l'entrée dans le monde du travail est une nouvelle grossesse, un " accident ". »

6. On demandait dans un test à des sujets des deux sexes répartis en couples de négocier un contrat financier. Les règles de cette « tâche » stipulaient qu'un des partenaires devait obtenir plus d'argent que l'autre. Avant que les tractations ne commencent, les femmes s'attendaient déjà à obtenir moins d'argent que les hommes et à se montrer moins efficaces et moins actives dans les négociations.

CHAPITRE III

LE RÉFLEXE FÉMININ

Pendant mes dernières années de scolarité, je devins un problème pour les sœurs, qui me trouvaient une personnalité paradoxale. J'étais à la fois un cas difficile en matière de discipline et un leader. Je me comportais avec une audace insensée, pleine de mépris pour ces créatures tout de noir vêtues, mais en même temps intimidées par elles. A l'université, j'étais la présidente de ma classe et je m'attirais des ennuis en ne ratant pas une occasion de faire de l'esprit aux dépens des professeurs dès qu'ils avaient le dos tourné. On aurait dit que j'étais incapable de résister à l'impulsion de jouer aux plus malignes. Encore aujourd'hui, le simple fait de repenser à cette époque réveille en moi la sensation délicieuse que j'éprouvais à défier un système qui me semblait idiot et des mentors que je ne pouvais respecter.

Je ne savais vraiment pas où me situer. Sous le bas-bleu prétentieux, il y avait une petite fille — pas une jeune fille au seuil de sa vie de femme, mais une petite fille effrayée et incertaine, une fille surtout désemparée par le fait que personne ne semblait savoir par quel bout la prendre. Tandis que mes parents me jugeaient plus ou moins en mains sûres, les sœurs paraissaient saboter mon éducation d'année en année. On m'obligeait à grandir trop vite. J'étais en avance et j'entrai à l'université à l'âge de seize ans. Tout le monde s'émerveillait de ma précocité, mais personne ne savait apparemment de quoi j'avais besoin sur le plan affectif, moi moins que les autres. J'étais une contre-phobique naissante — coriace en apparence, mais intérieurement paniquée et mettant mon point d'honneur à cacher ma peur.

A vingt ans, je quittai l'université. Moins de deux heures après la remise des diplômes, j'étais à l'aéroport de Washington, prête à prendre mon envol vers une nouvelle vie. Mon avenir venait d'être scellé sans bavure (du moins l'imaginais-je) par un coup de chance. J'avais fait un concours organisé par le magazine *Mademoiselle* et je figurais parmi les gagnantes. Dix-neuf autres filles et moi — « rédactrices invitées » — étions ainsi lâchées dans la nature pour travailler pendant un mois au numéro spécial consacré aux étudiantes. Que se passerait-il après ce mois émoustillant ? Nous l'ignorions, mais nous nous en moquions : de toute évidence, le monde avait quelque chose en réserve pour les créatures hors du commun que nous étions.

Quinze ans plus tard, quand Sylvia Plath publia dans *la Cloche de détresse* le récit déchirant de sa propre expérience navrante de « rédactrice invitée », je fus si bouleversée que je ne réussis pas à le lire jusqu'au bout. Moi aussi, lorsque je fis, sous de si glorieux auspices, la connaissance du monde « prestigieux » du journalisme, j'oubliai tout ce qui se passait en moi. Sur le plan émotionnel, aucune de nous ne savait vraiment ce qui lui arrivait. Filles brillantes et douées entrant dans leur vie adulte à la fin des années cinquante, nous marchions le long du précipice. Nous ignorions à quel point nos vies allaient changer, combien nous serions déchirées par les changements profonds qui intervenaient dans notre culture. On attendait beaucoup de nous, des choses qu'on n'avait jamais réclamées aux femmes jusque-là. Des choses auxquelles jamais on ne nous avait préparées.

Quand mon mois de « rédactrice invitée » se termina, on me proposa un travail de routine au sein de la rédaction. Je n'avais jamais beaucoup réfléchi au travail en général ni à ce que j'allais faire de ma vie. Attendant d'une manière ou d'une autre qu'on « s'occupe de moi » une fois de plus, j'acceptai et pris un appartement dans l'Upper East Side de New York avec trois amies de fac.

Au bout d'un an ou deux, je commençai à me lasser de faire la même chose jour après jour ; la séduction de ce travail s'estompa et la tension due au fait que je gagnais tout juste de quoi vivre devint insupportable. Je me dis que j'étais mieux lotie que mes compagnes, des filles dans la vie desquelles les parents intervenaient sans cesse, mendiant le droit de payer leurs notes de dentiste et de vêtements. Avec un salaire de cinquante dollars par semaine, j'étais pauvre, fière et terriblement désorientée. Il ne me vint pas à l'idée d'essayer de changer — de chercher un autre travail, d'autres filles avec qui partager un appartement, ni même, pourquoi pas, un *garçon*.

La troisième année, les grandes questions m'assaillirent et je me mis à boire trop pendant les week-ends. Que fais-je ici ? Vais-je continuer à vivre comme ça ? Est-ce que quelque chose m'arrivera ? Vais-je rencontrer quelqu'un ? Me marierai-je ?

Finalement, il se produisit en effet quelque chose. Quatre ans après avoir posé le pied sur la piste d'atterrissage de La Guardia où m'avait accueillie le scintillement des lumières de New York, je fus atteinte de phobie*.

Cela arriva sans crier gare. Depuis plus de trois ans,

---

* *Phobie* : peur irrationnelle.

je végétais dans le boulot sans avenir de documenta-
liste. Jamais je n'avais réussi à réunir le courage voulu
pour écrire un article ; pourtant, mon orgueil en souffrait et j'étais convaincue que je devais « faire quelque
chose ». (Découper des articles dans des journaux
universitaires et aller interviewer quelqu'un une fois par
mois environ pouvait difficilement s'appeler « faire
quelque chose ».) Aujourd'hui, je sais ce que je voulais
au fond : c'était être sauvée, être transportée comme
par un coup de baguette magique dans une vie nouvelle
où je serais sûre de moi, débordante d'idées, irrésistible
et, surtout, en sécurité. Le cauchemar sans fin d'une vie
de fille seule travaillant à New York, sans homme ni
perspectives d'avenir, me diminuait à mes propres yeux
de jour en jour. Je ne « cherchais » pas consciemment
un homme. Je n'essayais pas non plus de me créer une
vie. Je ne voyais pas comment je pourrais bien remplir
le futur qui se profilait devant moi — énorme, mena-
çant, exigeant et capable de tout oblitérer.

*C'était ça, le « complexe de Cendrillon ». Il frappait les
filles de seize ou dix-sept ans, les empêchant souvent d'aller à
l'université, les précipitant dans des mariages précoces. Aujour-
d'hui, il a plutôt tendance à toucher les femmes après l'université
— après qu'elles sont un peu sorties de chez elles. Quand la
première exaltation de la liberté s'atténue et que l'anxiété la
remplace, elles commencent à être tiraillées par de vieilles
aspirations à la sécurité : par le désir d'être sauvées.*

Toutes les femmes n'éprouvent pas cette peur sous sa
forme aiguë. Ce sera, chez la plupart d'entre elles, une
présence diffuse, amorphe, une usure graduelle du
tranchant des choses. Il s'avéra que, personnellement,
j'étais sujette à la version aiguë du mal. Chaque fois que
le désir d'être sauvée se manifesta avec le plus de
virulence — disons au cours de ma dernière année de
faculté, après avoir travaillé plusieurs années sans
déboucher sur rien, et après ma rupture avec mon mari
— je fus atteinte de phobie.

Un après-midi, alors que j'effectuais quelque recherche au Brooklyn Museum, je fus saisie d'une vague de vertige si violente que je dus m'asseoir, la tête sur les genoux. Moi qui ne m'étais jamais évanouie ni même sentie mal de ma vie, je trouvai l'expérience terrifiante. Pendant six mois, je vécus dans l'angoisse qu'une autre crise s'abatte sur moi, et je ne fus pas déçue. Une sensation d'étourdissement me montait brusquement à la tête quand je prenais l'autobus le matin pour aller à mon travail, quand j'entrais dans un grand magasin ou quand je descendais dans le métro. Des masses de gens flottaient autour de moi, me donnant l'impression étrange d'être dans un bateau ivre. Qu'arriverait-il si je m'évanouissais au milieu de la foule ou dans la rue? Six mois durant, ces symptômes bizarres primèrent sur tout le reste. On aurait dit qu'ils symbolisaient la question non formulée mais capitale : *Qui va me rattraper si je tombe ?*

En fuyant l'université pour New York, j'avais cru échapper à l'oppression étouffante de l'environnement dans lequel j'avais grandi : une école religieuse non mixte. En réalité, je ne me croyais pas capable de me faire une place au soleil. A mesure que le temps passait et que les jours étaient remplis des mêmes rituels toujours aussi peu stimulants, l'image que je me faisais de moi commença à s'effriter, ses anciennes fondations laissant place à une impression de déracinement. La réalité de mes rapports avec mes parents, ma religion, tout mon milieu était enfouie dans un passé dont j'essayais obstinément d'ignorer l'influence. J'avais beau m'être rebellée contre la sécurité et les restrictions de mon enfance — les sœurs, le règlement, les expéditions hebdomadaires au confessionnal, l'instinct absolument infaillible de mon père qui le poussait à s'interposer chaque fois que j'aurais pu résoudre seule une difficulté — j'avais beau ne plus vouloir en entendre parler, en même temps je dépendais de ça, de tout ça.

J'avais grandi entre l'Eglise qui décidait pour moi en matière de morale et mes parents qui me disaient comment décider pour tout ce qui touchait aux problèmes séculiers de mon existence. Parfois, je m'emmêlais et laissais l'Eglise prendre à ma place les décisions d'ordre pratique et mon père celles d'ordre moral. Qui décidait quoi ne changeait pas grand-chose à l'affaire du moment que *quelqu'un* s'en chargeait à ma place.

Au mois de septembre de cette quatrième année new-yorkaise, les crises de panique disparurent aussi mystérieusement qu'elles étaient venues. Pendant plusieurs mois, je vécus sur le qui-vive, craignant que, si je regardais par-dessus mon épaule, la « chose » — les terribles palpitations de la peur — ne soit toujours là. A un moment, j'étais allée voir un médecin qui m'avait assuré que, physiquement, tout allait bien. Maintenant que ces symptômes paralysants n'étaient plus qu'un souvenir, je remerciai Dieu de ce sursis. J'enterrai l'expérience, préférant y voir une parenthèse insolite — et non que quelque chose fût fondamentalement perturbé. Jamais je n'avais entendu quelqu'un décrire ce genre de malaises, ce qui les rendait d'autant plus horribles et inquiétants. *Une des caractéristiques de la personnalité dépendante est d'ignorer les signes annonciateurs de problèmes, de les analyser le moins possible, de « supporter ».* (« Peut-être que ça changera », dit Cendrillon en balayant sans fin les cendres du foyer.)

En avril, je rencontrai quelqu'un. Il était catholique et intellectuel. Il avait vécu trois ans à Paris où il avait suivi des cours à la Sorbonne aux frais de l'armée. Maintenant, il travaillait comme reporter pour une revue spécialisée de télévision, écrivait des poèmes et se mitonnait lui-même son *Dobostorte*. Je le trouvai fascinant et résolus presque sur-le-champ de remettre mon sort entre ses mains.

Moins d'un mois plus tard, j'étais enceinte et, peu

après, mariée. Ce fut une des dernières décisions que mon père m'aida à prendre. Je ne lui demandai pas son avis, mais ne le refusai pas non plus. Mon père me dit que, les circonstances étant ce qu'elles étaient, j'étais moralement tenue de convoler. « Tu as pris ta décision au moment où tu as conçu », me dit-il.

Je ne me souciais pas vraiment de la moralité des choses. Pour être moral, on doit être vrai. Mon idée du bien et du mal était celle qu'on m'avait inculquée au catéchisme. J'avais vécu en me pliant docilement à des règles que d'autres avaient fixées pour moi. Cette fois comme les précédentes, je m'y conformai. Je m'enfonçai dans le mariage comme dans une couette afin d'ignorer pendant dix ans encore ma peur de la rue et mes terreurs nocturnes.

Les signes avant-coureurs

Les psychiatres qui travaillent avec des femmes souffrant de phobies ont relevé la présence de plusieurs points communs dans leur passé. On trouve souvent chez elles, tôt dans leur vie, un besoin de paraître pleines d'assurance et maîtresses de leurs émotions. Enfants, elles se donnent beaucoup de mal pour mettre en place les techniques et les qualités qui leur donneront l'illusion d'être fortes et invulnérables. Adultes, elles se tourneront souvent vers des métiers renforçant cette image d'indépendance. La majeure partie ce ce qu'essaient d'accomplir les filles préphobiques est parfaitement normal — voire admirable — en soi. Cela devient névrotique quand la pulsion de réussite se transforme en compulsion — elles ne peuvent pas ne pas réussir.

La femme appartenant à cette catégorie mettra tout en œuvre pour se construire une forteresse derrière laquelle elle pourra cacher son noyau d'insécurité et de peur. « Tu agissais toujours comme si on ne pouvait rien te dire, rappelle encore aujourd'hui sa mère à une de mes amies. A partir de l'âge de quatorze ou quinze ans, tu m'as nettement fait comprendre que je ne pouvais rien faire ni dire qui puisse t'aider en quoi que ce soit. »

Il est regrettable que cette mère ait pris pour argent comptant l'allure assurée de sa fille. Intimidée par cet air de confiance en soi, perplexe, elle ne s'expliquait pas que sa fille fût devenue soudain une telle mademoiselle-je-sais-tout. Mais en diffusant le message « *Je n'ai besoin de personne, je peux m'occuper de moi toute seule* », l'adolescente exprimait un symptôme parfaitement clair. Son assurance tyrannique était de la comédie, une tentative pour surcompenser un manque profond de confiance en soi.

Il n'est pas rare que des sujets préphobiques soient de vrais casse-cou pendant leur adolescence. Ces filles déborderont d'activité physique, prendront des risques et se montreront agressives dans les sports qu'elles pratiquent, ou bien elles défieront ceux qui exercent une autorité sur elles. Quel que soit le style de chacune, dit Alexandra Symonds qui a étudié les phobies chez les femmes, le message est identique : *Je n'ai besoin de personne, je m'assume.* Pas à pas, année après année, une façade contre-phobique compliquée se met en place. Les détails varieront d'une personne à l'autre, mais l'image caractérologique reste la même : dominatrice, autoritaire, assurée. Un certain frémissement plein de séduction dissimulera ce noyau de froideur, une énergie contagieuse due en partie aux efforts contre-phobiques déployés par le sujet pour dominer son environnement immédiat. Souvent, par exemple, ces femmes s'expriment avec aisance — poussées par le besoin d'organiser et de définir. En société, leur présence peut en imposer. Qui devinerait jamais que cette secrétaire parlementaire éblouissante, en robe de soie verte, pôle d'attraction de la soirée — tenant tout le monde sous le charme de ses anecdotes et de son décolleté agressif — est une phobique camouflée qui doute de son intelligence, de sa « séduction », de son tour de poitrine ? Les femmes contre-phobiques ont du mal à avoir des rapports positifs avec les hommes. Elles éprouvent le besoin profond de se sentir supérieures, d'être « responsables ». En amour, elles se plaignent des hommes avec qui elles choisissent d'avoir une relation. Passé la lune de miel, elles se montrent froides et dédaigneuses. Leurs compagnons ne comprennent pas, se sentant étrangement coupables sans savoir de quoi. Leur seul tort, en réalité, a été de croire à l'image assurée que projetaient des femmes fondamentalement effrayées. Prises au pied de la lettre, ces femmes n'ont jamais la possibilité de s'appuyer sur leurs compagnons, ce que — secrètement — elles ont toujours vraiment voulu. Un système de messages ambigus se met en place, dans lequel les femmes affichent un comportement hardi, insolent et autonome pour dissimuler leurs sentiments profonds d'insécurité et d'impuissance. Les hommes ne comprennent pas qu'ils ont été trompés par un faux masque d'indépendance. Peut-être eux-mêmes cherchaient-ils ce que souhaitaient leurs compagnes : un « autre » fort, indépendant, sur lequel s'appuyer. De terribles conflits éclatent à mesure qu'émerge la vérité sur les besoins des femmes et que les hommes ne veulent ou ne peuvent satisfaire ceux-ci. Telle était la dynamique de la première relation amoureuse d'une jeune Californienne que j'appellerai Jill.

Le père de Jill était un avocat fringant à qui tout souriait dans la vie. Sa mère, bien que réservée en société, avait eu une carrière agréable d'illustratrice *pigiste* de magazine. Jill, l'aînée des enfants, s'était toujours sentie prise entre une image masculine et une image féminine contradictoires : une femme effacée, mais à l'abri, un homme plein de vie et ouvert, mais seul et non protégé dans ses rapports avec le monde extérieur. A vingt ans, Jill commença à extérioriser le conflit qui s'installait en elle. Elle se mit en ménage avec un jeune charpentier, un garçon intelligent qui ne savait pas encore très bien ce qu'il voulait faire. Très vite Jill se sentit malheureuse, frustrée, et elle en voulut au malheureux. Elle entreprit une thérapie, se plaignant d'être incapable de décider entre plusieurs métiers — avocate, psychologue, céramiste ou musicienne. Elle finit cependant par ouvrir une boutique de poterie et négligea complètement ce conflit.

Dans sa vie sexuelle, Jill avait beaucoup de doutes sur elle-même ; elle était le type de fille qui avait besoin d'être la vedette d'une soirée, qui vivait avec la crainte inexprimée que son ami puisse rencontrer une femme plus séduisante — et la quitter pour celle-ci. Ses récriminations dès qu'il s'agissait d'argent étaient tout aussi symptomatiques. Elle désirait une maison plus grande et ne savait pas si c'était à elle ou à son ami qu'incombait la responsabilité de réaliser ce vœu. Intérieurement, elle lui en voulait de ne pas gagner assez d'argent pour acheter la maison de ses rêves. Mais elle ignorait cette rancune profonde qui allait trop à l'encontre de ses idées féministes.

« Il est intéressant de noter, rappelle la psychothérapeute de Jill, qu'elle donnait toujours l'impression d'être magnifiquement maîtresse de la situation. Elle arrivait à l'heure aux séances ; elle y mettait fin elle-même au lieu d'attendre docilement que je le fasse. Elle paraissait efficace et responsable. Et puis, vers le début de sa troisième année de thérapie, toute cette façade vola en miettes. »

Tout à fait à l'improviste, Jill commença à respirer trop vite, à être sujette à des vertiges, à faire de la tachycardie, bref à éprouver toute la panoplie des symptômes de l'anxiété. Elle avait peur de sortir de chez elle. Son insécurité « soudaine » se manifesta de toutes sortes de manières. Par exemple, elle téléphonait à sa thérapeute le samedi soir pour lui annoncer qu'elle serait en retard à sa séance du mardi suivant. « On peut toujours m'appeler chez moi en cas d'urgence, déclare celle-ci, mais il ne s'agissait pas de cela. Brusquement, cette personne hyper-responsable me traitait comme si j'avais été sa mère. J'étais censée être là chaque fois qu'elle me voulait, sur commande. Nous finîmes par découvrir que son comportement contre-dépendant du début constituait en fait une grande manœuvre de défense. Elle avait si bien réussi son coup qu'au bout de deux ans je me demandais encore : '' Pourquoi cette femme continue-t-elle à venir me voir ? '' Elle paraissait, comment dire, tellement *compétente.*

« Maintenant, Jill a commencé à exprimer sa colère. Il s'est révélé qu'elle est furieuse parce que depuis deux ans elle n'est pas satisfaite de moi et que *je* ne lui en ai jamais parlé. Je lui ai montré que la question était, en réalité, la suivante : Pourquoi, *elle,* ne m'avait-elle rien dit ? Soudain, elle s'est mise à avoir peur de sortir et de faire des choses seule. Elle a peur de partir en vacances parce qu'elle est incapable de sortir du cadre rigide qu'elle a donné à sa vie. A présent que ses défenses ont disparu, nous découvrons qu'elle est encore très dépendante de ses parents et c'est cela que cachait tout ce comportement contre-dépendant. Sa dépendance s'exprime sous la forme de la colère qu'elle éprouve contre son ami et contre moi. Elle est furieuse parce qu'il ne sera pas avocat et qu'il ne la prendra pas vraiment en charge. Et parce que je ne vais pas être sa mère. »

Jill avait superposé l'image de son père, fort et dynamique, sur son amant, voulant qu'il rapporte à la maison le pain quotidien en même temps que la stimulation sociale, exactement comme son père l'avait toujours fait. L'argent, l'animation, des amis passionnants appartenant au monde de la politique — tout ce

qu'avait apporté « papa » à Jill et à sa mère. Comparé
à son père, l'homme avec qui elle vivait ne faisait tout
simplement pas le poids. « C'est un gentil garçon, doux,
agréable à vivre, que les parents de Jill aiment beaucoup, disait la thérapeute, mais il saute aux yeux qu'il
ne satisfait pas Jill. A l'université, elle est sortie avec un
autre garçon qui s'interrogeait encore sur ce qu'il
voulait être et ils ont rompu parce qu'elle ne supportait
pas son ambivalence. Elle ne se sent forte que si son
compagnon se sent lui-même fort. »

Jill ne veut pas ressembler à sa mère, cloîtrée et
passive. Elle s'identifie essentiellement à son père. Une
chose est sûre, cependant : elle refuse catégoriquement
d'être, dans sa propre vie, cette figure puissante qui
apporte tout. C'est à l'homme de le faire pour elle.
Quand il y manque, elle se sent abandonnée et furieuse.
« Jill est le type de femme qui se montrera passionnée
au début d'une relation, mais au bout d'un moment,
l'excitation disparaît parce qu'elle est en colère »,
ajoutait sa psychothérapeute.

Connaître sa peur

Les symptômes phobiques de Jill apparurent précisément au moment de sa vie où elle comprit qu'elle
n'obtiendrait jamais ce qu'elle voulait vraiment, c'est-à-
dire avoir quelqu'un qui prenne les risques à sa place.
« Je la vois maintenant sur le point d'avoir à prendre
des décisions capitales, des décisions qui la feront
mûrir, d'être obligée de renoncer au père intériorisé qui
ferait tout aller comme sur des roulettes. Peut-être
devra-t-elle reprendre des études pour apprendre quelque chose qui la satisfasse plus, intellectuellement, que
son petit atelier de poterie — quelque chose qui lui
permette de vivre comme elle souhaite qu'un autre la
fasse vivre. A vingt-sept ans, elle devra peut-être

décider de faire elle-même toutes ces choses sans attendre que son compagnon lui apporte tout. Elle commence à peine à s'attaquer au problème et tout ce qui en résulte, c'est purement et simplement de la peur. Elle est paniquée ».

Cette peur, si Jill réussit à accepter de la regarder et à la dépasser, peut constituer le point de départ d'une vie plus libre et plus détendue, plus satisfaisante. Avant de « craquer », Jill faisait tout ce qui était en son pouvoir pour éviter d'éprouver cette peur. Surtout, elle essayait de reproduire le milieu protégé qui avait été le sien enfant, manipulant son amant dans l'espoir de l'amener à agir comme papa. Ce fut en partie parce que son ami refusa de jouer le rôle de son père que sa crise d'indépendance se déclencha. Si pénible et redoutable que puisse être cette crise, Jill a maintenant une chance de se libérer des vieilles habitudes et de devenir adulte. Elle a vu — et même vécu — ses défenses contre-phobiques et résolu d'essayer de s'en passer, de vivre sans cuirasse, sans être sur ses gardes, non protégée, vulnérable.

Moins heureuses sont les femmes chez qui ces défenses contre la phobie restent ignorées. Elles ont toutes les chances de gaspiller leur vie à se construire une armure de plus en plus impénétrable. Ce sont les femmes qui feront n'importe quoi, se priveront de tout — amour, satisfaction, bonheur — afin de ne jamais connaître ce que Jill a vécu : la panique, la confusion, la peur.

Ces femmes choisissent certains types de métiers valorisant l'image qu'elles ont d'elles-mêmes, des emplois dont beaucoup de femmes plus ouvertement inhibées diraient : « Jamais je ne pourrais faire ça, j'aurais bien trop peur ! » Ce qui est, bien sûr, exact. Ces femmes redoutent tant de se sentir impuissantes et d'avoir peur qu'elles consacrent toute leur énergie à se construire une vie — et un style — calculés pour tromper tout le monde, elles comprises. Quitte à être pilotes de course. Ou actrices. Ou prostituées. (Dans le film *Klute*, Jane Fonda interprétait le rôle d'une personnalité contre-phobique type.)

Ou comme Abigaïl Fletcher, elles aspireront à traquer les criminels. De la même façon qu'il existe des degrés dans la phobie, une personne fondamentalement craintive mettra en place une personnalité contre-phobique plus ou moins marquée. Dans le cas d'Abigaïl, le style, l'audace et le cynisme primaient pour constituer une carapace à toute épreuve. Elle *croyait* à l'image de force qu'elle donnait d'elle, sauf lorsqu'un ami la quittait pour se marier et avoir des enfants avec une autre. Alors, pendant des semaines, voire des mois, Abigaïl se sentait malheureuse, vaincue, mais elle finissait par se secouer ; et puis son naturel vindicatif et récriminateur revenait au grand galop, encore renforcé. De temps à autre, juste pour se prouver qu'on pouvait très bien se passer des hommes, elle avait une liaison avec une femme.

Tous ces éléments — cette « dureté » affilée comme une lame — étaient en place quand, à dix-huit ans, Abigaïl était devenue une jeune mère. Cela se passait en 1976. Elle se fit faire un enfant pour échapper à ses parents — des gens peu sûrs d'eux-mêmes qui, en surprotégeant leur jolie petite fille et en lui passant tous ses caprices, l'avaient étouffée et rendue craintive. Pour nier ses sentiments d'impuissance, elle était devenue la version « dure » de la petite princesse juive américaine. Elle croyait, de tout son petit cœur crispé, qu'elle aurait ce que la vie pouvait offrir de meilleur. Elle soupçonnait aussi — profondément, amèrement — que personne ne viendrait jamais lui apporter toutes ces merveilles. En tout cas, pas ce mari trop porté sur le hasch qu'elle avait épousé à dix-sept ans et quitté un an plus tard après avoir mis au monde l'enfant qu'il lui avait fait.

Cacher sa peur ou le comportement contre-phobique

L'histoire d'Abigaïl donnera un aperçu de ce que sont les défenses contre-phobiques, de ce comportement faussement indépendant alors qu'au fond l'on est timide, peu sûre de soi et qu'on redoute trop de perdre son identité pour même se permettre de tomber amoureuse.

Bien que les détails de cette histoire soient propres au cas d'Abigaïl Fletcher (un nom inventé), beaucoup reconnaîtront ce style pseudo-indépendant. C'est celui de la femme tout simplement terrifiée, tellement submergée par le sentiment de la vulnérabilité attachée à son sexe qu'elle préférerait presque être un homme.

La petite annonce du *Globe* disait « INSPECTEUR, HOMME OU FEMME » ; elle émanait du service du personnel d'un grand magasin de Quincy Market, un quartier du centre de Boston. Le mot « INSPECTEUR » attira l'attention d'Abigaïl Fletcher. Elle cherchait désespérément du travail et, avec un an d'études à l'université de Boston et son physique avenant, elle aurait pu trouver sans peine un emploi de réceptionniste ; mais qui avait envie de passer la journée assise à côté d'une plante verte en plastique, à faire des grâces à tout le monde ? Abigaïl avait toujours réussi à éviter un travail de bureau et était bien décidée à ne pas se laisser piéger maintenant. Elle avait travaillé récemment sur un film avec son ami, un gros coup ; les choses étant momentanément tombées à l'eau, il n'était pas question qu'elle perde son temps à une table de dactylo sous prétexte qu'elle avait besoin d'argent. Elle avait du nez et une grande gueule, comme elle disait, signifiant ainsi on ne peut plus clairement qu'elle aimait fouiner dans les affaires des autres et était capable d'enlever le

morceau quand les circonstances l'exigeaient. Abigaïl
s'imaginait volontiers en détective, dans le camp de la
loi et de la justice. Elle se voyait travaillant au Bureau
des consommateurs, blouson d'aviateur et jean, ses
longs cheveux bruns flottant au vent, nouvelle Farrah
Fawcett attaquant les bouchers bostoniens sur le pourcentage de gras dans leur hamburger.

« Formation assurée », précisait l'annonce. Il
s'agissait d'un poste dans l'équipe de surveillance de
Towne & Country, un grand magasin de nouveautés.
Abigaïl décida que le moment était venu de passer à
l'action. Elle était petite, mais suffisamment costaud
pour ce travail ; plutôt bien roulée, estimait-elle, grâce
aux cours de jiu-jitsu qu'elle avait suivis naguère dans
les sous-sols d'un temple bouddhiste et aux gènes de sa
chère petite maman. Oui, cette vieille Abigaïl Fletcher
était faite pour ce boulot.

Dans le bureau du personnel de Towne & Country,
Abigaïl eut envie de rigoler. Tout de suite, elle vit
qu'elle avait tapé dans l'œil de ce type, Hollis. Il la
cuisina une heure durant. Quand il en eut fini avec les
questions de base : « Vous vous droguez ? — Bien sûr, je
fume. — Jamais rien volé à un employeur. — Jamais.
— Pas d'autres drogues ? — Non. — Des dettes
criantes ? — Oui, quatre cents dollars pour un
emprunt »), il gémit un peu sur l'incompétence du
personnel actuel, puis expliqua en quoi consistait la
formation.

« Vous êtes engagée, lui dit Mr. Hollis au téléphone
le lendemain. Bienvenue dans l'équipe de sécurité de
Towne & Country. »

Abigaïl rit doucement en découvrant qu'un des mecs
avec qui elle s'entraînait, un certain Mario, était de son
ancien cours de jiu-jitsu. Une vraie lavette, disait-elle.
Quand elle essayait de lui filer un coup de pied, il pliait
aussitôt les genoux pour se protéger les couilles et

finissait régulièrement par en prendre plein les tibias. Elle l'avait surnommé « Couilles Molles ».

Abigaïl nota une différence entre elle et ses condisciples masculins : eux avaient droit à des cours de karaté et aussi de « persuasion » (la persuasion consistant à tordre dans le dos le bras du quidam surpris en train de voler et de le convaincre de vous accompagner sans faire d'histoires au bureau de sécurité). Abigaïl était aussitôt allée voir Hollis : « Et moi, je les suivrai quand, ces cours ? » Mais il lui avait adressé un sourire huileux, faussement paternel : « La première fois que vous pincerez quelqu'un ».

« Merde, pensa Abigaïl. Je suis déjà ceinture verte et ce foutu Couilles Molles ne peut pas en dire autant ».

Abigaïl commença à venir travailler en jean et en tennis. Le climat d'intrigue et d'action l'avait séduite dès le départ. On lui montra comment « asticoter » les suspects ; vous les suivez de si près qu'ils paniquent et sortent du magasin avant d'avoir pu prendre quoi que ce soit. On lui apprit aussi à les faire « déballer » : vous essayez de forcer quelqu'un que vous croyez avoir volé, mais sans en être sûre, à filer en laissant la marchandise sur une table ou dans une cabine.

Abigaïl pigea vite. Elle apprit toutes les ficelles du métier et repéra les principales allées du magasin et l'emplacement des glaces et des systèmes d'alarme. Au début, elle passa beaucoup de temps à ramper sur le sol moquetté des cabines d'essayage. C'était la partie de son travail qu'elle préférait. Celle aussi qui donnait souvent le plus de résultats. Vous vous baladiez avec une petite boîte d'épingles dans la poche et quand l'envie vous prenait, vous vous faufiliez dans une cabine vide et fermiez les rideaux avec des épingles pour être sûre de pouvoir épier tranquillement. Et puis vous vous mettiez à plat ventre par terre pour essayer de voir quelque chose par la bouche d'aération. C'était trop comique de regarder les nanas en train de prendre des poses et de rentrer leurs bides complètement ramollis. Assez souvent vous en piquiez une en train d'ôter les étiquettes et de tout fourrer dans son cabas ou dans son sac à main, ou encore dans son soutien-gorge ou dans sa gaine. « Les travailleuses de l'entrejambe », appelait-on ces dernières, en général des professionnelles.

Ces « pros » pouvaient vous donner froid dans le dos. Souvent, elles étaient grosses et noires (une combinaison qu'Abigaïl redoutait depuis ses années de lycée dans le South Side) et elles savaient vous repérer. Un jour, une de ces amazones se rendit compte qu'Abigaïl la filait ; elle fit demi-tour, se glissa à côté d'elle et lui chuchota d'une voix rauque qui empestait le whisky : « Je vais te dire, moi, comment on file quelqu'un : on lui colle au cul et on se sert pas des glaces ! »

Après deux semaines de formation, Abigaïl « pinça » sa première victime. Ce ne fut pas une expérience agréable. Il ne s'agissait ni d'une Noire ni d'une Portoricaine comme elle s'y attendait, mais d'une femme pauvrement habillée, la petite Mrs. Hansen, avec son chignon gris bien épinglé sur la nuque et visiblement malade de peur. Déconcertée, Abigaïl dut amener Mrs. Hansen dans le bureau de Mr. Hollis. Le contenu des sacs de la femme fut vidé sur le grand bureau en acajou de Mr. Hollis pour que tout le monde voie. Mrs. Hansen n'avait pas de drogue. Pour ce qui était des armes, tout ce qu'elle put présenter fut une pochette avec des aiguilles et du fil comme les femmes soucieuses d'ordre en ont toujours sur elles pour les petits points d'urgence. On la lui confisqua.

La confrontation terminée, Abigaïl (qui, étrangement, s'identifiait à la femme) éprouva une brusque chute de son taux d'adrénaline. Toute cette scène lui parut horriblement déprimante. Elle acheva son travail comme une mécanique. On lui demanda d'accompagner la femme jusqu'à l'ascenseur, puis au rez-de-chaussée. Mrs. Hansen se cramponnait à ses paquets, la tête baissée. Abigaïl l'accompagna au-delà des rayons de postiches aux murs recouverts de plexiglas, de ganterie et de bonneterie, à travers le nuage de patchouli planant au-dessus des comptoirs du rayon parfumerie, et la libéra à la porte d'entrée. Mrs. Hansen planta là Abigaïl, fila sans se retourner, comme un animal effrayé, et se perdit dans la foule de Market Street.

Se sentant coupable, complètement écœurée, Abigaïl lutta comme toujours pour retrouver sa maîtrise d'elle-même. Inutile de se laisser abattre. C'était juste un boulot. Et puis qu'est-ce qui lui avait pris, à cette tordue, qui n'avait même pas besoin de voler pour vivre ! Abigaïl savait ce qu'elle allait faire. Une fois sortie de ce foutu métro, elle marinerait dans un bon bain chaud. Ensuite, elle coucherait la môme, mettrait un disque des Stones et écrirait un peu.

Le lendemain, assez bizarrement, Abigaïl faisait une nouvelle prise — une double prise, en fait, deux jeunes Noirs de quinze et seize ans. Cette fois, elle fit ce qu'elle avait à faire, sans remords. Elle était lancée. Forte, invulnérable, elle éprouvait une curieuse impression de planer. Ce n'est pas sorcier de s'assumer une fois qu'on l'a décidé, pensa-t-elle. Son avenir professionnel s'annonçait prometteur. Sa vie sentimentale aussi. Les hommes tournaient autour d'elle comme des mouches. Dans quelques années, elle monterait sa propre affaire et adieu le South Side !

Une seule chose clochait dans son projet. Ce qu'elle ignorait et qu'elle ne pouvait prévoir, c'est qu'elle ne serait jamais capable de tomber profondément, irrévocablement amoureuse, tant qu'il ne se passerait rien qui vienne percer sa carapace. Elle aurait une série d'amis, des garçons d'abord attirés par son assurance glacée mais que repousserait ensuite son étrange manque de cœur. Un homme commençait à peine à sortir avec elle qu'elle voulait aussitôt lui mijoter de bons petits plats et lui faire des effets de lingerie. C'était bien parti, pensait-il. Eh bien non. Cette Abigaïl faisait souffler le chaud et le froid. Vous aviez l'impression qu'elle tissait la toile dans laquelle elle allait vous engluer. Au lit, elle se montrait une bonne partenaire, mais quand tout était dit et fait, elle semblait ailleurs. Dure, narcissique ; un peu comme une putain.

Ce qui frappe surtout, dans la personnalité contre-phobique, c'est son efficacité en tant que défense. Les femmes contre-phobiques ont rarement peur, si bien qu'elles ignorent complètement à quel point celle-ci domine leur vie.

La phobie, chez les femmes, peut être liée à la peur de perdre le contrôle d'elles-mêmes sur le plan sexuel et de se sentir impuissantes et vulnérables. Cette peur s'exprime par des fantasmes de prostitution et de domination. Abigaïl aimait à s'imaginer en séductrice, en dévoreuse d'hommes, jamais à court de cadeaux ni de présences masculines, mais ne s'attachant jamais. Ce fantasme constituait une couverture élaborée masquant une profonde, une terrible solitude née de son incapacité à se laisser aller et à se fondre avec un autre être humain. Cette fusion lui paraissait trop effrayante ; elle risquerait d'y perdre les contours de sa propre personnalité.

Ces peurs trouvent leur origine dans une profonde solitude datant de l'enfance. Le besoin d'amour non satisfait pendant cette période peut conduire au désir passif et éventuellement destructeur de s'en remettre totalement à n'importe qui. Abigaïl avait été couvée par ses parents, mais elle ne s'était jamais sentie prise en charge comme elle avait besoin de l'être. Et elle n'avait jamais eu l'impression que ses parents s'étaient vraiment souciés d'elle ; sinon, n'auraient-ils pas reconnu son besoin de grandir et de devenir adulte ?

Abigaïl avait donc enfoui ce besoin profond qui la

terrifiait. Mais elle avait éprouvé aussi le désir agressif
de s'en libérer — de se libérer des *hommes* chez qui elle
enviait tant la force qui lui faisait défaut — et elle
déchargeait cette agressivité sur ses collègues masculins. Elle méprisait en bloc Mr. Hollis, « Couilles
Molles » et tous ceux qui n'éveillaient chez elle aucun
intérêt sentimental [1]. La crainte réelle qu'elle éprouvait
vis-à-vis du genre masculin pris en bloc se traduisait
par son langage « viril » et par toute son attitude de
« dure ». Ce serait agréable d'être forte (comme les
hommes) ; à l'abri (comme les hommes), pas facilement
exploitable. Pas vulnérable ni peu sûre de soi.
Comme les femmes.

Le « *réflexe féminin* »

On a longtemps vu dans la peur une composante
naturelle de la féminité. La peur des souris, la peur du
noir, la peur d'être seule : autant de peurs jugées
normales chez les femmes, mais pas chez les hommes.
Les psychologues et les spécialistes des sciences sociales commen-
cent enfin à penser que les phobies, ou peurs irrationnelles, ne sont
pas plus « normales » ou saines chez les femmes qu'elles
ne le sont chez les hommes.
Mais elles sont bien plus répandues chez les femmes.
Frappée par le nombre de patientes phobiques figurant
dans sa clientèle new-yorkaise, Alexandra Symonds dit
que ces femmes, tout en semblant craindre d'être
dominées par les autres, redoutent en réalité de prendre
en charge leur propre existence. Elles ont peur de lui
donner une orientation personnelle. Elles ont peur du
mouvement, de la découverte, du changement, bref, de
tout ce qui est peu familier et inconnu. Plus paralysant
encore, elles ont peur d'une agressivité et d'une affirmation de soi normales [2].
Les femmes ne devraient pas avoir aussi peur. Parce

qu'elles vont de pair avec la dépendance, les réactions phobiques doivent être débusquées et identifiées. Les femmes vivent une vie étriquée simplement pour pactiser avec leur peur. Vivian Gold, une psychologue de San Francisco, déclare que les femmes qui viennent la voir souffrent de toutes les peurs imaginables. « Elles craignent de sortir, d'avoir une relation avec quelqu'un, de prendre l'initiative dans ces relations — elles ont peur de tout. »

D'une part parce qu'un certain degré de peur et de fuite est jugé approprié chez les femmes, d'autre part parce qu'il est pénible d'avoir à le surmonter, la profondeur de la peur qui assaille les patientes de Vivian Gold n'est pas toujours apparente au début. « Souvent, elle ne se manifeste pas avant plus d'un an de psychothérapie, dit-elle. Ces femmes préfèrent, dans un premier temps, parler de difficultés de couple ou de décisions à prendre sur le plan professionnel. Ce n'est que bien plus tard que vous découvrez qu'elles sont absolument terrifiées d'être seules. Parfois, elles ne supportent même pas de passer seules ne serait-ce qu'une nuit. »

« Les phobies de nombreuses femmes sont dues au fait que celles-ci ont eu des parents hyperprotecteurs, dit Ruth Moulton, des parents qui ont paniqué leurs filles en se déchargeant sur elles de leurs propres crises d'anxiété. Ils disaient à leurs filles de ne pas sortir avec des inconnus et de rentrer tôt le soir à la maison, car si elles ne faisaient pas attention, elles seraient violées. » (On a raison, bien sûr, d'apprendre la prudence aux filles, mais les conséquences inhibantes de toutes les menaces et mises en garde de l'enfance montrent qu'il serait bien plus utile de leur enseigner des techniques d'autodéfense que de leur mettre dans la tête qu'elles ont sans cesse besoin d'avoir peur et de se méfier si elles veulent survivre.)

La femme phobique vit dans un univers concentrique

de plus en plus rétréci. Peu à peu, elle abandonne ses amis, ses activités. Celle qui, à l'école, aimait le sport devient complètement sédentaire une fois mariée et mère de famille. Faire du ski est trop dangereux. (« Tu risques de te casser une jambe », se dit-elle en croyant se montrer raisonnable.) Taper sur une balle de tennis est hors de question (trop agressif). Voyager peut devenir un problème. L'avion n'est pas sûr. Si l'on en juge par les dernières statistiques sur le nombre d'accidents, vous dira-t-elle, les pilotes sont des ivrognes. Pour peu qu'on ait un atome de bon sens, on a peur de monter dans un avion. (Evidemment, il ne vient pas à l'idée de la femme phobique que prendre l'avion symbolise la séparation d'avec le prince : quel qu'il soit, elle compte sur lui pour s'occuper d'elle.)

Parfois, leurs réactions phobiques obligent les femmes à se tenir à l'écart d'activités si inoffensives à première vue que vous ne devineriez jamais que la peur était le fin mot de l'histoire. Dès que leurs enfants arrivaient, m'ont dit plusieurs des femmes que j'ai interviewées, elles cessaient de lire. « C'est comme si je ne trouvais plus jamais le temps, expliquaient-elles en général. Et puis, c'est devenu une sorte d'habitude. Mon mari passait son temps à lire, mais pas moi ; les enfants sont grands maintenant et ont quitté la maison, mais je ne me suis jamais vraiment remise à lire. A la place, je tricote et je regarde la télévision. »

Ces femmes ne lisaient plus parce que lire, c'est partir en voyage, loin de la maison, loin du mari, seule. La lecture n'était qu'une des activités que ces femmes avaient « laissé tomber » en pensant seulement qu'elles avaient disparu de leur existence. Et en ne s'interrogeant jamais sur cette disparition[3].

Des formes moins aiguës de phobie sont beaucoup plus répandues — et leur caractère irrationnel plus difficile à identifier. Prenons le repli des femmes dans leur maison. Il est commode de recourir à la « solution domestique » pour se protéger des vicissitudes d'un monde inquiétant. « Je suis nerveuse quand il y a trop de gens », dit Anne Fleming, écrivain, expliquant pourquoi elle préfère rester chez elle. « L'idée d'être assise dans le bureau de rédaction d'un journal rempli de machines à écrire me terrifie. Je ne veux pas entendre la peur des autres, qui essaient de survivre dans l'arène professionnelle. Et je ne veux surtout pas qu'on voie ma peur. »

Une femme que je connaissais et qui avait gagné sa vie jusqu'à trente-trois ans, âge auquel elle s'était mariée (elle arrêta aussitôt de travailler comme quelqu'un à qui l'on vient d'offrir une sinécure à vie), pensait reprendre une occupation et exercer un autre métier. Elle envisageait aussi de quitter son mari — une idée qu'elle gardait depuis plusieurs années dans un coin de son esprit, mais qui semblait la terrifier. « La nuit, je reste les yeux ouverts à regarder le plafond, me disait-elle. J'ai peur qu'il s'ouvre et qu'il m'aspire. »

La perspective d'être de nouveau seule est terrifiante pour cette femme. Quand elle marche dans la rue, elle a parfois la sensation que tous les immeubles vont s'effondrer sur elle.

Alors que le mariage semble être à l'origine des phobies de certaines femmes, le divorce en déclenche d'autres. « J'ai constaté que j'avais tout un groupe de patientes qui étaient devenues très craintives et isolées après un divorce dont elles-mêmes avaient eu l'initiative », me disait Ruth Moulton. Ces femmes, selon elle, souffrent « du besoin compulsif d'un homme ». De fait, presque toutes ses clientes présentant des phobies partagent la même illusion : « *Si seulement il y avait un homme à la maison — même s'il dormait, s'il était ivre ou malade — ce serait mieux que d'être seule.* »

La fuite devant l'indépendance

A l'époque où elle arrive en âge de se marier, plus d'une femme excessivement dépendante découvre qu'il lui est difficile, sinon impossible, de jouer les femmes fortes. Même si elle a été une adolescente particulièrement entreprenante et comblée, elle aspire désormais à laisser tomber le masque et à s'abandonner à sa tendance profonde. Sans en avoir conscience, elle cherche une situation où elle puisse renoncer à sa façade d'indépendance pour replonger en douceur dans une chaleur douillette lui rappelant l'enfance et qui a tant de charme pour les femmes : le foyer. Quelle situation plus idéale, en effet, que celle de femme au foyer pour permettre à la « fonçeuse » de jadis de se retirer avec élégance de la compétition ? Elle sera souvent la première étonnée de son amour soudain pour les tâches ménagères.

Personne, en tout cas, ne fut plus surpris que Carolyn Burckhardt par l'enthousiasme pour l'univers ménager rassurant qui jaillit en elle le jour où elle devint Mrs. Helmut Anderson. « C'était un aspect de moi-même dont j'ignorais totalement l'existence », me dit-elle douze ans plus tard en évoquant l'époque (elle avait un peu plus de vingt ans) où elle « décida » d'avoir des enfants avant d'entreprendre une carrière de musicienne. Maintenant, la trentaine finissante, Carolyn (dont j'ai changé le nom ainsi que celui de son mari) essayait de remettre de l'ordre dans sa vie. Tous ses projets de jeunesse s'étaient effondrés sous le poids d'un mariage oppressant, situation devant laquelle elle se sentait impuissante.

Adolescente, Carolyn avait été un splendide contralto, l'une des plus jeunes chanteuses à qui la Santa Fe Opera Company eût jamais fait de proposition. Cette fille fortement motivée, entreprenante, avait grandi à Shaker Heights, dans l'Ohio, chassant à

courre, faisant du jumping et, surtout, travaillant avec
acharnement ce qui était devenu une voix remarquable.
Tous ceux qui la connaissaient étaient stupéfaits par sa
rigueur, sa maturité, son remarquable esprit de persévérance. « Depuis sa petite enfance, Carolyn a toujours
su ce qu'elle voulait », disait sa mère à ses copines du
country-club. Celles-ci acquiesçaient, intérieurement
jalouses, car pendant que leurs filles s'appliquaient à se
tortiller de petits accroche-cœurs sur le front et à
amidonner leurs jupons-crinolines, il était indiscutable
que Carolyn se consacrait à quelque chose de... eh bien,
de *valable*.

L'adolescente travaillait comme une forcenée, courant les stalles dans son vieux jean et sa chemise à
carreaux ou sautant avec grâce les obstacles dans ses
jodhpurs et sa bombe de velours noir. Puis, à la fin de
son adolescence, elle abandonna sa passion pour les
chevaux et commença à travailler le chant pendant
deux, trois et quatre heures par jour. Au printemps de
sa première année à l'université, Carolyn alla à Santa
Fe passer une audition et, au grand émoi (et à la grande
joie) de toute sa famille, fut reçue ; l'Opéra de la ville
était prêt à l'engager. En juin, ses parents l'envoyaient
avec armes et bagages faire son entrée dans le monde de
la musique. Qui aurait pu croire que six mois plus tard
à peine, quand sa maman l'expédia à New York avec un
abonnement d'une semaine à l'Opéra, elle rencontrerait
l'élégant Helmut Anderson et tomberait amoureuse ?

Tout compte fait, Carolyn aurait probablement pu
être engagée par une compagnie d'Opéra new-yorkaise,
mais quand Helmut lui demanda de l'épouser, elle
voulut rendre les choses plus faciles pour son mari en
« restant un peu à la maison ». A vingt-quatre ans,
Helmut finissait sa thèse de doctorat. Il avait besoin du
calme et de la tranquillité d'une maison bien organisée
tandis qu'il écrivait.

Bref, il lui fallait une épouse.

L'épouse secrètement phobique

Sans vraiment y réfléchir (comme si on réfléchissait à ce genre de choses, soupirait-elle avec satisfaction), Carolyn fut tout de suite enceinte, puis une seconde fois huit mois après la naissance du premier enfant. Jeune, énergique, follement amoureuse et forte d'un passé brillant qui lui permettrait, le cas échéant, de retomber sur ses pieds, Carolyn avait imaginé qu'elle reprendrait sans mal sa carrière une fois les enfants à la maternelle. En attendant, elle jouait les bonnes épouses, mères et secrétaires, un rôle — et cela avait été une surprise de taille — qu'elle adorait. « Passé six ou sept ans, les poupées ne m'intéressaient plus du tout, me racontait-elle. Mais après avoir épousé Helmut, j'étais folle d'excitation à l'idée de rester chez moi, de créer ma maison, d'être une femme au foyer. Je fus complètement prise au dépourvu. Comme si quelque chose en moi avait bougé d'un quart de tour et que tout s'était mis soudain à la bonne place. »

Helmut, qui trouva immédiatement un travail à l'université, à proximité de Brooklyn, régnait sur une pièce de leur appartement : la salle à manger. C'était la plus belle pièce, la plus claire et la mieux aérée et elle devint vite son bureau. Les portes vitrées lui permettaient de voir sa petite famille vaquer agréablement à ses occupations. Carolyn veillait à ce que les enfants jouent sans faire de bruit quand Helmut était là. « Chut, Papa travaille », s'entendirent-ils répéter dès leur plus jeune âge et tous les jours que Dieu faisait. Cet arrangement posait parfois des problèmes, mais Carolyn estimait que ce n'était pas trop payer le fait d'avoir pour elle le reste du grand appartement biscornu de Brooklyn Heights. *Sauf, bien sûr, quand Helmut émergeait de son bureau et que l'appartement devenait alors entièrement à lui.*

C'était une de ces horribles petites réalités que nous préférons si souvent ignorer ; Carolyn ne pouvait rien revendiquer, n'avait aucune prise sur quoi que ce soit. Tout ce qu'*ils* possédaient appartenait à Helmut. Le chien était à Helmut, le bail était au nom d'Helmut ; la nourriture sur la table — et même le chemin de l'évasion, la carte d'abonnement de chemin de fer mensuelle pour New Haven — étaient à Helmut.

Le temps qu'elle s'en aperçoive, Carolyn avait presque trente ans. Elle se rendit compte un beau matin (un peu comme si elle ouvrait les yeux pour la première fois) qu'Helmut avait tout et qu'elle, dont l'enfance avait été si comblée, se trouvait en quelque sorte reléguée au statut humiliant de celle qui n'avait rien. Il suffisait qu'Helmut émette un grognement derrière la porte vitrée de son bureau pour que le reste de la famille marche sur la pointe des pieds et parle à voix basse. Les enfants passaient leur temps à se battre, du moins en avait-elle l'impression, et elle sortait en trombe de la cuisine pour les faire taire. Quand l'un d'eux était malade, elle prenait une baby-sitter pour conduire en classe celui qui allait bien. Inutile de compter sur Helmut pour ce genre de choses. Pendant les deux jours de la semaine où il restait à la maison, il écrivait, un point c'est tout : indifférent à tout ce qui se passait autour de lui. Vers la mi-février chaque hiver, quand la saison des virus avait réclamé son dû, Helmut poussait des hurlements devant l'argent englouti en baby-sitters. On était en 1978 et Helmut enseignait dans une des plus prestigieuses universités du Nord-Est, où les étudiantes avaient sidéré l'administration en réclamant que celle-ci change d'attitude. Mais son attitude à lui demeurait, à la maison, inexorablement la même : lui, Helmut, était l'astre brillant de la constellation familiale, et Carolyn son satellite tremblant.

Huit années avaient coulé. L'Opéra n'était plus maintenant qu'une image floue et persistante qui s'attardait dans l'imagination de Carolyn, trop brillante pour être perçue nettement et en détail, trop brève pour s'inscrire durablement sur sa conscience. Elle était une enfant alors, une fille remplie de rêves qui ignorait tout de la réalité extérieure. Une fille qui s'était mis dans la tête l'idée folle et puérile que la vie pouvait être vécue sans prendre d'options véritables.

Carolyn ne chantait plus. Elle était maigre et tendue, ses cheveux noirs moins épais que par le passé. La peau de velours de son enfance avait commencé à perdre de son éclat. « Mais *mon trésor*! s'était exclamée sa mère au téléphone, très loin, quand Carolyn avait essayé de lui parler. Je ne comprends pas. Helmut réussit tellement bien! Maître de conférences à son âge, ce n'est pas rien! Tu vas bientôt avoir plus d'argent et la vie sera plus facile. »

Carolyn ne pouvait pas dire à sa mère que l'argent ne réglait pas le problème. Elle ne pouvait pas trouver les mots pour lui expliquer qu'elle n'était plus une petite fille, et pas une femme ; que vivant dans des limbes coupés du temps, au service de quelqu'un d'autre, elle était une créature en complète dépendance. Ce dont elle rêvait, mais seulement en dormant, c'était de pouvoir diriger sa vie. Elle rêvait qu'elle était chirurgien et que son équipe en salle d'opération la complétait avec une telle précision qu'un regard lui suffisait pour demander les instruments nécessaires.

Quand Timothy, le petit dernier, entra à l'école primaire, Carolyn commença à parler de « faire quelque chose ». « Helmut, je crois vraiment qu'il faut que je fasse quelque chose », disait-elle.

« Bon Dieu ! mais je t'en supplie, fais quelque chose, répondait-il. Tu me rends dingue. »

A cette époque de sa vie, Carolyn avait perdu le courage fragile qui l'avait soutenue pendant ses années d'adolescente. La réaction d'Helmut éveilla chez elle un sentiment d'abandon : il ne voulait pas la prendre en charge ; tout ce qu'il attendait d'elle, c'était qu'elle lui fiche la paix. Carolyn voulait bien décider de sortir de chez elle et de faire quelque chose, mais certainement pas avoir l'impression d'y être obligée. Elle devait pouvoir choisir son style de vie.

L'idée que se faisait Carolyn de ce choix était superficielle et fausse. Elle aurait préféré de beaucoup vivre sans avoir à choisir — comme elle l'avait fait depuis le jour de son mariage — plutôt que risquer de connaître les difficultés inhérentes à sa prise d'autonomie. Elle courba donc l'échine. Elle se soumit quand Helmut commença à pester contre les dépenses du ménage tout en insistant pour qu'elle reçoive sur un autre pied. Il était connu maintenant dans le monde universitaire. « Finis les pots d'étudiants », braillait-il. « Et plus de vin ordinaire. Ces gens-là sont habitués aux bonnes bouteilles. »

Ce qu'Helmut voulait, au fond, c'était un second revenu dans la famille, quelque chose qui leur permettrait de donner un petit air plus cossu à leur train de vie. Il avait dépassé celui qui avait été le leur jusque-là. Maintenant, il publiait régulièrement ; on parlait de lui dans sa discipline. Au lieu de se sentir électrisé par ces nouvelles perspectives, il se plaignit à plusieurs de ses collègues les plus intimes de Yale que sa femme et ses enfants le freinaient dans sa lancée.

« *Une fuite indéfinie loin de soi-même* »

Le comportement d'évitement de Carolyn devant la vie devint de plus en plus manifeste à mesure qu'elle s'ancrait dans sa passivité. Loin de répondre à un besoin profond de passer au stade adulte et de se développer, elle se contenta de *réagir* à la pression venant d'Helmut pour installer le décor qu'il illumine-

rait de son éclat et essaya désespérément de mieux
équilibrer le budget familial. Elle suivit un cours du soir
— gratuit — sur le choix des vins. Elle élargit son
répertoire culinaire et se spécialisa dans la confection de
plats exotiques moins riches en viande. Quand elle
recevait, elle remplaça les gâteaux salés au fromage par
une *caponata*, des terrines maison et le plus sombre des
bordeaux qu'elle avait appris à dénicher chez un
invraisemblable petit épicier du coin, à moins de quatre
dollars (vingt-huit francs) la bouteille. Pour redorer
l'aspect de leur appartement, elle fouina dans les
brocantes, en quête de petits tapis à point noué, de
lampes de cuivre et de coupelles en métal argenté —
autant d'objets qui aideraient à créer une atmosphère
de confort et de réussite. Carolyn n'avait jamais lu *le
Deuxième Sexe*. Sinon, elle aurait été fascinée par les
observations de Simone de Beauvoir sur les dangers que
fait courir aux femmes l'amour immodéré des choses de
la maison. « Dans cette folie... la femme est si active
qu'elle oublie sa propre existence », écrit Simone de
Beauvoir. « Le ménage permet en effet à la femme une
fuite indéfinie loin de soi-même. »

Si Carolyn était trop occupée pour se rendre compte
de tout ce que sous-entendait cette « occupation », il en
allait autrement d'Helmut : il commençait à avoir
l'impression que sa femme était une ratée. Les épouses
de ses collègues faisaient quelque chose, ne fût-ce que
reprendre leurs études. « Bon Dieu, Carolyn, *encore* de
la caponata ? s'écriait-il cinq minutes avant l'arrivée des
invités. Je me demande si les Aronson n'ont pas déjà eu
de ce truc-là les trois dernières fois qu'ils sont venus. »

Il me faudrait un an, se dit Carolyn. Il me faudrait un
manager, un agent, un accompagnateur. Je serais
obligée d'être partie au moins quatre mois de l'année,
parfois pendant plusieurs semaines d'affilée, pour

m'apercevoir en fin de compte que je n'ai peut-être rien
de ce qu'il faut pour être cantatrice.

Elle pensa à des études de médecine, une idée trop
absurde pour s'y attarder. Cela lui prendrait deux
années juste pour se préparer, puis quatre années de
fac ; il y aurait ensuite l'externat, puis l'internat...
Carolyn se rendit compte avec horreur qu'elle aurait
plus de quarante ans quand elle démarrerait et que la
vie jusque-là serait difficile — affreusement difficile,
impossible. Helmut ne supporterait jamais le chamboul-
ement que créerait le retour de sa femme à l'université.

A ce stade de son histoire imaginaire, Carolyn sentait
toujours les larmes lui monter aux yeux. « Je n'arriverais probablement même pas à entrer à la fac de
médecine. »

Il était plus facile pour Carolyn de se dire qu'elle
n'était pas « assez intelligente » que de regarder en face
à quel point elle dépendait d'Helmut pour tout. Une
dépendance telle qu'Helmut aurait pu tuer impuné-
ment père et mère. Le tyran mesquin dont elle satisfaisait le moindre désir ne lui était même plus fidèle.

C'est seulement au petit matin des nuits où Helmut
restait à New Haven que Carolyn se permettait de
penser qu'il était souvent retenu là-bas. Avec quelle
facilité s'était établie cette routine ! Une fois ou deux
par semaine, il téléphonait avec une excuse — il faisait
un temps de chien et il restait coucher chez un ami, ou
bien il travaillerait tard à la bibliothèque et c'était idiot
de prendre l'omnibus pour rentrer.

Quelle comédie ! Et il y avait si longtemps qu'elle
durait ! Exception faite de ses talents académiques dont
l'éclat semblait s'accentuer au fil des ans, Helmut avait
déçu presque toutes les attentes de Carolyn. Il était le
père des enfants seulement parce qu'il subvenait à leurs
besoins physiques. Bien qu'il fût chez lui plus souvent
que la plupart des autres hommes, il les voyait à peine,
sauf pour les excursions rituelles du samedi après-midi.

Quant à ses rapports avec elle — eh bien, Helmut
n'était guère le compagnon rêvé ; il ne lui parlait plus si
ce n'était pour lui rappeler de s'occuper de ce dont il
avait besoin : qu'elle aille chercher ses chemises à la
blanchisserie, et ne pouvait-elle s'arranger pour lui
éviter ces sinistres réunions de parents dans la nouvelle
école de Timothy ? et pouvait-elle convaincre sa mère
— celle de Carolyn — de ne pas venir les voir avant la
fin des fêtes du Nouvel An ? Elle détonnerait *sûrement*
avec les gens de son département qui assisteraient au
réveillon.

A trente-deux ans, après onze ans de mariage,
Carolyn commença à avoir des crises de larmes soudai-
nes et prolongées. Il lui suffisait de penser à un
changement — un travail, quelques jours de vacances
seule, la plus petite échappatoire à la vie de cauchemar
qu'était devenue la sienne — pour être envahie par une
fatigue insupportable et sentir toute son énergie l'abandonner. Elle avait l'impression de passer ses journées
sur un tapis roulant, faisant indéfiniment les mêmes
trajets sans joie : l'école, le boucher, le coin des enfants
à la bibliothèque, l'épicier. Elle maigrit, mais se désola
à peine devant sa beauté envolée car son corps ne lui
servait plus à rien. Elle souffrit d'insomnies, assaillie
par le souvenir de rêves étranges, d'images chargées de
violence et de mort. Helmut la harcelait pour qu'elle
sorte de la maison et cherche du travail. Elle ne le
satisfaisait plus. Carolyn sentait la colère l'envahir,
mais n'avait pas le courage de lui tenir tête et de lui dire
cette colère. *Pour qui se prenait-il ? Comment osait-il exiger
qu'elle change après tout ce qu'elle lui avait sacrifié ? Elle avait
sacrifié sa vie ! Et lui ? Rien du tout !* Telle une mère oiseau
indigne, il essayait de la vider du nid avant qu'elle soit
prête. Car elle ne l'était pas. Quelqu'un lui avait
attaché les ailes. Quelqu'un avait négligé de lui apprendre à voler.

Lorsque, finalement, Helmut décida de quitter Carolyn, elle avait quarante ans et n'avait toujours pas
appris. Le divorce faillit la détruire. Il lui fallut
longtemps, très longtemps, pour recoller les morceaux
de sa vie. Longtemps pour découvrir que c'était elle, et
non lui, qui avait été l'instrument de son martyre.
Longtemps pour s'enseigner à elle-même ce que personne ne peut espérer fuir dans cette vie : la responsabilité. Toute cette activité démente, ces courses et ces
soucis ménagers l'avaient fait se sentir responsable — à
tort. A dater du jour où Carolyn Burckhardt avait
rencontré Helmut Anderson, elle n'avait pas pris une
seule décision indépendante touchant à sa propre vie.
Elle était devenue une épouse — adulte seulement de
nom. Après plusieurs années de mariage, sa fuite
phobique devant la vie s'était accélérée au point qu'elle
avait renoncé à toute autorité pour la déléguer à
Helmut qui, espérait-elle, la sauverait.

Les femmes de plus de trente ans sont particulièrement vulnérables. On nous a pomponnées et éduquées
pour la dépendance — pour la maternité, le mariage ;
pour ce qui est, quand nous prenons le temps de
l'analyser, une enfance indéfiniment prolongée. Le jour
où les mariages se brisent, les femmes sont en état de
choc, se retrouvant pour la première fois responsables
de leur existence. Au fond d'elles-mêmes, elles ont
toujours cru qu'être nourries et prises en charge par un
autre leur revenait de plein droit.

*La question que nous devons nous poser à présent est : comment
les femmes en sont-elles arrivées là ?*

NOTES

1. La colère contre les hommes peut constituer une défense s'accompagnant, comme le faisait remarquer Clara Thompson il y a quarante ans, de « bénéfices secondaires ». Quand il existe une tendance culturelle à réagir par de la colère à l'oppression d'une « société masculine », la femme en tant qu'individu a « l'illusion d'aller en direction de la liberté de son temps ». Ce qui lui fournit une échappatoire satisfaisante lorsqu'il s'agit d'avoir une relation intime avec un homme. Mais elle ne voit pas qu'une relation hétérosexuelle de ce type peut réveiller tous les sentiments dangereux liés à la dépendance de la petite enfance. « Ses efforts pour acquérir une certaine supériorité sur les hommes sont une tentative pour empêcher la destruction de sa psyché. »

2. La phobie, selon la définition classique, est un « mécanisme de déplacement » qui disperse l'anxiété, de telle sorte que la peur originelle se reporte sur des substituts de plus en plus éloignés et illogiques. Frederick Redlich et Daniel Freeman citent le cas d'une femme atteinte d'une phobie de conduire qui cachait en réalité la peur de s'affirmer. La patiente, une femme triste, belle et effacée, exerçant une profession, se plaignait de problèmes conjugaux et de sa relation masochiste avec un mari irresponsable, extérieurement brillant, mais passif. A sa façon altruiste et discrète, elle était très dominatrice, aussi efficace dans son travail qu'à la maison. Sa seule « faiblesse » apparente était cette peur de conduire — étonnante et curieusement handicapante puisqu'elle habitait en banlieue. Elle identifiait le fait de conduire au pouvoir et à la masculinité, refusant de prendre le volant de la voiture de sport, trop dangereuse à son goût, qu'elle avait poussé son mari à acheter.

Elle n'avait pas une très haute idée d'elle en tant que femme ni des femmes en général, mais elle exagérait son « impuissance » féminine et surestimait les conséquences néfastes d'une affirmation de soi. Son enfant gâté de mari ne l'y encourageait que trop en qualifiant ses requêtes raisonnables de « tyranniques ». Sa phobie semblait destinée à la protéger des accusations d'agressivité et de désir de tout régenter (d'occuper la place du conducteur) et traduisait son désir de dépendance qu'elle confondait avec de la faiblesse. Quand elle exprima enfin son sentiment de culpabilité né de son désir de dépendance et de ses pulsions agressives, et commença à faire la différence entre la compétence et la masculinité, sa phobie diminua.

3. De nouvelles théories se font jour en matière de phobies féminines. Ainsi celle du docteur Robert Seidenberg avec son « trauma de la monotonie ». A partir des informations recueillies auprès de ses patientes, il pense que certaines femmes deviennent phobiques à la perspective de la monotonie de leur vie. Leur anxiété naît de leur peur que leur existence continue indéfiniment à être vide de sens. Ces femmes ont peur de la vie, mais encore plus de l'absence de vie qui caractérise la leur. L'installation de l'anxiété phobique est une défense, une protestation contre le fait qu'elles sont *des objets dans leur propre vie.*

CHAPITRE IV

L'IMPUISSANCE ACQUISE

Je fus une aînée gâtée et protégée pendant plus longtemps que la plupart des autres enfants. Quand j'eus cinq ans, mes parents m'envoyèrent à la petite école du village, située de l'autre côté de la voie ferrée. J'entamai mes études à un âge précoce d'abord parce que je savais lire et que l'école du Saint-Nom-de-Marie se laissa convaincre de me prendre, ensuite parce qu'un autre enfant, mon frère, venait de naître.

Sans bien comprendre et me sentant plutôt rejetée, j'allai donc me faire instruire par des sœurs vêtues de noir dans un genre d'établissement où, de la onzième à la terminale, je ne me sentis jamais à l'aise. J'apprenais facilement et m'ennuyais souvent. Mes condisciples peinaient, recommençant sans cesse les mêmes exercices avec la sœur. Ma rapidité me rendait parfois pleine d'infatuation, mais elle me donnait surtout l'impression de ne pas être comme les autres.

Je sautai la moitié de la dixième et la moitié de la septième, ce qui me fit entrer en sixième, à l'âge de neuf ans, à Saint-Thomas-d'Aquin, école mal organisée d'une petite cité industrielle de Baltimore. C'était l'école paroissiale la plus proche de l'endroit où nous vivions. Les élèves étaient pauvres et hostiles ; s'ils avaient de l'intelligence, ils préféraient la cacher. Je passai le plus clair de mon temps à essayer d'éviter de

me faire tabasser à la sortie de classe. Quand, à la fin de
la quatrième, on nous fit passer des tests destinés à
mesurer notre quotient intellectuel, le directeur, avec le
manque de doigté qui le caractérisait, annonça les
résultats à la classe réunie. J'arrivais en tête et, à dater
de ce jour, les élèves virent en moi l'ennemie numéro
un, une créature encore plus étrange qu'ils ne l'imaginaient. « Elle se croit maligne », ricanaient les filles
derrière mon dos quand je passais à côté d'elles pour
aller faire des équations au tableau.

Heureusement, on m'expédia dans un collège privé à
la campagne, mais je m'aperçus vite que les filles se
fichaient autant de leurs études que les gosses de la cité.
A force de ne jamais être au diapason, j'étais devenue
insolente et indisciplinée, mais j'étais aussi condamnée
à être un « leader ». Je fus élue présidente de la classe,
rédactrice de l'annuaire et organisatrice de la parade
annuelle. Je ramenai à la maison ce pouvoir fraîchement découvert et l'utilisai pour m'opposer à mon père
qui s'était pris d'un intérêt soudain pour mon développement intellectuel. Sans cesse, je m'évertuais à lui
démontrer que j'étais intelligente, que je savais des
choses, que je commençais à penser. Lui faisait des
pieds et des mains pour m'ancrer dans la tête que
j'avais tout à gagner à reconnaître mon ignorance
généralisée et à accepter sa tutelle. La science était son
domaine — la science et les maths. Je devins de moins
en moins portée sur celles-ci à mesure que passaient
mes années de collège. Au moment d'entrer à l'université, ma « peur des maths » était telle que je faillis rater
l'épreuve de chimie.

Pendant de nombreuses années, je crus que mes
difficultés tenaient à mon père. Il fallut que j'arrive à la
trentaine pour soupçonner que mes sentiments à l'égard
de ma mère n'étaient pas étrangers au conflit intérieur
qui s'était installé très tôt en moi. Ma mère était une
personne au caractère égal, n'aimant guère les cris ni les

accès de mauvaise humeur, toujours là à nous attendre, mon frère et moi, quand nous rentrions à la maison. Elle m'avait conduite au cours de danse quand j'étais petite et plus tard — lorsque je fus largement entrée dans l'adolescence — elle tint à ce que je fasse du piano tous les jours. Elle s'asseyait à côté de moi et comptait, avec la régularité d'un métronome. Tout aussi immuable était sa sieste de l'après-midi, son petit repli devant la réalité de la vie quotidienne. Elle souffrait de maux chroniques : migraines, inflammations, fatigue.

En surface, sa vie était parfaitement normale : elle se montrait l'épouse-et-mère typique de son époque. Et pourtant... cette singulière attitude insaisissable et ces indispositions légères et si fréquentes étaient liées, je le crois maintenant (et elle aussi), à une colère inexprimée. Elle évitait tout conflit avec mon père et nous donnait l'impression, à nous ses enfants, d'être terriblement intimidée par lui. Quand elle réussissait à parler d'un problème, sa tension devenait évidente. Elle avait peur de lui.

Comparé à ma mère, mon père dominait ma vie de sa présence massive et vivante — un père puissant à la voix forte, aux grands gestes, aux manières rudes parfois gênantes. Autoritaire, il était un puits d'érudition et personne, parmi ceux qui le connaissaient, ne pouvait l'ignorer facilement. Ne pas l'aimer, si ; il éveillait certainement chez certains de l'antipathie. Mais personne ne pouvait prétendre qu'il n'était pas là. Il s'imposait à la conscience de ceux qui le côtoyaient ; sa personnalité marquait. Vous pensiez qu'il vous prodiguait son attention, mais souvent sa conversation semblait plutôt motivée par un besoin caché.

Je l'aimais. J'adorais l'assurance qu'il diffusait, son idéalisme, son énergie intense, nerveuse. Son laboratoire d'ingénierie du bâtiment, à l'université Johns Hopkins, était froid et impressionnant, avec ses machines énormes et glacées. Il était Le Professeur. En

parlant de lui, maman disait « Dr Hoppmann ». Elle-
même se désignait sous le nom de Mrs. Hoppmann.
« Allô, ici Mrs. Hoppmann », annonçait-elle au téléphone, comme pour se réfugier dans la formalité de la
phrase et l'utilisation du nom de mon père. Tout
compte fait, nous étions une famille assez à cheval sur
les principes.

Dans son travail — qui était tout pour lui —, mon
père s'occupait de craies, de chiffres et d'acier. Au
laboratoire, il y avait des machines. Il gardait sur son
bureau un presse-papiers que lui avait donné quelqu'un
du département de métallurgie, un bloc d'acier poli
avec une croix nettement incisée. J'aimais en sentir le
poids dans ma main. Je me demandais aussi pourquoi
personne n'admirait cet objet, comme s'il n'eût été ni
beau ni inspirant.

Face à la personnalité exigeante de mon père, ma
mère semblait avoir du mal à conserver la sienne. Elle
était silencieuse et dévouée, quatorzième enfant d'une
famille de seize, du Nebraska. Vers la soixantaine, elle
entreprit — avec calme et détermination — de vivre sa
propre vie presque malgré mon père. Ma mère devint
plus dure et plus intéressante avec l'âge ; mais à
l'époque de mon enfance et de mon adolescence, elle
n'était pas dure du tout : elle était soumise. Une
soumission que je rencontrais chez toutes les femmes à
mesure que je grandissais — un besoin de s'en remettre
à la volonté de l'homme qui « s'occupait » d'elles, de
l'homme dont elles dépendaient pour tout.

Durant mes années de collège, je revenais à la maison
avec mes idées nouvelles et en discutais non avec ma
mère, mais avec mon père. A table, au dîner, il les
disséquait avec un mépris passionné. Puis il passait à
autre chose, faisait une digression, partait dans une
direction qui n'avait rien à voir avec moi, mais toujours

en infusant sa vitalité dans la conversation. Son énergie devenait la mienne ; du moins le croyais-je.

Mon père estimait que Dieu lui avait confié la tâche de me guider sur le chemin de la vérité — plus spécifiquement de rectifier les idées erronées que m'avaient fourrées dans la tête ces « esprits de troisième ordre » — mes professeurs. Son rôle d'éducateur le fascinait nettement plus, je crois, que mon développement balbutiant de débutante. A douze ou treize ans, je me lançai dans une entreprise qui devait devenir l'ambition de ma vie : réussir à clouer le bec à mon père. Nous entretenions une étrange relation de dépendance réciproque ; je voulais son attention, il voulait la mienne. Il était convaincu que si j'acceptais de rester tranquille et de l'écouter, il pouvait m'apporter le monde, entier et sans défaut, telle une poire épluchée sur un plateau d'argent. Je ne voulais pas rester tranquille et je ne voulais pas de poire épluchée. Je voulais découvrir la vie toute seule, à ma façon, tomber dessus par surprise — comme sur la pomme mal formée peut-être, mais éclatante, qui choit d'un pommier sauvage.

Quand je me plaignais à mon père de ses méthodes de discussion et de son besoin apparent d'avoir surtout raison, il riait : je me trompais sur ses intentions, me disait-il. C'était avec ces bottes et ces parades à fleuret moucheté, m'expliqua-t-il, qu'on « s'aiguisait » l'esprit. Le fait de m'y faire participer prouvait simplement qu'il me jugeait capable d' « encaisser ».

Les messages que je commençais à recevoir de mon père depuis l'âge de douze ans environ installèrent la confusion dans mon esprit. Je crus qu'il me préparait à affronter le monde dur et corrosif des adultes et des idées. (Ne me l'avait-il pas dit lui-même ?) Or il semblait être personnellement impliqué dans l'issue de ce combat. Même alors, il y avait un stade où je savais que le fait de se battre n'avait guère de rapport avec celui de comprendre.

J'eus vingt ans, je me mis à écrire ; il ne me vint pas à l'idée que je m'engageais sur un terrain on ne peut plus éloigné de celui de mon père. Je commençai par ce que j'estimais être de « petites choses », des textes d'humeur courts et personnels, subjectifs — rien de très risqué, pensais-je. Rien en tout cas qui exigeât de « vraiment réfléchir ». Je ne m'en croyais pas capable. « Vraiment réfléchir », c'était pour les hommes, c'était pour les professeurs, les pères, les prêtres.

Exception faite de quelques escarmouches avec certains de mes professeurs à l'université, je n'avais jamais appris à développer une argumentation ni quoi que ce soit. Même en fac, j'étais plus douée pour les joutes que pour la réflexion solitaire. Le développement mental et émotionnel qui se fait dans l'isolement, lorsqu'on n'affronte que soi, représentait une entreprise trop effrayante pour que je m'y risque avant encore une vingtaine d'années ou presque. J'essayais bien d'y voir plus clair en me différenciant d'un Autre fort et contraignant — n'importe qui, homme ou femme, sur qui projeter cette image intériorisée de mon père. Cette « lucidité », faut-il le dire, durait peu. Je m'écartais de l'Autre, un peu comme un élastique, le temps d'apercevoir mon moi différencié, puis je m'y recollais de plus belle une fois que la tension de la séparation devenait trop insupportable.

Notification d'impuissance

Les psychologues savaient déjà depuis un certain temps que les besoins d'affiliation étaient beaucoup plus forts chez les femmes que chez les hommes. Mais ce n'est qu'à une période récente que les études faites sur des enfants de sexe féminin ont révélé le pot aux roses : parce qu'elles doutent profondément, intensément, de leur compétence, et cela dès la petite enfance, *les filles en viennent à se convaincre qu'elles ont besoin d'être protégées pour pouvoir survivre.* Cette conviction est mise en place et cultivée chez les femmes par les attentes trompeuses de la société et par les frayeurs des parents. Comme nous allons le voir, une ignorance monumentale modèle les pensées et les sentiments des parents à l'égard de leurs filles et leurs relations avec celles-ci. Les parents, du fait de leurs attitudes protectrices, empêchent les filles de se développer en tant qu'êtres humains indépendants, et cela aussi sûrement que s'ils leur bandaient les pieds.

Les filles reçoivent une éducation très différente de celle réservée aux garçons. A cause de cette éducation, elles deviennent des femmes adultes qui s'enlisent dans des emplois où elles n'utilisent pas à plein leurs capacités.

A cause d'elle, les filles sont intimidées par les hommes qu'elles épousent et s'en remettent à leur volonté dans l'espoir d'être protégées.

A cause d'elle, comme nous le verrons, les capacités intellectuelles des femmes finissent même par être endommagées.

Longtemps louées par nos professeurs parce que nous étions travailleuses et consciencieuses, nous qui comptions sur ces qualités pour nous débrouiller dans la vie professionnelle, nous découvrons vite qu'on nous traite comme si nous n'étions pas tout à fait des adultes. Vertueuses, peut-être. Sympas, peut-être. (« Mary est vraiment sympa de se charger à notre place de toutes ces commandes en retard. ») Mais de vraies gamines. A ne pas prendre au sérieux. Et, comme les bonnes esclaves des vieilles plantations, faciles à exploiter.

Depuis des temps immémoriaux, les hommes se sont tués à nous répéter qu'en matière de génie, les femmes n'ont pas grand-chose à leur actif. Vous en connaissez,

vous, des femmes physiciennes du plasma ? Et pourquoi
n'y a-t-il pas de Bartok femme ? (Ces questions sont
habituellement posées afin d'interrompre net quiconque irait suggérer que les femmes sont aussi intelligentes que les hommes.) Les études récentes font apparaître de plus en plus clairement que *les femmes s'interdisent
de progresser.* Nous sabotons notre originalité. Nous
rétrogradons — évitant l'allure grisante que permettrait
le passage à la vitesse supérieure — comme si nous
avions été programmées pour le faire.
Or c'est exactement ce qui s'est passé.

Les psychologues ont commencé à étudier de très
près le comportement des femmes et l'idée qu'elles se
font d'elles-mêmes en les rapprochant du comportement qu'on leur a appris et de l'idée d'elles-mêmes
qu'on leur a donnée quand elles étaient enfants. On
constate avec effarement que le tableau s'est très peu
modifié au cours des vingt dernières années. La manière
dont les filles sont socialisées continue à prédéterminer
un conflit insupportable sur l'indépendance psychologique qui est nécessaire aux femmes si elles veulent un
jour se libérer et occuper leur place au soleil.

Apprendre à s'appuyer

Nous pensons volontiers qu'en tant que parents, nous
faisons le contraire de ce que nous avons connu — que
nos filles ne souffriront pas de l'éducation discrimina-
toire et surprotégée à laquelle nous fûmes soumises.
Mais les recherches montrent que la plupart des enfants
d'aujourd'hui sont bloqués dans une différenciation
artificielle des rôles, identique à celle qu'on nous a
apprise, à vous comme à moi.
La suprématie masculine — et la complicité féminine
qui la ratifie — est déjà manifeste chez les bambins
d'âge préscolaire.

« Tu restes ici avec les mamans et les bébés. Moi, je vais à la pêche », dit le petit Gerald à la petite Judy en prenant le large.

« Moi aussi, je veux y aller ! » crie Judy en courant derrière lui.

Gerald se retourne et répète : « Non, tu restes avec les mamans et les bébés !

— Mais je veux aller à la pêche, pleurniche Judy.

— Non, s'entête Gerald. Mais quand je reviendrai, je t'emmènerai au restaurant chinois. »

Laura Carper observait cette scène entre deux enfants de quatre ans dans la salle de jeux de la maternelle où elle travaille.

« J'assiste à présent à une autre scène, rapportait-elle dans un article récent. Trois ou quatre petits garçons sont assis autour de la table de jeux, dans le coin-cuisine. Les garçons commencent à lancer des ordres : " Je voudrais une tasse de café ! " " Un œuf sur le plat ! " ou " Encore une tartine ! " et la fille fait le va-et-vient entre la cuisinière et la table, cuisinant et servant. A un moment, les garçons se déchaînent, réclament café sur café tandis que la fille court dans tous les sens. Elle réussit à reprendre le contrôle de la situation en annonçant qu'il n'y a plus de café. Il ne semble pas lui être venu une seconde à l'esprit de s'asseoir elle aussi et de demander un café aux garçons. »

Les filles de cette maternelle mimaient un contrat ancien : le service du maître en échange de sa protection. Les assistantes sociales, conseillères et autres spécialistes qui s'occupent d'adolescentes ou étudient leur comportement déplorent que le « complexe de Cendrillon » ait la vie aussi dure — que les filles continuent à croire qu'il y aura toujours quelqu'un pour les prendre en charge. « *Malgré la vogue d'intérêt intense pour la place des femmes dans la vie sociale, presque rien n'a été changé dans la façon dont on prépare les jeunes filles à l'âge adulte* », déclarait Edith Phelps, directrice des Clubs des filles américaines, lors d'une conférence récente. « Dans le pire des cas, cette préparation demeure destructive, dans le meilleur conflictuelle. »

Etudiant des adolescents de l'université du Michigan, la psychologue Elizabeth Douvan constate que jusqu'à l'âge de dix-huit ans (et parfois plus tard), les filles ne manifestent aucune pulsion d'indépendance, ne cherchent pas à contester l'autorité en se rebellant contre elle et ne revendiquent pas « leur droit d'avoir et d'afficher des convictions et des comportements indépendants [1] ». Sur tous ces points, elles diffèrent des garçons.

Les observations montrent que la dépendance des femmes augmente à mesure qu'elles vieillissent.

Elles font aussi apparaître — et c'est frappant — que l'éducation fait très tôt entrer les filles dans la dépendance, tandis qu'elle en fait sortir les garçons.

Comment cela commence-t-il ?

Les filles entrent dans la vie avec une longueur d'avance sur les garçons. Sur les plans verbal, perceptif et cognitif, les bébés du sexe féminin sont plus doués. A la naissance, cette avance dans le développement est de quatre à six semaines ; au moment de l'entrée à l'école primaire, elle est d'une bonne année.

Dans ce cas, pourquoi, à l'âge de trois ou quatre ans, sont-elles en train de servir ces pachas en herbe ?

Pour Eleanor Maccoby, une psychologue de Stanford spécialisée dans les différences sexuelles psychologiques, « tout le problème est de savoir si, et à partir de quand, on encourage une fille à prendre des initiatives, à être responsable et à résoudre elle-même les difficultés au lieu de compter sur les autres ».

D'après les psychologues, les dés de l'indépendance

sont jetés avant que l'enfant ait atteint l'âge de six ans. Certains estiment aujourd'hui qu'on empêche les filles de prendre un certain virage capital de leur développement émotionnel, précisément parce qu'on leur rend la route trop aisée — parce qu'elles sont surprotégées, suraidées et qu'on leur apprend que tout ce qu'elles ont à faire pour que cette aide leur arrive, c'est d'être « sages ».

Toutefois, ce qui est encouragé chez la poule ne l'est pas chez le coq. Une grande part de ce qui est « sage » chez les petites filles est tout bonnement répugnant chez les petits garçons. On trouve naturel — quand ce n'est pas carrément délicieux — que les filles soient timorées ou excessivement prudentes, qu'elles soient « bien élevées » et ne se fassent pas remarquer, et qu'elles dépendent de l'aide et de l'assistance des autres. En revanche, on combat activement chez les garçons toute forme de relation dépendante, jugée « efféminée » chez les enfants de sexe masculin. Peu à peu, dit Judith Bardwick, « le fils sera poussé en avant et récompensé pour sa conduite indépendante ».

Pourquoi les petits garçons et pas les petites filles apprennent-ils en grandissant à être indépendants, pourquoi n'ont-ils pas peur de se jeter à l'eau et de se débrouiller seuls (ou, pour être plus exacte, pourquoi le font-ils malgré leur peur ?) et pourquoi commencent-ils à former leurs critères personnels d'estime de soi à peine sortis des langes ou à peu de chose près — autant de questions que des chercheurs comme Judith Bardwick et Elizabeth Douvan ont entrepris de réexaminer. La théorie émise par ces deux psychologues fait appel aux aspects constructifs du stress. Selon elles, le petit garçon n'a pas le choix : il doit vaincre le stress dû au fait qu'on le prive de son « comportement instinctuel profond » (qui inclut des interdictions comme ne pas mordre, ne pas taper, ne pas se masturber en public) et qu'on le « masculinise » en combattant son comportement

dépendant. Ce stress, pensent-elles, a des effets finalement positifs : parce qu'il se sera heurté à des restrictions et à la perte temporaire de l'approbation des
adultes, le jeune garçon est engagé sur la bonne voie —
celle où il découvrira ses repères personnels et vivra en
fonction de ceux-ci.

*Le passage à un mode de vie indépendant s'amorce, chez les
garçons, vers l'âge de deux ans.* Au cours des trois années
suivantes, ils renoncent d'eux-mêmes à leur besoin
d'approbation extérieure et commencent à former des
critères d'estime de soi personnels. La plupart des
garçons accomplissent ce pas essentiel du processus de
maturation *avant l'âge de six ans.*

Chez les filles, on est nettement moins pressé. Dans
leurs travaux sur le développement de la personnalité,
travaux qui font date et sont souvent cités, Jerome
Kagan et H. A. Moss ont relevé chez les filles la
présence de deux constantes persistant jusqu'à l'âge
adulte : la passivité et une attitude dépendante à
l'égard des adultes. Ces deux éléments formateurs de la
personnalité constituaient les traits de caractère les plus
stables et les plus prévisibles chez les femmes. Une fille
passive pendant les trois premières années de sa vie le
restera probablement pendant les premières années de
son adolescence ; et il est tout aussi probable qu'une fille
passive pendant l'adolescence sera excessivement
dépendante de ses parents quand elle atteindra l'âge
adulte.

En grandissant, les filles ont tendance à augmenter
leur dépendance vis-à-vis des autres. En un retourne-
ment total de leurs possibilités de développement, les
filles utilisent leur avance en matière de capacités
perceptuelles et cognitives, plus développées que celles
des garçons à âge égal, non pour accélérer le processus
de séparation d'avec maman, non pour obtenir progressivement la satisfaction pure et simple de maîtriser une
situation (elles y parviendront, mais pour recueillir

l'approbation des autres), non pour rechercher une indépendance grandissante, mais pour percevoir et devancer les exigences des adultes — et s'y conformer. Judith Bardwick et Elizabeth Douvan estiment que les difficultés des filles sont dues en partie à une insuffisance de stress pendant l'enfance et l'adolescence. Parce que le comportement des filles plaît habituellement aux adultes dès le départ (elles ne mordent pas, ne tapent pas, ne se masturbent pas en public), celles-ci ne font rien de plus stimulant pour leur développement que de continuer à être ce qu'elles sont — douées en matière de langage et de perception, non agressives et extrêmement habiles à deviner ce qu'attendent d'elles ceux dont elles dépendent.

Les adultes, quant à eux, n'entravent ni ne contrarient le comportement instinctuel des filles — *sauf lorsqu'elles s'essaient à l'indépendance.* Là, ils bloquent systématiquement leurs efforts, comme si, en voulant prendre des risques, leurs enfants de sexe féminin courtisaient la mort.

Paralysées parce que trop aidées

L'apprentissage de la dépendance commence très tôt dans la vie d'une fille. Les bébés de sexe féminin sont manipulés moins souvent et moins vigoureusement que ceux de sexe masculin. Malgré leur résistance et leur maturité plus grandes, les filles sont jugées plus fragiles. Physiquement moins stimulées, elles manquent des encouragements qu'on prodiguera aux garçons lors de leurs premières explorations aventureuses. Leur fillette n'est pas encore sortie du berceau que les parents expriment déjà leur inquiétude.

Une étude réalisée en 1976 montrait que les parents interprètent différemment les pleurs des bébés qu'on leur fait entendre selon qu'il s'agit d'un garçon ou d'une fille. Ces pleurs étaient compris comme de la peur si l'on croyait que l'enfant était une fille, comme de la colère si l'on croyait qu'il était un garçon. Qui plus est, maman réagit différemment à ces pleurs. S'ils proviennent de sa chère mignonne, elle aura tendance à lâcher ce qu'elle est en train de faire pour courir la consoler. (Les parents semblent ignorer plus facilement les braillements de leurs bébés de sexe masculin.)

Une autre différence notable tient au fait que la mère augmentera les contacts avec un bébé fille irritable, mais les diminuera avec un fils — même si celui-ci est plus irritable.

D'après Lois Hoffman, psychologue à l'université du Michigan, on pourrait voir dans ce conditionnement précoce « le commencement d'un schéma d'interaction... dans lequel les filles apprennent vite que la mère est une source de réconfort et où le comportement de la mère est renforcé du fait que les pleurs cessent ».

Autrement dit, les fillettes apprennent qu'on volera à leur secours si elles pleurent et leurs mères constatent que les cris cessent dès qu'elles courent les consoler. Or c'est exactement la leçon inverse qui se trouve renforcée quand l'interaction se produit entre mères et fils. Puisqu'il est entendu que les enfants de sexe masculin sont plus « durs », maman ne va pas se prendre les pieds dans l'aspirateur pour aller consoler son fiston. Résultat : il n'est pas systématiquement renforcé dans l'idée que « on va voler à mon secours si je pleure ». Il devra parfois trouver tout seul ce réconfort. Et il arrive, comme il le constate, que ça marche. Il est capable de se consoler sans l'aide de personne. Peu à peu, il apprend à en faire une habitude. *Peu à peu, il apprend à assumer ses émotions.*

Tandis que le tout-petit passe au stade du jeune enfant — il marche à quatre pattes, se tient debout dans son lit et fait enfin ses premiers pas —, la joie parentale commence à se teinter d'une anxiété tout aussi parentale. On pavoise devant les réalisations de l'enfant, mais cette fierté est associée à une nouvelle ambivalence car, à présent, Bébé vit dangereusement : il va toucher aux prises électriques, inspecter le contenu des pots sur les étagères du bas, foncer comme un fou et s'étaler. Telles des voyantes examinant la même boule de cristal, maman et papa visualisent ces catastrophes dès la minute où leur cher petit entame la phase du quatre pattes.

Ces catastrophes en puissance prennent un aspect moins effrayant dans l'esprit des parents si le bébé est un garçon. On a pu observer que l'ambivalence à l'égard des premiers pas d'un enfant vers l'indépendance est plus grande quand l'enfant est une fille. Billy, ce petit dur, s'en sortira toujours. Deborah, elle, a besoin de beaucoup de surveillance et de beaucoup d'aide. Quand Billy fait ses premiers pas, maman et papa pavoisent. Quand Deb fait les siens, cette joie est ternie par un début de crainte. L'ennui, c'est que la petite Deborah regarde maman et voit l'inquiétude dans ses yeux.

Cette marque d'anxiété précoce chez la mère — que certains chercheurs appellent « un excès de sollicitude inquiète » — conduit l'enfant à douter de sa compétence. « Si maman a peur que je n'y arrive pas, elle doit savoir quelque chose que j'ignore », pense la petite Deb.

Parce qu'ils s'inquiètent plus pour leurs filles, les parents ont tendance (il serait plus exact de parler de compulsion) à bondir pour rattraper le bébé avant qu'il ait trébuché ; pour être sûrs que cette petite chose fragile ne se fait pas mal. Si leur moutard tombe, ils estiment que c'est là un élément de son processus de développement. « Tu vois, Billy, roucoule maman. C'est en tombant qu'on apprend. » Mais si Deb se cogne la tête, c'est la panique — et la culpabilité. Maman aurait dû faire plus attention. Maman aurait dû veiller à ce qu'il n'arrive rien à sa petite Deb. Après tout, c'est « juste une toute petite fille ».

Dès cette période, les parents apprennent à leurs fillettes que lorsqu'il s'agit de prendre des risques et d'évaluer leur sécurité, elles ne doivent pas avoir confiance en elles[2].

Or, comme nous le savons, la confiance en soi est essentielle dans le processus d'acquisition de l'indépendance.

Souvent, l'attitude des mères installe la peur chez les petites filles. Les mères anxieuses apprennent à leurs enfants à éviter tout comportement capable de les rendre, elles, inquiètes. En apprenant à sa petite fille à fuir le risque, la mère angoissée empêche sans le vouloir l'enfant d'apprendre à triompher de sa peur.

Les hommes, comme les animaux, n'ont qu'une méthode à leur disposition pour apprendre à dominer leur peur dans des situations nouvelles, c'est de s'approcher et de s'éloigner plusieurs fois de la situation qui les effraie. « Le déclenchement des réactions de crainte par petites doses contrôlées finit par entraîner l'extinction de ces réactions », explique Barclay Martin dans *Anxiété et Désordres névrotiques*.

Mais maman ne veut même pas que Deb ait à affronter la situation déclenchant la crainte, si bien que l'enfant n'a jamais l'occasion d'apprendre à contrôler sa réaction à celle-ci. Les enfants qui n'ont pas eu à vaincre leurs frayeurs deviennent en général des adultes dont la vie est placée sous le signe de la peur. La petite Deborah restera essentiellement craintive à l'école, au lycée, à l'université et tout au long de sa vie dans le monde indifférent et terrifiant des adultes. Elle se débrouillera tant bien que mal, essayant de « négocier » sa peur, de la « juguler », de la tenir à distance. La peur — le refoulement de celle-ci ou, de préférence, son évitement pur et simple — finira par devenir une des principales motivations (ou démotivations) de sa vie. Avec pour résultat, bien sûr, qu'elle aura les plus grandes difficultés à avoir confiance en elle.

On a constaté que les filles — surtout les plus intelligentes — ont de sérieux problèmes en matière de confiance en soi. Elles sous-estiment systématiquement leurs capacités. Quand on leur demande quels résultats elles pensent obtenir pour diverses tâches qu'on leur demande d'effectuer, entièrement nouvelles ou déjà connues, elles se notent plus bas que les garçons et sous-estiment également, de façon générale, leur performance réelle. Une étude *a montré que plus la fille est intelligente, moins elle s'attend à réussir des tâches intellectuelles.* Les filles dotées d'une intelligence moyenne s'attendent à de meilleurs résultats que leurs camarades plus douées[3].

Le manque de confiance en soi est un véritable fléau chez beaucoup de filles et entraîne une quantité de problèmes annexes. Les filles sont fortement influençables et ont tendance à revenir sur leurs jugements perceptuels si on les contredit. Elles se fixent des échelles de valeurs moins élevées. Alors que les garçons sont stimulés par les tâches difficiles, les filles font de leur mieux pour les éviter. Même à l'âge préscolaire, les petits garçons s'engagent plus dans la tâche qu'ils effectuent, sont plus sûrs d'eux et ont plus de chances de présenter une augmentation de leur quotient intellectuel.

A l'âge de six ans, les cartes du développement intellectuel probable sont distribuées ainsi que celles du développement de l'indépendance probable. A cet âge, selon Eleanor Maccoby, on peut déjà se faire une idée de l'avenir. L'enfant dont le QI augmentera au cours des années suivantes est celui qui a déjà le sens de la compétition et qui est autoritaire, indépendant et dominateur vis-à-vis des autres enfants. L'enfant de six ans dont le QI diminuera au cours des années suivantes est passif, timide et dépendant. « De toute évidence, souligne Eleanor Maccoby, les traits de caractère de ceux dont le QI augmente ne semblent pas très féminins. »

Tout cela est lié chez les filles au développement de « besoins d'affiliation » excessifs, autrement dit le besoin de vivre avant tout des relations. Compte tenu de son sentiment d'incompétence, il n'est pas étonnant que la petite fille fonce au triple galop vers l'Autre le plus proche et s'y accroche comme si sa vie en dépendait.

Lois Hoffman décrit l'étape du développement qui conduit les filles à devenir des adultes ayant un besoin excessif du soutien des autres.

> Etant donné que la petite fille a) est moins encouragée à l'indépendance, b) est davantage protégée par ses parents, c) est moins incitée, intellectuellement et socialement, à établir une identité séparée de celle de maman et d) est moins touchée par le conflit mère/enfant qui met en évidence cette séparation, elle explore avec moins d'indépendance le monde qui l'entoure. *Pour toutes ces raisons, elle ne développe pas sa confiance dans sa capacité à le faire. Elle continue à dépendre des adultes pour résoudre ses problèmes et c'est pourquoi elle a besoin de ses liens affectifs avec ceux-ci.*

Comme nous le voyons, les difficultés liées à la dépendance excessive suivent l'enfant de sexe féminin jusque dans l'âge adulte. Or les femmes n'ont pas, en général, le sentiment d'avoir eu une enfance contraignante et surprotégée. Elles n'estiment pas avoir été entravées dans leurs efforts pour devenir des enfants indépendantes, d'où leur stupéfaction quand elles se retrouvent aux prises, à l'âge adulte, avec leurs problèmes de dépendance. Celles qui entameront une thérapie se rappelleront peu à peu les étranges interdictions de leurs parents propres à les inquiéter, leurs mises en garde, leurs horaires de sorties impératifs, leurs recommandations du style « ne te fatigue pas » — papillons fragiles dont les ailes risquent à tout moment de lâcher.

Selon Ruth Moulton, la majeure partie des problèmes auxquels se heurtent ses patientes vient de ce qu'on les a empêchées trop tôt de s'affirmer et éloignées parfois de toute activité physique, celle-ci étant jugée dangereuse ou « peu distinguée ». Deux de ses patientes avaient été littéralement attachées dans leur lit la nuit quand elles étaient petites. Les récits que font ces femmes de leur enfance, dit-elle, offrent de nombreux exemples de « surprotection et restriction excessives ». Ils montrent tous qu'on leur a inculqué que, du fait de leur sexe, elles devaient se sentir faibles — incapables d'utiliser leur corps, incapables de se défendre physiquement et verbalement. Ce que Ruth Moulton appelle « le syndrome de la fille sage » a été ainsi mis en place. Adultes, ces femmes ne veulent surtout pas prendre de risques. Elles se maintiennent elles-mêmes en veilleuse.

L'ultime tour de vis comportemental apporté à l'éducation des petites filles est l'aide excessive qu'elles reçoivent — la tendance qu'ont les parents à voler à leur secours quand elles n'en ont pas vraiment besoin ou quand elles devraient apprendre à trébucher et à se rétablir toutes seules (en fonction d'un processus d'auto-correction absolument indispensable au développement de la confiance en soi et de l'estime de soi). On ne permet pas aux petites filles d'effectuer cette correction. On les ramasse, on les tapote un peu pour ôter la poussière et on les fait de nouveau tournoyer comme ces petites toupies-ballerines qui dansent ou ralentissent au gré de leur propriétaire.

Pourquoi cette « aide excessive » est-elle si destructrice ? « Pour maîtriser une situation, il faut être capable de supporter la frustration, explique Lois Hoffman. Si le parent aide trop vite son enfant, celui-ci ne sera jamais capable d'un tel effort. »

« On devient indépendant après avoir appris qu'on

peut se débrouiller seul, qu'on peut compter sur ses capacités personnelles, qu'on peut se fier à son propre jugement », écrit Judith Bardwick dans *la Psychologie des femmes*. On renforce constamment les filles dans la conviction qu'elles ne peuvent réaliser quelque chose qu'avec l'aide des autres. Elles finissent par intérioriser l'idée qu'elles sont incapables d'affronter seules et avec succès, les difficultés de la vie.

Il existe des « maladies de la dépendance » qui n'affectent que les femmes. L'une d'elles est l'anorexie nerveuse, cette bizarre grève de la faim où les adolescentes se privent de nourriture jusqu'à y laisser leur vie en essayant, par un triste paradoxe, de contrôler un tant soit peu celle-ci. Chaque année, une adolescente sur cent sombre dans un de ces régimes draconiens. Et dix pour cent d'entre elles réussissent à se laisser mourir de faim.

« Les filles qui, du fait de leur personnalité, se conforment à ce qu'on attend d'elles, se sentent obligées de faire quelque chose exigeant un fort degré d'indépendance afin d'être respectées et reconnues. Quand elles sont complètement piégées, la seule indépendance qu'elles se sentent posséder est le contrôle de leur corps », affirme Hilde Bruch, qui fait autorité en la matière.

L'anorexie touche essentiellement les filles âgées de douze à vingt et un ans — rarement les garçons — instruites, hautement motivées et venant de milieux aisés. Leur traitement, dit le docteur Bruch, peut être long et ardu. « La conviction d'être quelqu'un d'inadapté et sans valeur est si profondément ancrée chez la patiente anorexique, et depuis si longtemps, qu'elle s'abrite derrière un masque de supériorité chaque fois qu'elle éprouve le moindre doute sur elle-même ou qu'on la contredit. Il faut d'abord qu'elle soit persuadée d'être une personne estimable et acceptable pour pouvoir être guérie [4]. »

La dépendance névrotique produit une autre catégorie de victimes : les femmes battues. Le fait qu'elles dépendent si souvent sur le plan financier des hommes qui les battent les enferme encore plus brutalement dans ce piège. Mais c'est la dépendance émotionnelle qui les y verrouille à double tour. « Beaucoup de femmes sont absolument paniquées à l'idée d'avoir à se tirer d'affaire autrement que grâce à leur mari », déclarait Kenneth MacFarlane, de l'ancien Service de Santé, Education et Aide sociale. « Leur vie durant, on leur a appris qu'elles en étaient incapables. C'est un véritable processus de conditionnement. »

Dans les situations où ils ne peuvent exercer aucune action sur leur environnement, les animaux finissent par abandonner. Des études récentes montrent que les humains aussi. Si vous vous enlisez dans une situation que vous sentez ne pas contrôler, vous cessez tout simplement de réagir. C'est ce qu'on appelle l'*impuissance apprise,* du nom qu'a donné Martin Seligman à ce phénomène. Diane Follingstad, de l'université de Caroline du Sud, applique déjà certaines des idées de Seligman sur l'impuissance apprise à la thérapie qu'elle a mise au point pour aider les femmes battues. Elle montre à celles-ci comment désapprendre, en un laps de temps relativement court, ce que leurs parents et la société ont mis des années à leur inculquer : « Les femelles humaines ont le sentiment de ne pas avoir les choses en main et que le hasard, la chance, le destin, régissent leur vie. Ce n'est pas " si je fais X, j'obtiens Y ". » Ayant été « formée » à croire qu'elle ne peut rien faire pour modifier sa situation, la femme battue continue à être battue. C'est seulement lorsqu'elle aura commencé à se défaire de l'idée qu'elle est impuissante, qu'elle pourra sortir du cercle vicieux de la dépendance et de ses conséquences brutales sur sa vie.

La notion d'impuissance apprise s'est emparée de l'imagination de nombreux psychologues, qui ont entrepris d'en dépister les signes dans le processus de développement. Des études récentes, me disait Carol Jacklin, du département de psychologie de Stanford, ont montré que l'impuissance était apprise à nos filles par leurs professeurs du cycle secondaire. « Ils félicitent les garçons pour leur travail scolaire et les reprennent pour leur comportement — parce qu'ils lancent des craies ou chahutent. Les filles seront en général complimentées pour leur travail non scolaire, pour leur propreté ou leur tenue, parce qu'elles seront particulièrement agréables à regarder ce jour-là. »

Selon·Carol Jacklin, ce type de schéma de renforcement signifie que les filles peuvent parfaitement échouer dans leurs tâches scolaires, même si elles travaillent bien. Et on sait que les filles sont mal outillées pour affronter une situation où elles pensent avoir échoué ou qu'elles pourraient échouer. Nous avons toutes connu des situations qui ressemblaient à un échec, même si elles ne l'étaient pas. La question est alors : redoublez-vous d'efforts ou abandonnez-vous ? La conclusion, triste à mon avis, est que les filles abandonnent.

Une fois mise en place, la dépendance de la petite fille est systématiquement encouragée à mesure que celle-ci progresse dans l'enfance. Parce qu'elle est « gentille » — ne provoque pas, n'attaque pas, ne se plaint pas —, elle est récompensée par de bonnes notes, par l'approbation de ses parents et de ses professeurs et par l'affection des autres enfants. Pourquoi s'écarterait-elle de la norme et deviendrait-elle anticonformiste ? Les choses vont bien, elle se plie donc à ce qu'on attend d'elle. De plus en plus, elle se modèle en fonction de ces attentes. Récompensée pour guère plus que sa conduite satisfaisante et ses facultés de mémorisation, la fille réussit. La vie est belle — et essentiellement facile.

Jusqu'à la puberté. Ce qui, pour une fillette, est le moment où soudain rien ne va plus.

L'adolescence ou la première crise de la féminité

Une « crise », dans le langage des psychologues du développement, est une période de stress et de perturbation, une phase instable durant laquelle l'individu s'interroge sur ses capacités et sur son identité. En résolvant nos crises de développement, nous gagnons en maturité et en équilibre.

Chez les filles, l'adolescence s'accompagne d'une étape du développement unique en son genre, ce que Judith Bardwick et Elizabeth Douvan appellent « la première crise de la féminité ». Avant treize ou quatorze ans, elles sont plus ou moins libres de se comporter comme elles l'entendent. Mais avec la puberté, le piège commence à se refermer. Un comportement nouveau et spécifique est désormais attendu d'elles. Subtilement (et souvent pas si subtilement), la fille sera récompensée pour ses « succès » auprès des garçons. Oubliant ce dont son enfant est capable dans d'autres domaines, la mère d'une fille de quinze ans qui ne « sort » pas encore commence à s'inquiéter. Avec douceur mais fermeté, elle pousse sa fille à devenir une partenaire hétérosexuelle. Le message que reçoit — inévitablement — celle-ci est clair et net : il n'est pas bien de trop se placer sur un plan de compétition avec les hommes. Ce qui est bien, en revanche, c'est de plaire aux garçons, de « bien s'entendre » avec eux[5]. A ce stade, les filles se trouvent confrontées à ce qui est devenu de toute évidence *la pierre d'achoppement de la féminité dans notre culture : le conflit entre la dépendance et l'indépendance.* Où se situe le juste milieu ? Qu'est-ce qui est « bien » ? Qu'est-ce qui est « convenable » ? Une fille hyperdépendante, sans opinions ni personnalité, est jugée effacée et peu attirante, mais une fille hyperindé-

pendante n'est pas un cadeau non plus. Les garçons la
trouveront peut-être sympa comme copine, mais pas
spécialement irrésistible comme petite amie.

La jeune fille qui grandit dans notre société n'a pas
besoin qu'on le lui dise : elle le sait. Et c'est pourquoi
elle entreprend de réviser ses priorités. Pendant l'adolescence, sa tâche principale en matière de développement consiste alors à établir de « bons » rapports avec
les autres. Comme elle a appris à le faire pendant
l'enfance, elle continue à dépendre des réactions des
autres, d'où elle tire la majeure partie des éléments lui
permettant de former son estime de soi. Vers la fin du
lycée ou des premières années d'université, beaucoup
de filles feront soudain basculer leurs valeurs, rejetant
les réalisations au profit d'une recherche forcenée de
l'approbation de la société [6]. Lorsque ceci se produit, le
développement des réalisations et de l'indépendance
s'interrompt dangereusement. *A cause de la manière dont la*
société les lance dans la vie, les femmes n'éprouvent plus jamais
le besoin de développer leur autonomie — jusqu'à ce qu'une crise
survenant à un stade ultérieur de leur existence fasse voler en
éclats leur bonheur béat en leur montrant à quel triste degré
d'impuissance et de stagnation elles sont parvenues.

L'adolescente handicapée par ses parents

Parmi les facteurs qui modèlent la vie de l'adolescente, le moindre n'est pas la famille dans laquelle elle
grandit. Là, entre les quatre murs du salon de papa-
maman, elle sera encouragée à sortir de l'œuf et à
devenir elle-même ou elle apprendra à ne surtout pas
prendre de risques.

Etudiant l'enfance de ses patientes qui avaient particulièrement bien réussi leur vie professionnelle, Ruth
Moulton relevait certaines composantes fascinantes
dans la façon dont elles avaient été élevées. Souvent le
père intervient, bloquant l'indépendance naissante de

sa fille, la mère ne s'en mêlant pas et laissant faire. Du creuset des exigences contradictoires des parents, émerge la femme brillante, ambitieuse et qui ne donne pas, en général, toute sa mesure.

Commençons par examiner ce personnage de mère effacée dont nous avons déjà parlé. En matière de développement personnel, elle a choisi de rester au second plan (son mari occupant le devant de la scène), et passe depuis longtemps à côté de la vie. Son attitude de soumission lui donne, pour reprendre la description qu'en fait une des patientes précitées, « un caractère évanescent, fragile ». Un nombre surprenant de femmes que j'ai interviewées concluaient, presque en s'excusant : « Je ne peux pas vous dire grand-chose sur ma mère. Il y a en elle un je-ne-sais-quoi de flou, que je n'arrive pas à saisir. »

Une femme se livrant à des recherches de haut niveau en psychologie et ayant remarquablement progressé sur la voie de l'indépendance restait frappée par le manque d'épaisseur que semblait avoir sa mère : « C'est d'autant plus étrange qu'elle vit encore et que je la vois souvent. Simplement, je n'arrive pas à me faire une idée claire de qui est ma mère — ou de ce qu'est notre relation. Je pense que je ne l'ai jamais pu. »

Une autre femme parlait de « la case vide » qu'elle avait perçue en grandissant, de ce fossé dans son rapport avec la féminité. « C'était mon père qui dirigeait ma vie. Maintenant que j'ai des enfants, j'y repense souvent et je me demande : Mais où était ma mère pendant cette période ? Pourquoi a-t-elle laissé tout le pouvoir à mon père ? Par indifférence ou tout simplement par faiblesse ? »

Une femme peintre du Missouri qui se heurte régulièrement à un blocage dans son inspiration chaque fois qu'elle doit exposer, déclarait quant à elle : « Mon père passait en premier. Ma mère se définissait en fonction de lui. Si elle se comportait bien, il l'aimait, il

lui faisait des cadeaux et s'occupait d'elle : elle était la
reine. Et Dieu sait qu'il se mettait en quatre pour elle.
Elle était bien sage, elle tenait la maison. Et il passait
son temps à lui rapporter des cadeaux.
— Etait-elle intelligente ? demandai-je.
— Je ne sais pas, répondit la femme. Je pense qu'elle
avait dû l'être, avant. Elle avait cessé de penser. »
  Si la personnalité de la mère demeure dans l'ombre,
c'est, entre autres raisons, parce que la personnalité
vigoureuse et colorée de son mari l'intimidait. Individu
tronqué et pacificateur choisissant de suivre le mouvement, bien à l'abri derrière son conjoint, maman est
protégée des aspects les plus rudes de la vie dans le
monde extérieur. Les âpres discussions, la lutte ouverte
pour le pouvoir n'ont jamais marqué les relations de la
fille avec sa mère évasive. Il aura même régné parfois
un calme plat, une aura de paix trompeuse camouflant
le paradoxe paralysant situé au cœur du problème :
*Maman était là (oh ! combien éternellement là). Mais sans être
là non plus*[7]. Dans ce genre de famille, la fille grandit
sans le vouloir avec le sentiment croissant de ne pas être
en prise avec ce que les psychologues appelleraient son
« noyau féminin ».
  « Je me sentais tout le temps coupable, me disait la
directrice comptable d'une agence de publicité new-
yorkaise. J'ai vécu dans la culpabilité parce que je ne
me suis jamais sentie féminine. Mon père m'encourageait à me tenir droite, à mettre des talons et à avoir
l'air d'une " dame ", mais je ne voulais pas de ce rôle.
C'était plus ou moins lié au fait que ma mère était, elle,
une " dame " et qu'elle gommait toujours tous les
angles. Maman ne dérange rien, elle ne pose pas de
questions, elle ne veut pas savoir. »
  La fissure se produit donc en fonction de la distinction capitale que fait la fille : papa est actif, maman est
passive. Papa peut compter sur lui-même, maman est
impuissante et dépendante[8].

Un lien particulier se créera parfois entre la fillette et son père. Ils seront de vrais copains. Il lui dira à quel point elle lui rappelle ce qu'il était. Elle se sentira flattée et encouragée, s'imaginant être quelqu'un de tout à fait spécial. Pamela Daniels, une psychologue de l'université Wellesley, rappelle « le petit rituel rhétorique essentiel auquel mon père et moi nous livrions souvent quand il y avait du monde : Quand ton papa te dit de faire quelque chose, que fais-tu? demandait-il. Et je répondais : Je le fais! On n'aurait pas trouvé de père plus fier ni de fille plus obéissante ».

Combien choquant, alors, est le retrait brutal de la coopération paternelle quand, un peu plus tard, celle qui faisait sa fierté et sa joie essaie de se débrouiller toute seule.

La trahison du père

« Souvent le père encouragera sa fille jusqu'au moment où il commencera à craindre qu'elle en sache plus que lui, observe Ruth Moulton. Ou bien il aura peur d'éprouver une attirance sexuelle pour elle. Le père troublé par sa fille adolescente sera fréquemment celui qui lui prodiguait toutes sortes d'encouragements intellectuels quand elle était plus jeune [9]. »

« A partir de l'âge de cinq ans, j'ai été élevée pour devenir pianiste, me disait une jeune mère de Washington. Et puis soudain, quand j'ai été prête à entrer à l'université, mon père m'a demandé ce que je comptais étudier. " La musique, bien sûr ", lui dis-je. " Non, me répondit-il, on a trop de mal à vivre de la musique. Prépare un diplôme d'éducatrice. Tu trouveras toujours à te caser dans l'enseignement. " »

Elle fit donc ce que papa lui avait dit et prépara son diplôme. Elle enseigna pendant quelques années, puis se maria et eut des enfants. Elle, qui avait été élue « la lycéenne promise au succès » de l'Etat de New York, avait depuis longtemps renoncé à ses ambitions musicales.

« Il y a douze ans que je n'ai pas joué », me disait-elle tristement. Elle ne possédait même pas de piano.

Beaucoup de jeunes femmes qui commencent à réussir intellectuellement ou dans le domaine artistique se heurtent — soudain et sans avertissement — au retrait du soutien paternel. C'est un choc — et il est ressenti, très en profondeur, comme une trahison.

« Je me conformais très exactement à ses volontés, et il en paraissait fâché ; il m'avait vouée à l'étude, et me reprochait d'avoir tout le temps le nez dans mes livres », écrit Simone de Beauvoir à propos de ses relations d'adolescente avec son père. « On aurait cru, à voir sa morosité, que je m'étais engagée contre son gré dans cette voie qu'il avait en vérité choisie pour moi. »

La fille n'a pas l'intuition nécessaire pour comprendre ce qui arrive à son père. « Je me demandais de quoi j'étais coupable, rappelle Simone de Beauvoir. Je me sentais mal à l'aise dans ma peau et j'avais de la rancune au cœur [10]. »

Il y a de la rancune, certes, mais la fille est déroutée, croyant en son père comme elle le fait, croyant à la description que lui fait de la situation : il s'inquiète pour elle. Ou il veut la former. Ou il pense qu'il vaut mieux qu'elle se marie et « utilise » ses dons de façon marginale puisque, n'importe comment, elle sera incapable de subvenir à ses propres besoins.

Le père entre parfois en concurrence avec sa fille et y met autant d'acharnement que s'il s'agissait d'un fils. Tant qu'il mène, parfait ; il se sent bien et la camaraderie garde son caractère agréable. Mais que la fille fasse mine de le dépasser, alors les ennuis commencent. Papa deviendra franchement hostile, la critiquant « pour son bien », ou (plus insidieusement) il donnera dans l'amertume et s'apitoiera sur son propre compte. On nous a rebattu les oreilles de la mère culpabilisant ses enfants, mais on ne nous a pratiquement rien dit du père qui en fait autant. Or dans la constellation familiale que nous décrivons ici, cela peut très bien être le père qui essaie de saper les efforts de sa fille en la faisant se sentir coupable.

L'année où elle termina le lycée, Hortense Calisher confia à son père qu'elle voulait être écrivain — et plus particulièrement (à cette époque) poète. Quelle fut sa réaction ? Il ressortit un carnet de poèmes écrits par lui et « jamais mentionnés jusque-là, qu'il agita sous mes yeux sans insister et comme à son corps défendant en disant : " Regarde, moi aussi je voulais. Mais on ne vit pas de poésie, mon chou. " »

Comment osait-elle essayer de réussir là où lui avait échoué ? sous-entendait sa phrase. Adoptant l'attitude indépendante indispensable à celles qui doivent activement s'extraire du syndrome de la-fille-handicapée, la jeune Hortense répliqua avec mépris : « Je ne veux pas en vivre ! » Et elle se mit à en *écrire*.

D'étranges choses peuvent se produire quand les pères sentent leurs filles leur échapper. Depuis plusieurs dizaines d'années qu'elle exerce la psychiatrie, Ruth Moulton a pu observer de nombreux exemples de pères dont l'esprit vindicatif se déchaîne dès que leur fille essaie de prendre ses distances. Un homme qu'elle connaît essaya de la convaincre que sa fille devait se marier dès sa sortie de l'université. « La fille ne voulait pas se marier à ce moment-là ; elle voulait faire son droit, me dit Ruth Moulton. Elle avait beau savoir ce qu'elle voulait, il lui était presque impossible au début d'essayer d'y parvenir. »

L'opinion qu'avait d'elle son père comptait trop pour cette femme. Risquer d'être rejetée par lui pouvait se révéler trop destructeur. « Il lui fallut de nombreuses dépressions et cures de psychothérapie, me dit le docteur Moulton, avant qu'elle soit capable de s'oppo-

ser à son père et d'agir comme elle l'entendait. »
Pourtant, papa réapparaissait régulièrement à tous les
moments cruciaux de sa vie. Juste quand elle pensait en
avoir affectivement « fini » avec lui, quelque chose
venait lui rappeler combien le besoin de son approbation lui était néfaste.

« Finalement, on proposa à cette femme une bourse
d'études en Europe. Une fois de plus, son père fut
exaspéré. Il voulait qu'elle reste à la maison et suive les
cours de l'université de l'endroit ; mais elle voulait aller
en Europe et elle a fini par le faire, malgré lui. »

Après quoi, leurs rapports ne furent plus jamais les
mêmes. « Dix ans plus tard, quand son père mourut,
cette femme comprit qu'elle l'avait vraiment perdu la
première fois qu'elle avait commencé à lui désobéir. »

Pour certaines femmes, le point de départ ou la
séparation d'avec papa et ce que veut papa se situe
beaucoup plus tard. Meredith, une femme qui s'était
débattue pendant dix-huit ans dans la jungle new-
yorkaise, fut confrontée à la relation infantile qu'elle
entretenait avec son père lorsqu'elle perdit son emploi.

Elle avait été licenciée par la grande société de
publicité dans laquelle elle travaillait depuis des années
pour des raisons de politique interne. « Faisant bien son
boulot », Meredith n'avait jamais songé à quitter « Big
Daddy » (comme elle surnommait la structure paterna-
liste de l'entreprise), mais quand ce fut Big Daddy qui
lui signifia son congé, elle envisagea plusieurs solutions
de remplacement, dont chacune pouvait conduire à une
évolution sur le plan personnel. Elle pouvait continuer
le même travail, mais comme pigiste, chercher un
emploi chez un autre publiciste ou se recycler et
apprendre quelque chose d'entièrement nouveau.

« Je sentais que le moment était venu d'au moins
réfléchir à la possibilité de faire autre chose », disait
Meredith. Elle avait trente-neuf ans. Elle se dit qu'elle
pouvait utiliser cet accident de parcours comme trem-

plin pour changer d'horizons. Mais son père — qui lui
disait ce qu'elle devait faire depuis le jour où, âgée de
quatorze ans, elle avait dû éconduire son premier flirt
parce qu'il n'était pas « le garçon qu'il lui fallait » —
voyait les choses autrement. « Papa était horrifié qu'on
ait viré sa fille et voulait " faire tout de suite quelque
chose ". Il connaissait quelqu'un qui connaissait quelqu'un qui connaissait le publiciste en question. »

Meredith était consciente à présent de la longue
ingérence de son père dans sa vie et elle résista à tous
ses efforts pour prendre lui-même les choses en main et
la tirer d'affaire. « Qui sait ? lui dit-elle. Je pourrais
recommencer des études et devenir psychothérapeute. »
D'accord. Si sa fille tenait absolument à changer de
métier, il se ferait une raison, « mais de la *psychothérapie ?* ». Le droit, voilà ce qu'il fallait à sa fille.

« Si tu fais ton droit, je te paie tes études », lui dit-il.
Mais pas si elle s'entêtait dans son idée de devenir
psychothérapeute. Ce n'était pas « ce qu'il lui fallait ».

« Une fois de plus, me disait Meredith, c'était : Si tu
fais ce que moi je veux, je me charge de toi. Cela résume
très exactement mes rapports avec mon père pendant
toutes ces années. Quand j'y pense, j'ai envie de
pleurer. »

Bien que le fait d'y penser lui eût toujours donné le
sentiment de son impuissance et envie de pleurer,
Meredith voyait enfin les choses sous leur vrai jour : ou
elle demeurerait la petite-fille-à-son-papa pendant le
reste de sa vie, ou bien elle pouvait commencer à
progresser, si génératrice d'anxiété que fût cette démarche, vers une prise en charge personnelle de son
existence.

« Je me rends enfin compte, après tant d'années, que
je suis une vraie princesse, reconnaît-elle. Mes parents
me disaient ce que je devais penser, faire, porter. Dans
notre famille, on ne faisait jamais rien tout seul ni
jamais rien de différent. On faisait tout ensemble. On

allait dans les magasins ensemble. Ils ont choisi mes vêtements jusqu'au moment où j'ai quitté la maison, quand j'ai eu vingt et un ans. Encore aujourd'hui, mon permis de conduire est à l'adresse de mon père, à Rhode Island. Chaque fois qu'il a besoin d'être renouvelé, je suis obligée de retourner à la maison. »

Effectuant le rapprochement entre sa dépendance à l'égard de ses parents et le choc que lui avait causé la perte de son emploi, Meredith dit : « J'avais peur de ne pas pouvoir exister sans la compagnie. Je n'avais pas d'argent de côté. Je n'avais jamais contracté d'assurance parce que la compagnie avait toujours pris en charge les " indemnités diverses " — exactement comme papa. Soudain, l'influence que mon père avait eue sur ma vie m'est apparue avec une limpidité pénible. J'ai compris que si je voulais que ça change, il faudrait que j'oublie ce que lui voulait et que j'aille de l'avant pour n'en faire qu'à ma tête. »

Meredith a fait preuve de réalisme et d'énergie. Jugeant la situation trop instable sur le plan financier pour changer de métier à ce moment précis, elle a créé sa propre affaire de publicité rédactionnelle. Elle a loué un petit local dans un luxueux ensemble de bureaux de Manhattan, engagé un personnel restreint mais compétent, et recherché — et trouvé — de gros clients. Aujourd'hui, soit deux ans plus tard, elle réussit sur le plan professionnel comme sur le plan financier. « A présent, dit-elle, j'ai les moyens et la confiance voulus pour aller voir ailleurs si j'en ai envie. Pour la première fois de ma vie, je sais ce que je suis capable de faire seule parce que je me suis enfin décidée à me jeter à l'eau. »

La trahison de la mère

Au cours de leur existence, les filles rencontrent souvent des problèmes dus à la personnalité autoritaire et dynamique des pères, mais les deux parents ont leur part de responsabilité dans les difficultés qu'ont les femmes à devenir adultes et à se libérer. La mère effacée est en général presque aussi dépendante de sa fille que de son mari. Elle pèche par omission en ne soutenant pas les efforts de sa fille vers l'indépendance.

Ruth Moulton cite le cas d'une femme ayant brillamment réussi sa vie professionnelle et qui avait vécu des années durant une situation de conflit provoquée par les exigences d'une mère dépendante. Après être venue à bout de ses études et avoir passé son doctorat, elle s'était mariée, avait eu des enfants et continué à travailler à mi-temps. Bien qu'elle eût fait des pieds et des mains pour se libérer des griffes de sa mère, alors qu'elle menait une existence confortable combinant vie familiale et métier, elle trouva particulièrement pénible que sa mère cherchât à se venger. Celle-ci soumit sa fille au feu nourri de ses reproches : elle ne devait pas travailler, des choses horribles allaient arriver aux enfants, sa place était au foyer, et ainsi de suite. Le *coup de grâce* intervint le jour où maman fit tant d'histoires que le père de cette femme offrit de la payer pour qu'elle reste chez elle avec les enfants et « se repose ». Comme ça, disait-elle à Ruth Moulton, « maman ne se ferait plus de souci, et *lui* ficherait la paix ».

« Même petite, j'étais toujours vaguement préoccupée au sujet de ma mère, me racontait une autre fille-à-son-papa. J'avais toujours l'impression qu'il lui accordait moins d'importance qu'à moi. Quand le journal arrivait sur la table du petit déjeuner, c'était en général avec moi qu'il discutait de l'éditorial. Ma mère passait son temps à débarrasser la table ou à faire les tartines grillées. »

Dans ce genre de triangle, les mères entrent parfois en lutte ouverte avec leurs filles pour conquérir l'attention de leur mari. Mais le plus souvent, ce sont leurs propres espoirs pour l'avenir, teintés d'envie et qui se détériorent lentement, qu'elles expriment. Elles se sentent inquiètes et ignorent pourquoi. Elles sont mécontentes de voir leurs filles se tourner vers un univers plus vaste ; intérieurement, elles ressentent ce désir d'ouverture au monde comme un rejet.

Ce n'est pas uniquement la passivité de la mère qui blesse la fille. Il se produit souvent une agitation considérable autour du « bien-être » de celle-ci, qui sape tous ses efforts pour accéder à l'indépendance. Maman fait de son mieux pour restreindre les activités de sa petite chérie afin qu'elle ne se « surmène » pas ; elle demande à papa de se montrer plus exigeant sur la permission de minuit. Elle milite pour le garçon « bien » (l'ami d'enfance), pour la « bonne » université. Bref, pour reprendre les termes de Ruth Moulton, la mère « est souvent clairement jalouse de l'élan naturel de la fille vers la liberté et l'individuation, elle craint que sa fille ne révèle sa propre inadaptation et ne la néglige, et elle a besoin de justifier son style de vie étriqué même si celui-ci ne l'a rendue ni heureuse ni satisfaite[11] ».

C'est à l'usage qu'on juge de la qualité

Que donnent ces femmes, si bien formées à la dépendance, une fois qu'elles atteignent l'âge adulte ? Pas grand-chose, on s'y serait attendu.

Au cours des dix dernières années, les psychiatres, les psychanalystes et les psychologues se sont attaqués avec une énergie phénoménale au thème de la femme — ses premiers mois, son enfance, son adolescence, son entrée dans la vie adulte, sa maturité. Il en émerge une image psychosociale nouvelle de l'intéressée. Les études ont ainsi révélé que les femmes admettaient mal d'autres femmes comme leaders. Dans l'une d'elles, des chercheurs ont présenté à un groupe de sujets mixte une image montrant des hommes et des femmes assis à une table de conférence, les hommes siégeant en bout de table, puis une image montrant cette fois une femme siégeant à cette place. Devant la seconde image, les sujets hommes et femmes ont, en général, désigné un homme comme leader du groupe. (Une femme était perçue comme leader uniquement lorsqu'elle siégeait dans un groupe exclusivement féminin.)

La compétition est d'ordinaire plus difficile pour les femmes que pour les hommes. Il suffit qu'on nous place dans une situation où elle est nécessaire pour que notre confiance en nous chute. Des réactions positives augmenteront l'assurance des femmes, mais retirez ce soutien verbal et on repart à zéro. Même dans des situations encourageantes et enrichissantes, les femmes, constate-t-on, se sentent inadaptées, sauf si elles savent exactement quoi faire. Leur crainte de ne pas se comporter comme l'exige la situation les contracte trop pour qu'elles se sentent à l'aise en essayant diverses solutions ou en improvisant.

Une étude avait pour objet de montrer comment les hommes et les femmes réagissent dans une situation d'urgence — en l'occurrence, devant un malaise. Les femmes, ont constaté les chercheurs, manifestent une incertitude plus grande. Elles s'inquiètent de savoir si elles font « ce qu'il faut ». Même au cœur de la situation, elles restent obsédées par l'idée qu'elles sont incapables de se débrouiller.

Une de mes amies illustrait ce fait en me racontant ses propres réactions après le décès de son mari. « Depuis la minute où il est mort jusqu'à la fin de l'enterrement, me disait-elle, ma seule préoccupation a été de faire ce qu'il fallait — prévenir les gens " qu'il fallait ", choisir les psaumes " qu'il fallait ". J'étais profondément, morbidement soucieuse de ce que les gens allaient penser de la cérémonie — comme si on pouvait avoir tort ou raison quand il s'agit de commé-

morer le souvenir d'un homme qu'on a aimé et avec
lequel on a vécu pendant vingt-cinq ans. »

Même la réussite réelle n'entraîne pas toujours, chez
les femmes, de nouveaux succès. Les études montrent
que nous avons tendance à ne pas récolter les bénéfices
psychologiques de nos réalisations parce qu'une perturbation profonde, d'un type particulier, nous empêche
d'assimiler la réussite. Quand une femme résout un
problème de math difficile, par exemple, elle attribuera
son succès à ses capacités, à la chance, au fait qu'elle
s'est « accrochée » ou encore que le problème était
« facile ». Suivant la « théorie de l'attribution », qui
analyse les effets sur la vie des individus de ce qu'ils
estiment être la cause des choses, les femmes attribuent
en général leur réussite à des sources externes qui n'ont
rien à voir avec elles. Leur préférence va à la
« chance ».

Si nous évitons de nous attribuer notre réussite, nous
sautons en revanche sur la moindre occasion d'endosser
la responsabilité de nos échecs. Les hommes ont
tendance à expliquer leurs échecs par des raisons
extérieures et à les mettre sur le dos de quelqu'un ou de
quelque chose d'autre. Mais pas les femmes, qui
absorbent les reproches comme si elles étaient venues
au monde pour être les paillassons de la société.
(Certaines femmes voient volontiers dans leur empressement à s'accuser une forme d'altruisme. Elles se
trompent. Les femmes s'accusent parce qu'elles ont
trop peur d'affronter ceux qui sont réellement coupables de méfaits.)

Notre socialisation s'effectuant dans la dépendance,
nous ne sommes pas du genre à prendre des risques. Les
situations où ces risques ne sont qu'une simple éventualité nous irritent. Nous haïssons les tests précisément
parce qu'ils sont hasardeux. Nous évitons les situations
nouvelles, les changements de métier, les déplacements

qui nous feraient vivre ailleurs. Les femmes ont peur d'être punies au cas où elles feraient une faute, ou « ce qu'il ne faut pas [12] ».

Les femmes ont moins confiance que les hommes dans leur capacité de porter des jugements, si bien que dans leurs rapports de couple, elles abandonneront souvent la prise de décision à leur compagnon et n'en seront que moins confiantes quant à leurs facultés de jugement à mesure que le temps passe.

Mais, plus scandaleux encore, les femmes ont tendance à moins donner toute la mesure de leurs capacités intellectuelles. Dans une étude importante sur les différences sexuelles dans le fonctionnement intellectuel, Eleanor Maccoby, de l'université de Standford, concluait : « A l'âge adulte... les hommes ont un degré de réussite considérablement plus élevé que les femmes dans presque tous les domaines d'activité intellectuelle où les réalisations sont comparables — livres, articles, production artistique et réalisations scientifiques. » A mesure qu'elles avancent dans l'âge adulte, les femmes obtiennent des résultats de moins en moins élevés aux tests mesurant « l'intelligence générale », ceci étant dû au fait qu'elles utilisent de moins en moins celle-ci à partir de la fin de leurs études.

D'autres travaux montrent que *la capacité de fonctionnement de l'intellect peut être détériorée par des traits de personnalité dépendants.* Une personnalité dépendante ou docile tient énormément compte des « indices extérieurs » — fournis par les autres —, ce qui peut gêner le processus interne d'analyse séquentielle.

Le cercle vicieux de l'envie et de la compétition

Il y a quelques années, une étude a mis en évidence un point très intéressant à propos des femmes et du travail en équipe. Le degré de la confiance en soi éprouvée par les femmes est fonction inverse du niveau de performance de leurs partenaires. *Plus la performance du partenaire est élevée, moins la femme se jugera compétente.*

La confiance en soi et l'estime de soi sont essentiellement responsables des difficultés rencontrées par les femmes en matière de réalisations. Le manque de confiance en nous-mêmes nous plonge dans les eaux troubles de l'envie. Nous avons l'impression que les hommes ignorent les blocages et, telles des gamines enviant la liberté de leurs grands frères, nous insistons — cela nous arrange — sur la « chance » qu'ont les hommes et sur le fait qu'elle nous manque. Prisonnières d'une situation injuste, nous ne pouvons rien faire pour parvenir à la compétence et à l'estime de soi que nous admirons tant chez les autres.

En même temps, l'esprit de compétition vibre en nous. Il y a trente ans, la psychiatre Clara Thompson a montré que les femmes sont réellement désavantagées parce qu'elles vivent dans une culture où règne la compétition et dont l'atmosphère à toute les chances de les convaincre qu'on les estime encore moins. Dans une telle situation, la compétition avec les hommes est inévitable. Or, comme nous mettait en garde Clara Thompson, l'envie doit être perçue, vue et entièrement comprise ; nous pouvons trop facilement l'utiliser pour dissimuler quelque chose d'autre, bien plus essentiel pour notre indépendance : nos sentiments profonds d'incompétence. C'est à eux que nous devons nous attaquer — directement — si nous voulons être fortes et sûres de nous [13].

Quand je fis sa connaissance, Viviane Knowlton, une jeune avocate, était prise dans un cercle vicieux d'envie en vertu duquel elle oubliait tous les problèmes internes qui la freinaient.

« Je ne comprends pas vraiment ce qui m'arrive », me dit-elle. (Comme pour les autres femmes de ce livre, j'ai changé son nom ainsi que certains détails trop révélateurs.) Nous étions assises dans le salon de sa jolie maison rustique de Berkeley, en Californie. « Je gagne bien ma vie et j'aime les questions juridiques. Mais je ne me sens pas bien. Tous les jours je pars à mon travail avec une sorte de nuage d'anxiété au-dessus de la tête.

« Il y a trois ans, quand j'ai commencé à travailler, j'étais dans une forme terrible le matin. Je filais à toute allure en balançant mon attaché-case au bout du bras et je courais presque jusqu'à l'arrêt de l'autobus.

« Mon enthousiasme a commencé à se refroidir au bout d'un an environ. Je croyais que je me débrouillais plutôt bien dans mon travail, mais en y réfléchissant, je crois que j'étais surtout douée pour faire ce qu'on me demandait et me charger des corvées. J'ai fini par être une sorte de gourde patentée. Je récupérais automatiquement le sale boulot dont personne ne voulait. »

Viviane s'affirmait rarement face aux collègues plus anciens de son cabinet jurdidique, se disant qu'elle débutait à peine et qu'elle apprenait le métier. (Qui était-elle pour défier des gens qui faisaient du droit depuis vingt ans ou plus ?) La deuxième année, elle commença à admettre qu'elle n'utilisait pas au maximum ses capacités. « Je n'ouvrais pas la bouche aux réunions, je n'osais pas exprimer mes idées. Mais si quelqu'un d'autre avait besoin de renfort, je pouvais être étincelante. »

Cela continua ainsi, cahin-caha, pendant trois ans. Viviane n'était jamais vraiment sur la sellette, mais jamais non plus complimentée. « Moi qui étais habituée à être dans le peloton de tête, je passai en queue. Cela m'attristait. Où était la femme brillante, structurée, qui avait obtenu des résultats si flatteurs à la fac de droit ? »

Dans ce cabinet d'avocats, il y avait une autre femme, la principale associée. « Natalie faisait preuve d'une assurance incroyable. C'était tentant d'essayer de

calquer mon comportement sur le sien. Je me surpris
même à imiter sa voix de gorge un peu rauque. C'était à
se flinguer. J'avais l'impression de ne plus savoir qui
j'étais et de m'accrocher aux tics et aux affectations de
quelqu'un juste pour me sortir de là. »

Pourquoi est-ce tellement plus facile pour les hommes ?

Viviane éprouvait des sentiments mitigés à l'égard
des deux garçons qui avaient été engagés à peu près en
même temps qu'elle. « Paul et Hurf entreprirent dès le
départ de se faire leur trou. Paul s'attaqua aux paradis
fiscaux. Notre cabinet ne s'était encore jamais occupé
de ce secteur, mais cela ne l'arrêta pas. Il étudia la
question, puis il persuada cette firme vénérable que
c'était la chose à faire. »

La rapidité avec laquelle Paul avait pris l'initiative
exaspérait Viviane. « On dirait qu'il considère le
bureau comme une base d'opérations pour ses incursions personnelles dans le monde des affaires, disait-elle
avec amertume. Il donne l'impression de se moquer
complètement du cabinet, ou même du droit dans ce cas
précis. »

Pour Viviane, Hodgkins & Pearl symbolisent
l'Adulte. Elle éprouve un sentiment de rébellion envers
ses employeurs et en même temps elle envie Paul qui
n'a pas à se rebeller, qui est suffisamment indépendant
pour prendre ses distances par rapport au « bureau ».
Paul, que le patron « n'intimide pas », est bien plus
novateur et conscient de ses intérêts que Viviane, donc
plus précieux pour la firme.

Hurf a une agressivité plus discrète que Paul, mais lui
aussi prend le genre de risques personnels qui déclen-
cheraient la panique chez Viviane.

« Hurf est un avocat d'assises, dit-elle. En général, on
ne laisse pas un débutant représenter le cabinet au

tribunal, mais Hurf a insisté. Il ne cessait de réclamer.
Au bout d'un moment, je me suis sentie gênée pour
lui. »

Il n'est pas inhabituel pour les femmes d'avoir
l'impression que les hommes avec qui elles travaillent
sont « sans tact » et « arrivistes ». Mais tous les autres,
notait Viviane, semblaient accepter les ambitions des
deux hommes. « Chaque fois que Hurf voyait les
directeurs, il avait une raison meilleure que la précédente pour qu'on lui donne ce qu'il demandait. Il a fini
par abattre son jeu lors d'une réunion. »

Hurf fit ce que tant de femmes engagées dans la vie
professionnelle trouvent si effrayant. Au risque d'être
contredit ou, Dieu me pardonne, rabroué, Hurf se leva
devant tout le monde à la réunion qui regroupait deux
fois par semaine le personnel de Hodgkins & Pearl et se
vendit. « Je suis particulièrement bien placé pour
m'occuper du cas Wilkinson », annonça-t-il. Et il
raconta qu'il avait un beau-frère maniaco-dépressif et
que lui-même connaissait bien les effets biochimiques
de cette maladie, en même temps que la jurisprudence
en matière de droits civiques dans des cas comportant
des épisodes psychotiques. Après avoir fait état de sa
compétence, il déclara que Hodgkins & Pearl feraient
certainement des économies en le laissant représenter
Wilkinson au tribunal.

« Je ne peux rien reprocher à Hurf, ajoutait Viviane.
L'affaire lui a été confiée et il est allé au tribunal. Il n'a
fait aucun mystère de ses activités. Pourtant, quand des
histoires de ce genre se produisent, je me demande
pourquoi, moi, je n'arrive à rien. Je continue à penser
qu'on me néglige. »

« Ce n'est pas juste ! »

Parce que la justice — ou plutôt l'injustice — a été un
problème si essentiel pour les femmes, la question de

savoir ce qui est « juste » peut souvent servir à défendre
— et à cacher — un sentiment d'inadaptation. Tels ces
petits derniers qui prétendent obstinément avoir été
brimés par leurs aînés, les femmes utilisent l'injustice
avec laquelle on les a traitées au cours des âges pour se
protéger de toute exploitation ultérieure. Isolées par le
sentiment d'être des victimes, elles restent prisonnières.
Comme dans le cas des femmes battues, un mécanisme
de renforcement est à l'œuvre. C'est un cycle pénible.
Sur un plan objectif, clinique, les femmes sont moins
sûres d'elles que les hommes. Notre éducation nous
empêche d'accomplir la séparation psychologique qui
conduit à la confiance en soi. Peut-être faut-il y voir un
fait culturel, mais les femmes n'iront nulle part si elles
s'arrêtent à ce stade. Or c'est précisément là que
beaucoup d'entre elles abandonnent.

« Ce n'est pas juste que j'aie terminé cinquième de
ma promotion et que je passe mon temps à décortiquer
leurs rapports et à faire des recherches pour leurs cas,
dit Viviane Knowlton. Ce n'est pas juste. Je ne suis
pratiquement pas sortie pendant mes trois années de
droit, je me suis terrée pour avoir les meilleures notes, et
maintenant je reste des heures sous un tube de néon à
éplucher du matin au soir les vieux codes. »
Rien ne correspondait aux règles qui régissaient
jusque-là l'existence de Viviane. La vie professionnelle
exigeait un degré d'indépendance dont elle n'avait
jamais eu besoin pour être dans les premières à
l'université. Les règles s'étaient brutalement modifiées.
« J'ai l'impression d'avoir été roulée, comme si on
m'avait préparée à faire quelque chose d'important
et de passionnant — le monde juridique s'offrait à
moi — et tout cela pour aboutir à cette terrible déception. »
Viviane est persuadée que tout ce que font ses
collègues masculins ne nécessite « aucun effort ». Elle
veut rivaliser avec les hommes et elle les envie, mais elle

éprouve un sentiment analogue à l'égard de Natalie. On dirait qu' « ils » ont quelque chose qu'elle n'a pas, quelque chose qu'ils utilisent pour réussir. *C'est la situation insoluble la plus insidieuse de la psychologie féminine contemporaine.* Viviane *utilise* l'impression qu'elle a d'être désavantagée en raison de facteurs culturels pour éviter de voir un grand nombre de sentiments particulièrement pénibles qui l'empêchent d'acquérir confiance en elle et estime d'elle-même sans quoi elle ne se libérera jamais.

Les femmes conservent leurs besoins de dépendance longtemps après qu'est révolue l'étape de leur développement où ces besoins sont normaux et sains. A l'insu des autres — pire, à notre insu — nous portons en nous la dépendance comme une maladie qui nous immuniserait. Elle nous accompagne depuis le jardin d'enfants, le lycée et l'université, et nous l'insérons dans notre vie professionnelle et dans ce « compromis » adéquat qu'est le mariage. Comme l'éclat de verre dans le cœur de la Reine des neiges, la dépendance est profondément incrustée au centre de nos rapports avec nos maris, nos amis et même nos enfants. Souvent — tout le temps pour beaucoup d'entre nous — notre peu d'enthousiasme à nous débrouiller seules passe inaperçu parce que l'on s'y attend. Les femmes sont des créatures qui ne vivent qu'en fonction de la relation à l'autre. Elles donnent et ont besoin de recevoir. On nous l'a seriné des années durant : c'est dans notre nature.

Et bien que cela nous paralyse, nous ne l'avons jamais contesté.

NOTES

1. En grandissant, les filles deviennent plus subtiles et plus rationnelles dans leur indépendance. Une fille de onze ans disait obéir aux règles fixées par ses parents parce que « les enfants en ont besoin », tandis qu'une autre de dix-huit ans rationalisait son besoin d'obéir en déclarant qu'elle ne voulait pas « causer de soucis à ses parents ».

2. En 1960, une étude portant sur des enfants âgés de trois à cinq ans et de six à huit ans faisait apparaître que les filles manquaient de confiance dans leur travail et cherchaient l'aide et l'approbation des adultes. On notait qu'en grandissant, les garçons avaient davantage tendance à reprendre une tâche qu'ils n'avaient pas su effectuer un peu plus tôt, alors que les filles évitaient le risque d'un nouvel échec.

Une série d'études conduites en 1962 montrait par ailleurs que les filles qui, à la maternelle, quêtaient des compliments pour les tâches qu'elles menaient à bien, étaient aussi celles qui réclamaient le plus d'amour et d'affection. A l'école primaire, les filles qui s'acharnaient à réussir étaient également celles qui avaient le plus besoin d'approbation. La corrélation entre la réussite et l'obtention d'amour et/ou d'approbation n'existait pas chez les garçons. Beaucoup de psychologues ont observé que les filles cherchent surtout dans la réussite le moyen de s'assurer l'amour et l'approbation, alors que les garçons la souhaitent pour ce qu'elle est.

3. Judith Bardwick cite une étude montrant que les filles de 6ᵉ, 5ᵉ et 4ᵉ n'ont pas confiance en elles et s'attendent à échouer, tandis que les garçons pensent réussir. Plus les filles de cet échantillon étaient intelligentes, plus elles manquaient de confiance. Non seulement les garçons se montraient plus réalistes dans leurs attentes, mais ils se fixaient des critères plus élevés et estimaient que leur réussite dépendait d'eux et non de la chance ou des autres.

4. Il est apparu que les mères d'enfants anorexiques étaient sexuellement inhibées ou insatisfaites. Elles présentaient en général des résultats élevés aux tests mesurant l'intelligence, mais leur éducation, leur statut et leur travail se situaient très souvent en deçà de leurs aptitudes. Frustrées dans l'utilisation de leurs capacités intellectuelles et de leurs dons, ces femmes s'étaient résignées à leur sort au moment de la naissance de l'enfant anorexique et attendaient qu'il compense leur déception. Elles ne pouvaient accepter qu'un enfant passif et étouffant toute velléité

d'indépendance. L'adolescence physique de la fille faisait naître la peur et la panique chez ces mères, qui la ressentaient comme l'expression d'une autonomie dont elles n'avaient su prévenir l'apparition.

5. Les jeunes filles s'évertuent, avec un acharnement navrant, à ne pas se définir, à être incolores, informes, tandis que les garçons mettent au contraire toute leur énergie à s'engager dans ce qu'ils font et à poursuivre des objectifs (ne doivent-ils pas être, après tout, des soutiens de famille?) Pourquoi prennent-elles un malin plaisir à être aussi ternes? « Elles doivent rester souples et malléables afin de s'adapter aux besoins de l'homme qu'elles épouseront », suggère Elizabeth Douvan. Ce schéma « reflète les forces qui sont plus ou moins perçues par la plupart des filles dans notre culture ». Malheureusement, quand elles atteignent l'âge adulte, cette même peur de se définir est jugée névrotique.

6. Interrogeant des étudiantes de l'université du Michigan, Judith Bardwick notait une contradiction entre l'indépendance qu'elles affichaient et leurs rapports avec les garçons avec qui elles sortaient. Les femmes voulaient à tout prix se sentir indépendantes. « Elles parlent de gagner leur vie, de vivre seules, etc. Elles vous disent ensuite que leur relation avec leur ami ou leur mari est *fifty-fifty* et qu'aucun ne domine l'autre. Et puis, lorsqu'elles décrivent la masculinité et la réussite de leur partenaire, on s'aperçoit en général que c'est bel et bien l'homme qui domine quand il s'agit de prendre une décision, ou que la fille souhaite qu'il le fasse, le percevant comme l'élément dominateur ou l'obligeant à prendre la décision. »

7. Dans une étude du début des années soixante portant sur 49 « étudiantes douées » et la façon dont leurs rapports avec leurs parents affectaient leur sentiment d'autonomie, Marjorie Lozoff observait que les filles de mères motivées par leur travail manifestent en général très tôt des goûts et des dons variés. Cependant, peu de femmes de cet échantillon *avaient eu* des mères qui conciliaient métier et vie familiale. Ces femmes « étaient en conflit avec leurs ambitions et leurs dons ; elles les ressentaient comme des forces étrangères que chacune devait affronter à sa façon et souvent péniblement ».

8. L'artiste Miriam Schapiro (*cf.* chapitre II) décrivait l'effet produit sur elle par cette dichotomie (père, efficace; mère, inefficace). Comme tant de femmes, Miriam essayait de résoudre son conflit en s'identifiant à son père, artiste lui aussi. « Bien que j'admire aujourd'hui ma mère d'avoir lutté pour se dépasser, écrit-elle, quand j'étais petite, j'avais terriblement conscience de son

univers limité. Ma mère n'avait pas du monde une "vue
d'ensemble " : elle vivait " à l'intérieur ", chez elle. »

Quand la crise obligea la mère de Miriam à travailler dans un
grand magasin, cette reconversion eut un effet positif sur sa fille.
« A partir du moment où elle a " vraiment " travaillé — c'est-à-
dire, à l'extérieur — j'ai commencé à lui assigner un espace que je
réservais jusque-là à mon père ; mais je continuais à croire que
pour être dans la vie, pour imprimer sa marque sur le monde
extérieur, il fallait être un homme. »

9. Dans un article qu'elle intitule « Les femmes à double vie »,
Ruth Moulton montre qu'un conflit non résolu avec le père conduit
beaucoup de femmes à réclamer le soutien d'un homme durant
toute leur vie. « Les femmes exerçant un métier qui ne sont pas
suffisamment encouragées dans leur travail par leur mari — je
parle de femmes ayant besoin d'un soutien excessif — se tourneront vers d'autres hommes, et auront souvent des liaisons dans le
cadre de leur vie professionnelle afin d'obtenir la " validation par
consensus " dont elles ont besoin pour pouvoir produire. »

10. Dans son étude sur les étudiantes douées, Marjorie Lozoff
isolait un groupe que l'on pourrait appeler des « surdouées ».
« Les pères de ces " surdouées " étaient distants, autodisciplinés et
perfectionnistes », écrit-elle. La perfection qu'ils exigeaient de
leurs filles « était souvent teintée de narcissisme. Les étudiantes
semblaient hésiter à se rebeller contre les exigences de leurs pères
de peur de perdre le peu d'amour qu'ils leur donnaient ».

11. Ma mère était musicienne, me disait Ruth Moulton. J'ai fait
des études de piano, mais je n'étais pas douée et elle-même m'a
aidée à les interrompre, jugeant qu'elles ne me mèneraient à rien.
Dès que je me suis inscrite en sciences, j'ai obtenu sans difficulté
d'excellents résultats. Mon père étant un scientifique, c'était donc
une orientation assez naturelle. Au début, ma mère n'avait aucune
objection, mais elle s'est sentie menacée quand je me suis inscrite
en médecine. Il lui semblait que je n'arriverais pas à me marier, ou
que si j'y parvenais, j'entrerais en conflit et en concurrence avec
mon mari et que je serais incapable d'élever correctement mes
enfants. Elle n'avait jamais rien fait d'autre que de la musique,
donnant des cours à la maison quand ses enfants allaient déjà à
l'école ; comme cela n'empiétait pas sur le temps qu'elle nous
accordait, elle jugeait cette activité compatible avec la maternité.
Mais elle ne me voyait pas à la fois médecin et mère ; cela lui faisait
peur et elle me décourageait. »

12. Dans une situation ambiguë, les femmes ont tendance à
émettre des jugements conservateurs. En revanche, dans les

situations qui paraissent nettes, elles font souvent preuve de témérité contre-phobique et deviennent insolentes et autoritaires.
13. « Même quand une femme a réussi à se convaincre de sa valeur, écrivait Clara Thompson au début des années quarante, elle doit encore lutter contre les effets inconscients de son éducation, de la discrimination qui s'exerce contre elle et des expériences traumatisantes qui maintiennent en vie cette attitude d'infériorité... Elle vit dans une culture qui ne lui offre aucune sécurité, sauf celle d'une prétendue " relation amoureuse " permanente. On sait que le besoin névrotique d'amour est un mécanisme destiné à établir la sécurité dans une relation de dépendance... Dans la mesure où le besoin d'amour de la part d'une femme est plus grand que celui de l'homme, il doit être aussi interprété comme un mécanisme établissant la sécurité dans une situation culturelle qui produit la dépendance. *Etre aimée est non seulement un élément de la vie naturelle de la femme, tout comme il l'est de celle de l'homme, mais cela devient aussi, par nécessité, la profession de celle-ci.* » (C'est moi qui souligne.)

CHAPITRE V

LA DÉVOTION AVEUGLE

Cinq ans de mariage. Dès le départ, mon objectif avait été d'amener mon mari à utiliser au mieux ses capacités pour que je puisse me sentir en sécurité. Ses succès étaient les miens, ses échecs les siens. Un contrat peu équitable, mais net. Jamais je ne remis en question cette attitude — jamais, à vrai dire, je n'en fus consciente. A l'été 1967, mes ambitions pour mon mari montèrent en flèche quand on lui confia l'article de fond qu'il projetait depuis longtemps. L'*Atlantic Monthly* était intéressé par son idée d'enquête sur la montée des prix alimentaires et ses rapports avec les sommes dépensées par les grandes marques américaines pour leur publicité que payait involontairement le consommateur. L'accord de principe du magazine donna à Ed l'élan voulu pour se lancer dans l'aventure, bien que rien ne garantît que son article serait publié.

Cet été-là, il passa tout son temps libre après le bureau à faire des recherches et à écrire. J'étais très émoustillée par la tournure des événements (j'y voyais probablement le prélude à un avenir somptueux et grandiose) et mon nouveau rôle de secrétaire et de conseiller littéraire réveillait toute mon énergie. Il faisait une chaleur intenable à New York, mais la sueur qui ruisselait dans notre minuscule appartement avait les vertus d'une purge salutaire. Eliminées, les toxines

de l'échec et de la frustration ! Dès qu'Ed rentrait du
bureau, je servais le dîner. Puis je prenais les bébés et la
poussette et partais au terrain de jeux d'où je ne rentrais
qu'à la nuit tombée. A huit heures et demie ou neuf
heures, après avoir baigné et couché les enfants, j'allais
dans la salle à manger relire et corriger ce qu'Ed avait
écrit entre-temps. Mon stage à *Mademoiselle* m'avait
appris à vérifier la clarté et la construction des phrases
écrites par d'autres que moi. J'avais commencé à
rédiger quelques petits textes de mon cru sur les
activités maternelles et ménagères, mais je restais
pétrifiée d'admiration et de respect devant les concepts
autrement plus nobles qu'Ed tentait de mettre en ordre
et qui avaient trait au gouvernement, à l'industrie et au
mouvement de consommateurs naissant. Quand Ed
pataugeait, j'étais capable de voir où son analyse
manquait de clarté, mais j'ignorais tout ou presque en
la matière et croyais qu'il fallait quelque chose de plus
— un diplôme ? une grosse tête ? être un homme ? —
pour aborder un sujet aussi complexe.

Il faut dire aussi que j'avais vingt-neuf ans et que je
ne lisais pas encore régulièrement le journal. N'importe
quel type travaillant sur un chantier de Queens et
survolant les nouvelles au-dessus de sa bière de cinq
heures en savait plus que moi sur l'économie et la
politique. J'avais plus ou moins l'impression que ces
choses ne me concernaient pas. Qui dirigeait le pays, et
comment, et pourquoi ; ce qu'était l'argent et comment
tout cela fonctionnait : autant de détails qui n'atteignaient pas viscéralement une femme dotée de trois
enfants en bas âge et qui se reposait pour son bien-être
et le leur sur les efforts d'autrui. Le mouvement des
femmes venait de démarrer, mais il ne mettait pas
encore l'accent sur le fait que les femmes devaient
s'assumer davantage. Il semblait plutôt laisser entendre
qu'on devait leur donner des avantages dont on les
avait jusque-là traditionnellement privées : un métier,

un salaire égal, leur mot à dire sur leur vie présente et leurs rêves d'avenir. L'ironie voulait que, au moment où nous commencions à vouloir plus, nous continuions à dépendre des autres (surtout des hommes) pour satisfaire ces revendications. Les femmes, aurait-on dit, entraient dans l'adolescence : nous voulions être libres, mais sans avoir tout de suite la responsabilité qu'impliquait cette liberté. Nous ne voulions pas jouer complètement le jeu.

Bien sûr, nous étions persuadées du contraire. Le fait qu'Ed et moi n'eussions jamais assez d'argent était un problème dont je croyais assumer ma part. Comment ? En l'aidant. Je déblayais la voie et consolidais son image de lui-même pour qu'il puisse améliorer ses performances. Une éventuelle carrière de pigiste semblait pouvoir lui offrir une porte de sortie et lui permettre de quitter son boulot sans avenir de rédacteur dans une revue commerciale, avec un maigre salaire de sept mille cinq cents dollars (trente-sept mille cinq cents francs de l'époque) par an. C'était nettement trop peu pour une famille de cinq personnes vivant à Manhattan. La situation paraissait sans issue — sauf si, naturellement, Ed faisait le nécessaire.

Il est exact que la société a immobilisé les femmes en leur donnant l'entière responsabilité d'élever les enfants. Nous étions prisonnières dans nos maisons — pieds et poings liés parce que nous savions que personne d'autre que nous n'allait s'occuper des bébés. Les garderies n'existaient pas quand je me mis en campagne pour permettre à Ed de faire un travail plus important et plus rémunérateur. J'aurais sûrement été bien en peine de m'offrir une baby-sitter. Mais en y repensant, je sais maintenant que j'aurais pu faire quelque chose. J'aurais pu me fixer un objectif, partir de zéro et le réaliser progressivement (ce que je fus bien obligée de faire en fin de compte). Les problèmes posés par la garde des enfants n'expliquaient pas mon inertie.

Je ne voulais pas vraiment m'assumer, je ne fis donc rien pour amorcer le processus. A vingt-quatre ans, j'avais fui l'indépendance et rien ne m'incitait à lui rouvrir les bras. Intérieurement, j'aspirais à toujours être prise en charge et étais prête à travailler dur, très dur, en échange. En réalité, je voulais être une esclave.

Bien entendu, nous ne voulions pas voir les choses sous cet angle ; ni lui, ni moi. Nous préférions nous imaginer en couple dans le vent et libéré. Je n'étais pas une créature fragile qui vomissait pendant ses grossesses et tournait de l'œil à la moindre frayeur. Mes symptômes phobiques avaient disparu. Le mariage m'avait donné la force et la puissance. J'avais assez d'énergie pour m'occuper de trois enfants de moins de quatre ans, de la maison, de la nourriture, de la lessive, et pour téléphoner aux bureaux des sénateurs et prendre des rendez-vous pour Ed. J'avais assez d'énergie pour devenir son alter ego en quelque sorte et le soutenir de ma force apparente.

Le scénario était le suivant : Ed avait besoin de mon aide cet été-là parce qu'il ne pouvait travailler que le soir à l'article de l'*Atlantic Monthly*. En réalité, il avait peur — peur de se lancer (il pouvait échouer), peur de demander aux sénateurs et aux parlementaires de lui accorder des interviews (ils pouvaient refuser), peur de passer, professionnellement, à un niveau supérieur plus exigeant qui mettrait ses capacités à l'épreuve et risquerait de réduire définitivement en miettes ses rêves les plus grandioses. Je l'ignorais alors, n'ayant jamais affronté mes propres démons. Pour moi, les peurs de mon mari étaient « irréalistes ». En même temps, j'aimais à penser que je croyais en lui, que je savais qu'il « y arriverait ». Je me jetai à l'eau et en un après-midi passé au téléphone, je lui pris toute une série de rendez-vous à Washington.

« Mon mari effectue une enquête sur les prix alimentaires pour l'*Atlantic Monthly* », annonçais-je aux assistants et secrétaires. Je me sentais calme, efficace. Le fait de me réclamer du pouvoir de la presse (les portes des sénateurs s'ouvraient aussitôt) me laissait sereine parce que ce n'était pas mon pouvoir par délégation, mais celui de mon mari. Je me sentais forte et capable précisément parce que j'agissais pour son compte sans que rien menaçât mon image de moi ou mît à l'épreuve mon propre talent. J'aurais fait une secrétaire de direction de premier ordre, me taillant un passage dans la jungle de la bureaucratie, organisant, réglant des détails et veillant à ce que l'Autre — mon patron, mon protecteur — obtînt tout ce qu'il voulait.

C'est parfois terriblement frustrant de vivre par maître interposé. Ce stratagème, qui permet d'éviter l'anxiété indissociable de l'autonomie, n'est pas toujours couronné de succès. Il y avait des moments — nombreux — où Ed extériorisait sa propre frustration en décidant de la noyer dans l'alcool. Ces épisodes me plongeaient dans le désespoir, car ils me montraient mon impuissance — ma vulnérabilité, mon incapacité à faire quelque chose, ma profonde et futile dépendance.

Dans ces lendemains qui ne chantaient guère, un sentiment obscur de soulagement se mêlait à mon écœurement. Comme si j'avais touché le fond et reconnu le mensonge dans lequel je vivais et l'énergie que je gaspillais à vivre de ce mensonge. Le peignoir froissé, la barbe d'un jour, l'odeur infecte de l'alcool laissaient entrevoir sans ménagements la triste vérité : notre mariage était un échec, sa sécurité et sa protection un leurre. Nous utilisions chacun cet arrangement pour fuir les problèmes essentiels de notre vie personnelle.

Naturellement, ces brèves prises de conscience me paniquaient et je les évitais comme autant de bosses sur une piste gelée. Je voulais poser le pied sur le sol meuble et rassurant des parades familières et, en fin d'après-midi de ces lendemains, nous nous y enfoncions tous deux à coups d'autocritique, d'excuses, de promesses et, finalement, de pardon.

Neuf ans durant, je vécus une vie de gamine mariée jouant à la grande personne. J'avais fait baptiser et vacciner mes enfants. Je payais les factures et mendiais des prêts à la banque quand un coup dur se produisait. Je nettoyais, langeais et faisais de mon mieux pour que ça marche, mais il y avait gros à parier que la déesse qui, du haut des cieux, aurait abaissé son regard sur nous, serait partie d'un bel éclat de rire. Car elle aurait vu qu'en trimant comme un bagnard, je régressais. Que je faisais des pieds et des mains pour garder intacts les murs de ma prison.

Le mariage comme sas de secours

L'idée que se font les femmes du mariage n'a guère varié, semble-t-il, avec les années. Dans l'étude qu'ils ont effectuée à ce sujet et dont ils ont tiré leur livre, *Maris et Femmes,* Anthony Pietropinto et Jacqueline Simanuer ont constaté que beaucoup de femmes continuent à considérer le mariage comme une forteresse. En choisissant un mari, elles cherchent le prince, quelqu'un qui les sauvera de leurs responsabilités. Une vie sexuelle satisfaisante, une camaraderie stimulante passent en second. Donnez-leur un piédestal d'où elles dominent les dangers d'une vie authentique : elles s'y assiéront avec empressement et n'en bougeront plus.

Le degré d'instruction qu'avaient reçu les femmes de cette étude n'avait pratiquement aucune influence sur leur attitude à l'égard de l'amour et du mariage. L'une d'elles, une femme au foyer pourvue d'un diplôme d'études supérieures, expliquait pourquoi elle avait choisi son mari : « J'étais le centre de sa vie. Il se mettait en quatre pour me rendre heureuse. J'ai eu l'impression qu'il ferait un bon soutien de famille et m'apporterait la sécurité matérielle. » (La sécurité matérielle occupait une place très importante dans ce que les femmes de cette enquête attendaient d'un mari.)

Une autre femme, passée elle aussi par l'université, déclarait à propos de l'homme sur qui elle avait réussi à mettre le grappin : « C'est vraiment mon meilleur ami, il l'a toujours été et il le sera toujours. Je lui ai couru après jusqu'à ce qu'il tombe amoureux de moi et veuille m'épouser. »

Une femme me dit qu'elle recherchait, lorsqu'elle s'était mariée, « cette relation amoureuse intense, romantique et palpitante ». Après coup, cependant, elle avait découvert le caractère illusoire de ses espérances romanesques. « Je voulais pouvoir rester à l'abri chez moi avec les enfants et que lui dépose sur mon paillasson l'excitation, l'amour et l'aventure. »

On est frappé de constater à travers ces réponses à quel point les femmes investissent dans le mariage. Ces femmes au foyer semblent éprouver un besoin obsessionnel qu'on leur prouve qu'elles sont aimées. Mais surtout, elles ont le sentiment d'avoir droit à cet apport de sécurité d'origine masculine.

Typique de celles qui formulent ce genre de revendication est la femme qui décide d'épouser un médecin. Les femmes de médecins disent en effet chercher avant tout dans le mariage la « sécurité ». Mais le conflit et l'hostilité dont elles font preuve à l'égard des hommes qui leur apportent cette sécurité sont stupéfiants. Une enquête portant sur la vie des femmes ayant choisi de convoler avec un médecin expliquait les raisons profondes de ce choix. Etait-ce vraiment aussi fantastique qu'on le disait que d'avoir un médecin pour époux ? demandait la revue à ses cent mille abonnées. « Est-ce vraiment ce que vous attendiez et ce que vous promettait la société ? »

Sûrement pas, à entendre ce qu'en disaient les femmes engluées dans cette existence misérable. « On attend bien plus d'une femme de médecin que des autres et elle reçoit peu de soutien émotionnel ou d'encouragements en retour », se plaignait l'une d'elles. « Nous ne pouvons absolument pas compter sur nos maris pour faire quoi que ce soit, ne serait-ce que planter un clou dans le mur. »

Une femme de médecin du Maryland exprimait une frustration manifeste, en particulier dans l'usage qu'elle faisait des italiques. « *Impossible* de lui faire comprendre que les heures supplémentaires n'augmentent ni son salaire ni son statut, mais sont à soustraire de la vie familiale — il m'a empêchée de prendre le temps d'avoir une vie à moi parce que *je dois tout faire pour que la maison marche et que les enfants se tiennent tranquilles !* »

« Le plus triste, écrivait une autre femme qui comptait à son actif vingt-neuf ans de mariage avec un médecin, c'est que j'ai été obligée de me créer une vie à moi, indépendante de la sienne. » (Beaucoup de femmes d'un certain âge, et un bon nombre de femmes plus jeunes, croient qu'être « obligée » de vivre sa vie est le signe que quelque chose cloche dans une relation. La femme dont le mari ne constitue pas l'élément moteur de sa vie, qui ne lui donne pas sa raison d'être en même temps que la possibilité de fuir ses propres problèmes de développement, s'est fait refiler de la camelote.)

Les femmes de médecins découvrent, à leur consternation générale, que la quantité de sécurité matérielle apportée par leur mari est fonction inverse de ce qu'elles désirent encore plus ardemment : la sécurité affective. « Echanges », « appui », « amis et vie de famille » — autant de domaines où le médecin-soutien de famille ne donne pas autant qu'il reçoit, révélaient ces sondages. Plus d'une *épouse de médecin* pense que son mari est un compagnon terne et limité. A la différence de sa femme, il n'a pas « d'intérêts extérieurs » pour alléger son existence. Il ne fait pas vraiment quelque chose. (N'ayant pas de vie personnelle, l'épouse comprend mal, ou pas du tout, que son mari aime la partie de sa vie qu'elle ne partage pas.) Ajoutant l'insulte à l'outrage, notre docteur de mari se comporte chez lui en minable démagogue.

« Souffrez-vous du statut " divin " dont jouit votre mari ? » demandait l'enquête dans la même foulée et quarante-huit pour cent des lectrices de clamer : « Oui ! » L'une d'elles, ne sachant visiblement plus à quel saint se vouer, remarquait : « Le plus gros problème tient au fait que mon mari est incapable de comprendre que s'il est un petit dieu à l'hôpital et y fait la loi, une vie de famille saine comporte d'autres attentes. Il a tendance à nous donner des ordres, à moi et aux enfants, et nous lui en voulons tous... Il est neurochirurgien et je comprends parfaitement la tension qu'il doit supporter en salle d'opération, mais j'ai trente-six ans, mes enfants onze et douze ans, et je commence à en avoir assez de toute cette routine. En attendant de trouver une meilleure solution, j'ai l'intention de l'ignorer au maximum. »

Comme ces femmes paraissent blessées ! Elles veulent la sécurité, certes, mais pour elles, la sécurité signifie bien plus que quelqu'un pour régler les factures. Cela signifie des câlins le soir. Quelqu'un d'assis à côté d'elles pendant les tournois du benjamin et les auditions de piano de leur chère petite. Quelqu'un pour les aider à sarcler leurs laitues et à faire une fois en passant un parcours de golf avec elles. Au lieu de quoi, elles ont simplement récupéré un ego avec un E majuscule. Un costume trois pièces de chez Lanvin et une grosse cylindrée pour lui, une Mini — et les règles et recommandations du mari pour rétrograder — pour elle.

« Il faut qu'il ait un droit de regard sur tout — sur ce qu'on aura au repas, sur la maison, sur l'argent bien sûr et sur mon temps », gémissait la bien-aimée du neurochirurgien. Pour le médecin, il ne fait probablement aucun doute que son empire sur la scène domestique est justifié car, au fond de lui-même, il sent qu'il paie de sa vie la sécurité de madame. Plus elle se plaint de ses absences, plus il passe de temps à l'hôpital pour la fuir. Il prend des airs vertueux, voire supérieurs, dès qu'on l'attaque sur son mode de vie. Il ignorera d'autres sentiments, beaucoup plus inquiétants, par exemple la colère qu'il éprouve envers la femme-enfant exigeante avec qui il vit. Il préfère extérioriser sa colère en sabotant délibérément tous les efforts de celle-ci pour l'apprivoiser et le domestiquer. Et il a tellement barre sur elle ; après tout, elle ne sait rien faire, elle ne peut arriver à rien sans lui. Pour restreindre les activités de sa compagne, il lui suffit de lui confisquer ses cartes de crédit. La seule menace de la privation de leurs droits économiques paralyse la plupart des épouses qui ne travaillent pas. Ainsi, sentant que son conjoint tire vraiment trop sur la corde, la femme de médecin, avec un grand soupir de tristesse et de découragement (car, tout bien considéré, ne mérite-t-elle pas mieux ?) finit par craquer et essaie de se faire « une vie à elle ».

« Ensemble », tel était le mot qui décrivait le mariage idéal des années cinquante — une relation douillette et intime dans laquelle épouses et maris partageaient tout : idées, opinions, rêves, épiphanies. Dans les années soixante, il fut entendu que cette communion avait péri de mort brutale, dénoncée comme étant une interdépendance malsaine qui ne permettait ni à l'homme ni à la femme de parvenir à l'état adulte, de changer ou de se développer. (La presse féminine en particulier fut mise au pilori pour avoir historiquement affirmé que les femmes devaient réclamer, désirer et promouvoir cette symbiose étouffante.)

Qu'il se soit produit une réaction brutale ou que nous n'ayons jamais vraiment voulu sortir du cocon de cette communion, il semble en tout cas que le mariage continue d'offrir pour beaucoup de femmes un sas de sécurité, une position de repli devant l'autonomie, position garantie par l'approbation de la société. Malgré des signes extérieurs de libération, la peur profonde que ressentent les femmes les pousse vers la fusion totale, vers une existence en symbiose qui n'est pas fondamentalement différente de l'image des années cinquante où le couple idéal marche main dans la main vers l'horizon empourpré de son avenir commun.

Nous soulevons ici le problème de ce que les psychologues appellent le processus de « séparation-individuation ». Dans quelle mesure une personne — homme ou femme — est-elle capable de supporter le fait d'être essentiellement et avant tout seule, un individu volant de ses propres ailes, mettant en place ses propres idées, jetant sur la vie un regard unique et personnel ? C'est l'absence de séparation-individuation qui détruit tant de mariages.

Il y a de la sécurité dans la fusion

« Fusion » est le terme utilisé en psychologie conjugale pour décrire une relation dans laquelle un des partenaires, ou les deux, redoutant la séparation ou la solitude, renonce à son identité individuelle pour essayer de mettre en place une « identité fusionnée ». Des affirmations comme « je peux lire dans ses pensées », « nous sommes toujours d'accord sur tout » et « nous pouvons sentir ce qu'éprouve l'autre » n'exprimant pas l'intimité, mais la peur — peur de devenir adulte et de ne compter que sur soi.

Le désir de ne faire qu'un dans une relation de symbiose avec une autre personne plonge ses racines dans l'enfance et le désir profond de « réabsorption » dans la mère [1]. Sur le plan psychologique, la première phase de séparation est un épisode précaire du développement du jeune enfant qui, encore incertain de son identité et craignant la séparation, est tenté de régresser vers une période de la petite enfance où il n'avait pas conscience d'exister indépendamment de sa mère, mais fusionnait avec celle-ci qui l'englobait et le protégeait entièrement. D'après Joan Wexler et John Steidl qui enseignent l'assistance sociale psychiatrique à Yale, les adultes essayant de fusionner avec leurs partenaires exprimeraient une pulsion régressive identique à celle du jeune enfant. « Ambivalentes au sujet de leur autonomie, effrayées par leur individualité et se sentant seules et dans le besoin », disent-il, ces personnes « aspirent et cherchent à retrouver avec leurs partenaires l'échange empathique primitif et continu du jeune enfant ne verbalisant pas encore avec sa mère. Cette tentative de fusion... a pour objet de continuer à ne faire qu'un avec l'autre afin de ne jamais être seul et de nier le fait qu'on soit un individu autonome et différent ».

Dans ces mariages, au fil des ans, le mari et la femme s'installent fermement dans un stade infantile du développement. Wexler et Steidl donnent cette description glaçante du phénomène : « Deux silhouettes blafardes enfermées dans une danse monotone et mortelle. »

Comment le couple arrive-t-il à tenir dans ces conditions ?

Avec énormément de calcul. Les partenaires savent se protéger, ils font des « pas mesurés » et mettent « un soin scrupuleux » à ne pas voir une réalité gênante, à savoir que les choses ont radicalement changé et que leur union n'est plus qu'une amère désillusion.

Les hommes sont en partie responsables, bien sûr, du maintien de cette contrainte, mais les femmes, qui se sentent beaucoup plus menacées, sont capables de faire preuve d'une habileté diabolique pour préserver l'équilibre. Plus elles sont dépendantes, plus leurs efforts pour structurer, par exemple, une vie familiale « convenable » — des repas pris à table, des heures de lever et de

coucher régulières, bref le souci dénué d'humour que la
famille fasse « ce qu'il faut » — consistent souvent à
obliger tout le monde à faire « ce qu'elles veulent ».
Madame attend de son conjoint qu'il soit dépendant et
sans surprises. Lorsqu'il voyage pour des raisons professionnelles, il se branche chaque soir sur la famille en
téléphonant de son hôtel. A un degré variable, les
épouses dépendantes essaient de faire de la « vie
familiale » un tissu social compliqué, un réseau d'enfants, de parents et d'amis triés sur le volet dans lequel
le mari, tel un insecte rigide aux ailes brillantes,
s'englue.

Certaines femmes exercent le pouvoir à coups de
critique et en obligeant tous les membres de la famille à
être en permanence sur le pont. D'autres parviennent
au même résultat en recourant à la dévotion aveugle, se
rendant indispensables à leurs maris qui, croient-elles
sincèrement, seraient incapables de se débrouiller sans
elles. Les astuces pour garder en équilibre l'union-
fusion ne manquent pas. La sollicitude et le souci
exagéré du bien-être du partenaire en sont deux exemples.

La dévotion aveugle

L'histoire la plus poignante que je connaisse en
matière de dévotion aveugle est celle d'une femme que
j'appellerai Madeleine Boroff. En raison de la nature
des faits, j'ai dû modifier un grand nombre de détails
afin de protéger la vie privée des protagonistes. Mais ce
que vous allez lire est vrai pour ce qui est des points les
plus importants — rêves, illusions, déceptions auto-
infligées.

Madeleine est une femme dont la séduction tient
pour beaucoup au fait qu'elle paraît compétente et
capable de garder son calme devant une crise, qualité

qu'elle avait beaucoup de chance de posséder, compte
tenu du tour qu'avait pris sa vie depuis pratiquement le
jour de son mariage. Intelligente et énergique, Madeleine avait abandonné son statut d'adolescente pour
celui d'épouse à dix-huit ans. Un an et demi plus tard,
elle mettait au monde son premier enfant, donnant le
coup d'envoi au scénario de ce que serait sa vie
d'adulte : une lutte quasi épique contre l'adversité.

« Toutes les histoires que nous avons eues, Maurice
et moi, avec l'assistance sociale il y a quelques années
recommencent », téléphona-t-elle à une de ses amies
par un matin d'hiver pluvieux, quelques mois à peine
avant son quarantième anniversaire. « Tu ne le croiras
pas, mais je suis convoquée au tribunal ! Mon avocat dit
que je pourrais très bien me retrouver sous les ver-
rous. »

Pour qui connaissait Madeleine Boroff, l'idée qu'elle
puisse aller en prison paraissait grotesque. Pourvue de
quatre enfants et d'un mari rien moins que stable, elle
était le pilier émotionnel de la famille. Pendant des
années très houleuses, elle s'était montrée la compétence incarnée, la femme capable de garder la tête
froide et de maintenir la famille à flot. Le bruit avait
couru que les Boroff vivaient des prestations sociales
(Maurice était de nouveau au chômage) et, après
plusieurs mois, il semblait qu'ils continuaient à toucher
ces indemnités nettement plus longtemps que leur
intelligence et leur niveau d'instruction l'auraient laissé
croire. Mais la prison ! C'était une institution réservée à
ceux dont les intentions étaient criminelles, pas aux
membres de la moyenne bourgeoisie aspirant à s'élever,
luttant contre vents et marées, accablés de problèmes.
Et en tout cas pas aux mères.

Chez les femmes qui la connaissaient, la réaction
immédiate fut de la colère. Madeleine avait fait des
pieds et des mains pour mener sa barque et assurer
l'équilibre des enfants. A présent, au bout de vingt-deux

ans, elle se retrouvait seule et essayait de rassembler les fragments épars de sa vie en travaillant comme réceptionniste et en suivant des cours du soir pour terminer le diplôme qu'elle avait laissé en plan des années plus tôt, quand elle avait trouvé si exaltant de s'enfuir à Rome avec Maurice.

On n'avait jamais bien su ce qui s'était passé quand les Boroff vivaient des prestations sociales, mais une chose était évidente : s'il fallait expédier quelqu'un en prison, ce ne devait pas être Madeleine. Car Madeleine Boroff était une femme admirable. Endurant des difficultés qui auraient eu raison de la plupart de ses pareilles, elle avait réussi à mener quatre enfants jusqu'à l'adolescence, et cela avec un minimum de dégâts. A quarante ans, elle était encore séduisante, encore mince, encore pleine d'espoir. Elle avait énormément donné aux autres. Ne devait-elle pas avoir enfin une chance de vivre pour elle ?

Plusieurs semaines après ce premier coup de semonce, Madeleine pouvait déjà entendre le bruit que ferait la porte de la prison en se refermant sur elle. « Tu ne vas pas le croire, téléphona-t-elle de nouveau à son amie, mais j'ai été condamnée. Vingt et un jours de prison. Maurice a déjà accompli sa peine. Lui n'a eu que deux semaines. » Elle eut un petit rire sans joie. « Le juge a dû se dire que j'avais plus de loisirs. »

Naturellement, le juge ne s'était pas vraiment posé la question. Ce qui avait retenu son attention, c'était la notion de fraude et il avait estimé que Madeleine était coupable ; plus coupable même que son mari. Car, après tout, c'était elle qui les avait inscrits sur les listes de prestations du Massachusetts alors qu'ils figuraient déjà sur celles du Connecticut.

Au début, on avait eu du mal à l'admettre. L'idée d'une femme que vous connaissez recevant l'ordre de quitter ses enfants pour aller en prison était tellement

stupéfiante qu'elle empêchait de voir le principe de
justice ayant motivé cette condamnation. La vieille
sanctification de la maternité voilait une fois de plus le
problème et sous-entendait une morale à deux poids
deux mesures. Refusant que Madeleine dût une fois de
plus « encaisser » un nouveau coup du sort, ses amies
ignorèrent purement et simplement la question qu'il
fallait se poser. *Que signifiait vraiment la façon dont avait
vécu Madeleine ? Pendant toutes ces années, avait-elle été loyale
— envers ses enfants, envers son mari, envers elle-même ? Ou
bien, plus que dévouée, avait-elle été désespérée, une femme
aveuglée par l'insécurité ?*

Scènes d'un mariage

Plusieurs années avant de se faire virer de sa dernière
place, Maurice Boroff avait décidé de quitter l'appartement qu'il occupait avec sa famille à Springfield, dans
le Massachusetts, pour aller vivre à Thompsonville,
petite agglomération sur les rives du Connecticut.
Pendant un an, Maurice avait travaillé comme chef
comptable dans une grande banque du Massachusetts
et son salaire confortable l'avait incité à s'installer avec
sa petite famille dans une grande maison fantastique,
un peu délabrée mais bourrée de charme.

Fidèle à ses habitudes, Maurice se retrouva sans
travail peu de temps après leur emménagement. Au
départ, les employeurs se laissaient impressionner par
le savoir-faire de Maurice et par son physique agréable,
mais son incapacité à tenir ses engagements les décevait
rapidement. C'était le genre de type à faire monter en
flèche les chiffres de vente quand il arrivait dans une
nouvelle firme. Puis, une fois qu'il s'était imposé, il
redévalait la pente comme un skieur en perdition,
manquant ses rendez-vous mais ne s'excusant pas,
arrivant en retard au bureau et commençant à mentir

pour se protéger quand il était acculé. Comme il s'empêtrait régulièrement à la suite d'un mensonge — ou d'une série de mensonges — il finissait par être congédié. Mais quand il racontait la chose à Madeleine, il rejetait la faute sur les autres et trouvait des ruses de plus en plus subtiles pour l'amener à faire cause commune avec lui contre ses crétins de patrons.

Cette fois, Madeleine prit bien les choses. A mesure que les mois passaient dans la maison de Thompsonville, une routine rassurante s'était mise en place. Maurice se réfugiait dans son bureau du deuxième étage pour travailler, disait-il, à un roman. Madeleine se sentait optimiste. Elle gardait des enfants et vendait du pain pour compléter les indemnités de chômage. C'était une vie nouvelle et, dans un sens, revigorante. Avec Maurice à la maison, cela devint un jeu de tirer des plans sur le potager et de jardiner ensemble. Le matin, Maurice se levait tôt, sifflotant et bricolant dans la maison. L'après-midi, il restait dans son bureau et cherchait l'inspiration.

Pendant un an, ce fut apparemment une existence très idyllique. Qui n'apprécierait pas les joies du jardinage et de l'écriture dans le cadre somptueux de la vallée du Connecticut? Mais au bout de cinquante-six semaines, les allocations de chômage payées par l'assurance se terminèrent et le budget des Boroff accusa une chute soudaine. Rapide et efficace, Maurice s'inscrivit sur les listes de prestations sociales du Connecticut. Mais il ne chercha pas de travail : il écrivait (en tout cas, il essayait) et Madeleine l'y encourageait. Maurice, qui n'avait jamais été satisfait par son travail dans la publicité, noyait ses frustrations dans l'alcool. Toute sa vie, il avait voulu être écrivain. Madeleine plaçait tous ses espoirs dans la nouvelle orientation que semblait vouloir prendre son mari, un changement qui entraînerait une existence plus stable pour toute la famille, pensait-elle. Elle cajolait, analysait, « soutenait » son mari — pour sa sécurité autant que pour celle de Maurice.

Les mois passant, il devint de plus en plus difficile de joindre les deux bouts avec les maigres — quoique régulières — prestations de l'assistance. Les remboursements de l'hypothèque s'élevaient à mille sept cent cinquante francs par mois et il fallait nourrir tout le monde. Il y avait aussi ces quinze ou vingt litres de vin qu'ils consommaient, Dieu sait comment, chaque semaine. (Madeleine devait reconnaître que Maurice y était pour beaucoup.) Si bien qu'un jour, deux semaines avant que la banque ne saisisse la maison et ne pouvant compter sur aucune rentrée d'argent, Madeleine, en désespoir de cause, persuadée que dans un mois Maurice aurait soumis son projet de livre et un premier chapitre à son agent, prit l'autobus jusqu'à Springfield et s'inscrivit sur les listes des prestations sociales du Massachusetts. Comme justification de domicile, elle utilisa le bail de l'ancien appartement de Springfield qu'ils avaient eu la sagesse de conserver et de souslouer.

Tout avait été étonnamment facile. Enfin, pas aussi difficile qu'on aurait pu le croire. On lui enverrait les chèques à leur adresse de Springfield. Pour accélérer les choses, Madeleine dit à l'assistante sociale que son mari l'avait quittée. Le système répand plus facilement ses largesses sur les femmes abandonnées pourvues d'enfants. En outre, Maurice lui avait nettement fait comprendre que ça lui suffisait déjà d'avoir à se présenter tous les deux ou trois mois devant les autorités du Connecticut sans qu'il ait à remettre ça à Springfield. Et Madeleine avait admis que c'était à son tour à elle d'aller « se bagarrer ».

Madeleine était terrifiée — mais moins, semble-t-il, que s'il lui avait fallu affronter ses peurs profondes et son peu d'estime d'elle-même qui l'enfonçaient un peu plus bas chaque année. Aveuglément dévouée à Maurice, elle ne voyait pas non plus sa propre dépendance étouffante — son besoin de rester attachée à son mari aussi étroitement qu'une bernique à un bateau. Le fait que l'esquif fût sans gouvernail ne changeait rien. Madeleine redoutait plus que tout de se retrouver seule. Pour l'éviter, elle aurait fait n'importe quoi — voler le gouvernement s'il le fallait (encore que ni elle ni son mari n'eussent vraiment songé à l'époque qu'il s'agissait d'un « vol »). Il y avait quelque chose de paradoxal dans l'efficacité et l'esprit d'entreprise dont fit preuve Madeleine. Elle se débrouilla pour que leurs sous-locataires leur réexpédient les paiements dans le Connecticut. Elle n'aurait qu'à les toucher ailleurs que dans leur banque de Thompsonville où ils encaissaient depuis plus d'un an ceux du Connecticut.

Pour celles qui, au plus secret d'elles-mêmes, ne se sentent pas vraiment adultes, la rencontre brutale avec la réalité a quelque chose d'étrange, avec son côté « comment-cela-m'arrive-t-il à moi ? » Pour Madeleine, le fait qu'on découvre le pot aux roses était doublement ironique. Lorsque les deux services sociaux repérèrent les Boroff, Madeleine avait enfin rassemblé tout son courage pour se libérer. Malgré les enfants. Malgré sa peur que Maurice sombre tout à fait sans elle. Elle voulait faire quelque chose pour elle, même si cela voulait dire qu'elle l'abandonnait.

Car c'est l'ultime stratagème de la personnalité dépendante : croire qu'on est responsable de l'autre. Madeleine s'était toujours sentie plus responsable de la survie de Maurice que de la sienne. Tant qu'elle se concentrait sur lui — sa passivité, son indécision, ses problèmes avec l'alcool — elle employait toute son énergie pour les solutions qu'elle devait trouver à ses problèmes, ou aux « leurs », et n'avait jamais été obligée de s'examiner en profondeur. Voilà pourquoi il avait fallu vingt-deux ans à Madeleine pour compren-

dre que si les choses continuaient de ce train, elle se
faisait définitivement rouler : elle n'aurait jamais vécu.

Elle finit donc par l'admettre et tailler dans le vif
pour se libérer — non seulement de Maurice, mais de
tout son style de vie dépendant. Elle mit en vente la
vieille maison pleine de courants d'air qu'elle aimait
tant, régla ses dettes (le juge lui avait permis de
« purger sa peine » pendant les week-ends) et s'installa
avec ses enfants à Seattle. Là, elle dénicha un emploi
dans une compagnie d'assurances, décida de suivre des
cours du soir et espéra avec ferveur qu'elle serait
capable de se faire une nouvelle vie. De dix-huit à
quarante ans — pendant ces années où l'on est censé
grandir, mûrir et apprendre à connaître le monde —
Madeleine Boroff avait perdu son temps, se forçant à
fermer les yeux sur la réalité de la vie, à croire que son
mari ne tarderait pas à se stabiliser et qu'un beau
matin, elle se retrouverait libre de vivre sa propre vie
intérieure — paisible et féconde.

Pendant vingt-deux ans, elle avait été incapable de
regarder en face ce mensonge et d'en affronter les
conséquences et c'est pourquoi, sans songer à mal mais
trop effrayée pour vivre une vie authentique, elle avait
tourné le dos à la vérité.

L'histoire de Madeleine peut paraître spectaculaire
dans certains de ses détails, mais sa dynamique fonda-
mentale n'est pas si inhabituelle. Les qualités d'accom-
modation dont faisait preuve Madeleine, son incapacité
apparente à se sortir, ou même à penser à se sortir,
d'une relation qui la laissait exsangue, constituent
autant de marques d'impuissance caractéristiques des
femmes psychologiquement dépendantes. Pour elles, le
mariage joue le rôle d'agent de renforcement. Au lieu
d'affermir le caractère d'une femme, il le détériore. Au
lieu de mettre en place la confiance en soi, il conduit au
doute de soi. Au lieu de fournir un cadre d'expérience

dans lequel les femmes puissent développer leurs ressources personnelles, le mariage finit trop souvent par avoir l'effet inverse : il renforce leur dépendance et les éloigne de leur autonomie, ne leur laissant que les vestiges de la résistance et de la force qu'elles semblaient, au moins, posséder avant d'avoir « sauté le pas ».

Jessie Bernard, une sociologue de l'université d'Etat de Pennsylvanie, note dans son livre *l'Avenir du mariage* que « des femmes parfaitement capables de s'assumer avant le mariage deviennent incapables de se débrouiller seules après quinze ou vingt ans de vie conjugale ». Elle cite comme exemple une femme qui avait dirigé une agence de voyages avant de se marier, mais qui à l'époque où elle se retrouva veuve, à l'âge de cinquante-cinq ans, avait tellement perdu contact avec les réalités de la vie qu'elle ne savait plus comment s'y prendre pour obtenir un passeport et avait dû demander à des amis de l'aider.

« En raison de leur éducation, les filles apprennent à accepter le fait qu'elles sont naturellement dépendantes, qu'elles ont le droit de s'appuyer sur la force plus grande des hommes, et elles entrent dans le mariage en étant convaincues que ces attentes seront comblées », observe Jessie Bernard.

Ce fantasme a, bien sûr, son corollaire ; les hommes seront comme les parents : forts, solides, désireux et capables de protéger et de secourir. Le mythe veut que ce soient les femmes qui apportent au mariage sa richesse affective, mais il oublie l'autre face du tableau, à savoir que les femmes cherchent auprès des hommes la protection, le soutien et les encouragements que les enfants attendent de leurs parents. Une fois mariées, les femmes déchantent vite ; leurs maris, constatent-elles, sont loin d'être les surhommes qu'elles imaginaient pendant qu'ils les courtisaient. Ils sont aussi facilement blessés que n'importe qui et doivent lutter contre leurs propres sentiments d'insécurité en cherchant à se réaliser. Quand elles font cette découverte, dit Jessie Bernard, certaines femmes réagissent comme des enfants « qui se rendent compte peu à peu que leurs parents ne savaient pas vraiment tout ». Elles sont déçues et en colère.

Quelque temps après avoir convolé, Madeleine Boroff s'aperçut que son charmant jeune mari n'était pas du tout ce qu'elle avait imaginé. Loin d'être un pilier inébranlable, il s'appuyait lourdement sur elle et sur toute la famille. Elles constituaient l'armature capable, espérait-il, d'étayer sa confiance en lui-même prête à s'effondrer. Sa façon brutale de s'exprimer, ses opinions arrêtées, son refus ostentatoire des conventions ne visaient qu'à se gagner l'estime des autres face à ses échecs répétés. C'était évident pour tout le monde, sauf pour Madeleine. Elle renforçait son mari dans l'illusion qu'il dominait la situation, qu'il était la cheville ouvrière de la famille.

« Certaines femmes dominent en étant dépendantes, dit la thérapeute Marcia Perlstein, en laissant l'homme croire que c'est lui qui commande. » C'est souvent le cas chez les couples où l'homme a des problèmes d'estime de soi. « Il se sent important dans la vie s'il est important pour quelqu'un », continue Marcia Perlstein. « En se faisant juste aussi petite qu'il le faut et en contrôlant très attentivement cet équilibre, la femme peut assurer la continuité de cette fusion symbiotique, de leur " bonheur " »

Madeleine était tellement empêtrée dans sa relation conjugale qu'elle ne pouvait, ne voulait, voir à quel point son mari était dépassé par les exigences de la vie adulte et par le chaos émotionnel créé par ses conflits intérieurs. Quand Maurice se prit pour un beatnik et voulut à tout prix qu'ils aillent vivre à Rome avant la naissance de leur premier enfant, Madeleine se laissa griser, elle aussi, par ses visions de la Via Veneto et le suivit comme un caniche affectueux. Elle ne savait pas bien comment ni avec quoi ils allaient vivre, mais de toute façon ce n'était pas son problème, du moins pas à l'époque. Plus tard, quand Maurice sentit que l'heure avait sonné de quitter « les taudis de Springfield » et d'acheter une maison à la campagne, Madeleine applaudit ; mais jamais elle n'aurait elle-même abordé le sujet et elle ignorait complètement comment ils rembourseraient leur emprunt. Quand Maurice crut avoir enfin sa chance et qu'il allait écrire — quoi qu'il arrive — Madeleine s'arrangea pour que toute la famille l'aide à réaliser son rêve.

Jusqu'au jour où l'équation se faussa. Madeleine vit — enfin — que les enfants grandissaient, qu'ils prendraient bientôt le large et qu'elle resterait clouée jusqu'à la fin de ses jours aux côtés du Grand Auteur (de synopsis) américain et de sa bouteille de vin frelaté. Comme chez tant d'autres femmes, le départ des enfants était la gifle qui l'avait réveillée — brutalement — et lui avait fait prendre conscience de sa servitude aberrante. *Qu'allait-elle faire maintenant ? Qui serait-elle ? Car elle voyait qu'elle n'était pas une personne autonome et identifiable : elle n'était qu'un élément du tout qu'ils formaient.*

Le syndrome de la « *femme admirable* »

La femme qui consacre toute sa vie à garder son mari sur le droit chemin et à « protéger » ses enfants n'est pas une sainte, mais un crampon. Terrifiée à l'idée de couper les amarres, de devoir trouver et assurer ses propres points d'attache, elle préférera serrer les dents face à l'incroyable adversité. Pour peu qu'elle soit vraiment douée, elle ne paraîtra même pas en souffrir outre mesure. C'est la femme qui « voit le bon côté des choses ». Qui semble solide et énergique dans des situations qui anéantiraient la plupart des gens. Qui est, coûte que coûte, « merveilleuse avec les enfants ». Cette « femme admirable » se donne un mal fou pour plaire aux autres. Mais pour ce qui est de son développement personnel, elle n'a pas dépassé le stade du lycée. Elle « met le mariage au service de la régression », pour reprendre l'expression des psychologues, voulant dire par là qu'elle espère inconsciemment revenir, grâce à sa relation avec son mari, à une époque antérieure plus sécurisante. Pour la « femme admirable » le mariage constitue, selon deux psychologues du moi, Rubin et Gertrude Blanck, « un moyen d'être prise en charge et entretenue... d'acquérir un foyer au lieu d'en créer un... une occasion d'alléger le conflit au lieu de le résoudre ».

Couverture masquant des pulsions névrotiques profondes, une telle relation exige d'être manipulée en permanence et avec délicatesse. « Certaines femmes qui viennent me voir ont une conscience aiguë de ce qui donnera de bons résultats dans leur couple, dit Marcia Perlstein. Bien sûr, cet arrangement ne marche pas vraiment, sinon elles n'entreprendraient pas une thérapie. Extérieurement, le mécanisme semblera fonctionner, mais intérieurement, ces femmes ne sont pas heureuses. Elles sentent parfaitement que leur existence est dépourvue de sens. Leur unique sentiment de compétence consiste à pouvoir maîtriser la situation — obtenir ce qu'elles veulent par le biais de la dépendance. »

Dans les couples de ce genre, il existe différentes méthodes pour maintenir l'équilibre désiré. Parfois la femme prétend que son mari est supérieur — quitte à faire preuve d'un rare talent de contorsionniste pour réussir son coup. Certaines femmes en font si peu, restreignent si impitoyablement leur vie, qu'elles réduisent elles-mêmes leurs capacités. A l'aise seulement lorsqu'elles se sentent plus petites que leur mari, elles

calment et apaisent — et ignorent avec beaucoup
d'efficacité — leurs propres besoins, talents et intérêts.
(Le psychiatre Leon Salzman compare cette négation
de soi à celle « du prisonnier, de l'esclave ou du
membre d'une minorité qui finit par accepter l'image
peu flatteuse de son statut *afin d'obtenir le maximum de
sécurité et d'avantages* ». En d'autres termes, la servitude
présente des avantages — si grands que beaucoup de
femmes préfèrent rester esclaves plutôt que de compromettre la sécurité que leur vaut cet état.)

Un autre stratagème consiste à faire exactement le
contraire, à diminuer les hommes en déclarant qu'ils ne
sont que de grands enfants. « Les hommes sont tous
pareils », entendez-vous dans les conversations de jardin, de cuisine et de salon. « J'étais à un dîner où
aucune des femmes présentes ne travaillait à l'extérieur
et où tous les maris étaient astrophysiciens à Cal Tech,
racontait la sociologue Barrie Thorne. Tous ces cracks
étaient assis dans un coin du salon et parlaient de trous
noirs, tandis que leurs épouses, dans un autre coin, se
confiaient que leurs maris étaient de vrais bébés. »

Quand les femmes émettent ce genre de propos, une
chose est sûre : elles souffrent. En partageant ce cliché
rassurant, les-hommes-sont-de-grands-enfants, elles
expriment un peu de leur déception de petites filles sans
risquer pour autant de changer cet état de choses.
Jamais elles ne seront obligées de faire quoi que ce soit
pour leur vie personnelle. Elles se contentent, en toute
quiétude, de se plaindre. (Si elles sont des « femmes
admirables », elles ne se plaignent pas.)

Souvent, la femme dépendante chante les louanges de
son mari pour ensuite le démolir. Madeleine Boroff, par
exemple, montait en épingle les dons littéraires de
Maurice parce qu'elle justifiait ainsi le fait qu'elle
supporte son caractère destructeur et s'y soumette.
« Mon-mari-ce-génie » est un jeu plein d'attraits.
Grâce à lui, nous pouvons continuer à nous appuyer sur

ces « génies », même si leur absence de talent est manifeste.

Madeleine rabaissait aussi Maurice en décrétant qu'il était un être fragile et avait besoin de sa protection. Jouer les protectrices l'aidait à récupérer un peu d'estime d'elle-même. Dans son rôle d'infirmière patentée, une femme dont la confiance en soi est aussi mince qu'une feuille de papier à cigarette acquiert une puissance illusoire. « Tu vois comme je suis à la hauteur ? » proclame chacune de ses actions. « Fais-moi confiance. Compte sur moi. » (Et, intérieurement : « Ne me laisse jamais partir. »)

Sous prétexte d'aider leurs maris, beaucoup de femmes ont tout à gagner, sur le plan émotionnel, à ce que ceux-ci restent faibles. Ils auront ainsi toujours besoin de leurs épouses. Ils ne les quitteront jamais. (C'est le paradigme de la femme de l'alcoolique : extérieurement compétente et organisée, mais redoutant en son for intérieur d'être réduite à néant si elle se retrouvait seule.)

La « femme admirable » a, évidemment, la même forme de caractère que la « fille obéissante », celle qui a appris la passivité aux pieds de maman. On commence à constater les inconvénients de l'obéissance et de la docilité des filles dans presque tous les domaines de leur vie de femme. Une des études les plus récentes montrait qu'il existait un rapport entre « le syndrome de la fille obéissante » et les difficultés à atteindre l'orgasme. Dagmar O'Connor, une psychologue new-yorkaise qui a traité plus de six cents femmes dans le cadre d'un programme de thérapie sexuelle au Roosevelt Hospital, comparait deux groupes de patientes : celles qui ne parvenaient pas à l'orgasme et celles qui y parvenaient. Quatre-vingt-huit pour cent des femmes du premier groupe disaient avoir été des fillettes et des adolescentes « obéissantes ». Elles étaient dociles, travaillaient bien en classe, n'avaient jamais de conflit avec leurs parents.

Fait intéressant, trente pour cent seulement des femmes parvenant à l'orgasme tombaient dans cette catégorie. Il semblerait donc qu'il existe au moins une corrélation entre l'indépendance psychologique et la capacité d'atteindre l'orgasme. Les femmes psychologiquement dépendantes peuvent être terrifiées par la fusion avec l'autre, par la disparition momentanée des frontières de la personnalité et de l'identité. Déjà peu sûres de leur identité, se reposant sur autrui, vulnérables et impuissantes, le moment de l'abandon passionné leur est insupportable et elles refusent de s'y laisser aller.

La seconde fois ou la poursuite du mythe de la sécurité

Si les femmes sont prêtes à renoncer à beaucoup de choses pour le mariage, elles constatent souvent qu'il ne leur apporte pas la vraie sécurité. « C'est comme cette chanson, " Tu n'es pas capable de diriger ta vie, pas question que tu diriges la mienne " », me disait une femme que j'appellerai Jessica. « On se demande très vite : Comment cet individu bourré de défauts peut-il être responsable de moi ? »

Avant son remariage récent, Jessica avait vécu seule avec ses enfants pendant cinq ans, période durant laquelle elle avait repris ses études afin de devenir assistante dentaire. Peu après avoir commencé à travailler pour la première fois de sa vie dans la petite ville maraîchère du Massachusetts où elle vit, Jessica renonça à son indépendance toute neuve pour Ben, un nouveau et séduisant mari. Comme elle s'en aperçut rapidement, Ben voulait un bébé. Jessica avait déjà trois enfants de son premier mariage, mais à trente-quatre ans, elle se dit que c'était maintenant ou jamais si elle voulait souscrire à ce désir. Ben n'avait jamais eu d'enfant. Comment aurait-elle eu le droit de le priver de ce bébé s'il le souhaitait tant ?

Mais Jessica ne donna pas que ce bébé à Ben. Avec les treize mille dollars mis de côté après la vente de son ancienne maison, elle régla les dettes de son nouvel époux. Pourvue à présent d'un bébé d'un an avec un autre en route, elle regrettait d'avoir été si « généreuse » : « Je voulais faire table rase des dettes de Ben pour que lui et moi puissions repartir à zéro. Mais maintenant, quand je pense que je n'ai plus ma maison ni les treize mille dollars à la banque ni de métier, je me sens piégée. Je me dis : S'il arrive quoi que ce soit, si pour une raison ou une autre je veux reprendre mon indépendance, j'aurai vraiment du mal. »

L'attitude de Jessica illustre clairement le nouveau conflit féminin. Sur le plan affectif, cette femme veut s'offrir le luxe d'être prise en charge, mais elle est assez intelligente pour savoir que c'est payer très cher ce que Jessie Bernard appelle « les traquenards de la trop grande sécurité ». Jessica parle de sa « situation » avec une sorte de passivité, comme si elle n'avait pas voix au chapitre dans les décisions qui la concernent. « Soudain, je ne suis plus indépendante sur le plan financier, je ne le suis plus sur le plan professionnel. Parfois la colère m'envahit et j'explose. C'est parce que je ne contrôle plus ma vie. »

Les sociologues ont observé que les femmes effectuent plus de réajustements personnels que les hommes pour tenter de préserver la stabilité de leur mariage. En se mariant, la plupart des hommes n'ont pas l'intention de changer leur mode de vie. Ils s'imaginent que, pour l'essentiel, ils continueront à faire même chose, à penser comme avant, qu'ils resteront d'une façon générale la même personne, à cela près qu'ils ne seront plus célibataires, mais mariés [2].

Les femmes ne voient pas les choses ainsi. Nous devenons des épouses de la même manière que nous devenons des mères. Nous nous attendons à changer, à adoucir et à gommer toute ligne de démarcation entre

« lui » et « moi ». Au fond, nous voulons fusionner. Et alors que nous n'y consentons peut-être pas sciemment, si le résultat de la fusion est plus dominé par ses idées et ses attitudes à lui que par les nôtres, nous ne remettons pas en cause le contrat. « Se rétrécir en épouse, dit Jessie Bernard, implique une redéfinition du moi, une restructuration active de la personnalité pour se conformer aux désirs, aux besoins ou aux exigences des maris. »

« Se rétrécir en épouse » sous-entend aussi qu'on renonce à ce qu'on sait faire. Pour beaucoup de femmes mariées aujourd'hui, le problème est qu'elles seraient incapables de subvenir à leurs besoins parce qu'il y a beau temps que la compétence qu'elles possédaient avant leur mariage s'est atrophiée. Comme vous le diront les femmes qui sont passées par là, il est tragiquement faux de croire qu'on peut « laisser tomber son boulot » pendant six ou sept ans pour reprendre du jour au lendemain une carrière comme si rien ne s'était passé entre-temps. Vous pouvez avoir besoin d'un recyclage, d'une période de réévaluation. Vous n'êtes plus la même personne qu'avant votre mariage. « C'est extrêmement subtil, disait la femme qui avait renoncé à son métier et à son petit pécule de treize mille dollars. Quand je vivais seule, divorcée et sans mari, j'avais l'impression d'être capable de faire n'importe quoi. J'avais des responsabilités. Dès que je suis rentrée dans le mariage, j'ai commencé à compter sur l'autre pour faire un tas de choses à ma place. S'il ne les fait pas, je me dis : Ce n'est pas juste ! »

De par sa nature, la dépendance crée le doute de soi. Des études comparées sur la sexualité montrent que les épouses ont d'elles-mêmes une idée considérablement plus négative que leurs conjoints d'eux-mêmes. Elles font preuve d'un souci touchant à l'obsession de détails comme leur aspect physique, leur pouvoir de « séduction ». Si elles ont du mal à s'adapter à quelque aspect de la vie conjugale, elles s'accusent immédiatement et ont tendance à mettre le problème sur le compte de leurs insuffisances personnelles. Même quand les difficultés viennent du mari, les femmes s'en sentent responsables.

Parmi toutes les femmes que j'ai interrogées en préparant ce livre, celles qui avaient la trentaine et s'étaient remariées après un divorce, *mais sans avoir acquis assez d'indépendance entre l'époux n° 1 et l'époux n° 2*, se montraient d'une résignation plus grande que les autres et d'autant plus poignante. « Quand nous avons divorcé, j'ai eu l'impression de ne pas exister, jusqu'au jour où le mari suivant s'est profilé à l'horizon, disait une femme de Little Rock. Je l'attendais, c'est tout. »

« Je ne suis pas entraînée, disait une femme possédant une maîtrise et n'ayant jamais travaillé. Je n'ai jamais eu à envisager d'être obligée de gagner ma vie ni celle de mes enfants et c'est vraiment dur de se mettre à voir les choses sous cet angle. »

« Un jour vient, déclarait une autre, où on doit se dire : Il y a tout de même quelque chose qui ne me plaît pas chez cet individu, quelque chose dont je n'avais pas conscience avant de m'engager et que, maintenant que j'ai mûri et changé, je ne peux pas tout à fait accepter. La question est alors : Que fais-je ? Vous songez au divorce, à la séparation, mais la seconde fois, ce n'est pas si facile. »

« A un certain stade, disait la femme qui avait sacrifié ses économies, vous comprenez que vous aimeriez peut-être que certaines choses changent, mais qu'il ne faut sans doute pas y compter — on ne change pas la nature profonde des choses. Parfois, cette idée me déprime, et puis je me dis : Ça doit pouvoir s'arranger. Avant je pensais que j'aimerais que ça change, mais maintenant je me dis qu'il faut savoir accepter. »

Les femmes qui ne se plaignent pas, qui sont stoïques

et « fortes » dans des unions émotionnellement pauvres, sont en général dotées d'un degré de dépendance pathologique. En tant qu'épouses, elles sont incapables d'affronter leur mari car, pour le faire, elles devraient d'abord identifier leur propre colère ou hostilité et ce serait bien trop dangereux. Ce sont les femmes qui aiment non par un choix que nourrit une force intérieure — une tendresse et une générosité qu'elles peuvent se permettre parce qu'elles se sentent totales et estimables. Ce sont les femmes qui « aiment » parce qu'elles ont peur d'être seules.

Emerger

La dépendance se nourrit d'elle-même. La femme dépendante finit par se retrouver réellement en position d'esclave. Humiliée, elle lèvera les yeux vers son « oppresseur », l'homme sur qui elle s'appuie. Car à ce stade il lui est difficile, voire impossible, de regarder en elle-même.

Marcia Goldstein, une psychothérapeute de Berkeley, en Californie, aide les couples qui veulent sortir de leurs rapports de symbiose et de fusion. Parfois, ses patients poursuivent la vie commune, désormais capables de savourer une existence plus satisfaisante en tant qu'individus et de mieux aimer, d'être moins agressifs l'un envers l'autre. Parfois aussi, ils rompent. Mais comme le montre l'histoire suivante, le renoncement à une relation essentiellement animée, pour les deux partenaires, par une dépendance de fusion n'est pas obligatoirement destructeur. Il peut réellement déboucher sur la liberté.

L'homme (appelons-le Al) se lançait toujours dans une liaison amoureuse avant d'être vraiment prêt. « De type passif-agressif, il semblait s'accommoder des choses, puis le regrettait ensuite », me disait la thérapeute.

La femme (que j'appellerai Line) était une personne active, ouverte ; enseignante, elle s'occupait de l'administration d'une école. Depuis quatre ans que durait sa liaison avec Al, elle avait perdu son efficacité et sa confiance en elle. Ses amis la trouvaient très changée par rapport à ce qu'elle était « avant Al ». Plus elle allait vers lui, plus il se repliait sur lui-même. Il se plaignait qu'elle l'envahissait ; elle faisait alors marche arrière, son estime d'elle-même en miettes.

Artiste frustré, Al voulait voir s'il réussirait à faire une carrière dans l'art commercial. Line l'encourageait à travailler le soir dans son atelier, mais elle restait debout, « au cas où il aurait voulu dîner ensuite ou faire quelque chose ». Al, sentant qu'elle l'attendait, avait l'impression d'être étouffé par sa présence.

Tous deux étaient vraiment devenus « deux silhouettes blafardes engagées dans une répétitive danse de mort ». Le stress émotionnel dû aux efforts qu'ils faisaient l'un et l'autre pour contenir leur colère et leur rancune les minait. Al passait son temps à réclamer frénétiquement un peu d' « espace », une solitude qui lui permettrait de travailler d'une manière libre et spontanée. En fait, il craignait intérieurement de se libérer parce qu'il ne voulait pas faire l'expérience de la solitude ; aussi extériorisait-il son conflit personnel et en rejetait-il la faute sur Line.

Line, de son côté, avait peur qu'Al ne s'éloigne d'elle. Elle ressentait le fait qu'il fût un individu distinct, à part entière, comme la négation de leur couple. « Dans les couples adultes fusionnés, observent Wexler et Steidl, le ou la partenaire est perçu (e) comme représentant la totalité du monde, comme entièrement responsable du bien-être ou des souffrances de l'autre. Si les partenaires sont en harmonie et que chacun réponde aux besoins de l'autre, tout va bien. Mais si l'un d'eux n'a pas les réactions que l'autre attend de lui, la relation se détériore... »

Pour garder en équilibre un rapport de fusion, les deux partenaires doivent rester exactement ce qu'ils sont. Il n'y a pas de place pour la maturation ni le changement dans une transaction aussi peu souple. L'un ou l'autre des partenaires risque fort de tout fausser en voulant plus, en exprimant sa déception ou en se sentant menacé. C'était le cas de Line et d'Al, comme l'expliquait leur thérapeute. Bien que Line se sentît, consciemment, raisonnable et mûre, elle était terriblement perturbée au fond par les soirées qu'Al passait seul à l'atelier. « Quand l'autre personne n'est pas présente, disent Wexler et Steidl, la relation paraît définitivement compromise, ce qui est ressenti comme la perte du moi. L'extrême dépendance est interprétée comme une union profonde. »

Comment sort-on d'une telle prison ?

« Line et Al tentèrent l'essai d'une séparation de trois mois, me dit Marcia Goldstein. C'est une stratégie que j'ai déjà utilisée avec d'autres couples — pour essayer de les décrocher l'un de l'autre, de leur donner un peu d'espace pour respirer, et pour leur permettre de s'interroger sur eux-mêmes le cas échéant. Le premier mois, ils vivent séparément, mais seuls, et s'efforcent de se débrouiller de façon autonome. Le deuxième mois, ils peuvent avoir des relations avec d'autres partenaires ; s'ils le désirent, il leur est possible d'utiliser cette phase de l'expérience pour mettre en place un autre type de rapports. Le troisième mois, retour à la monogamie ; c'est une phase où ils réévaluent leur relation et déterminent ce qu'ils ont ou n'ont pas dans celle-ci. »

Les trois mois écoulés, elle leur demanda de décider chacun de leur côté ce qu'ils voulaient faire : se séparer définitivement ou rester ensemble.

Au cours de la séance qui suivit la séparation à l'essai, Line eut ce que sa thérapeute appelle la « réaction dépendante classique ». « Elle commença par dire qu'elle savait que ce serait long, mais qu'elle aimait vraiment Al et qu'elle savait que lui l'aimait vraiment, et que même s'il avait pris ses distances par rapport à elle, s'il voulait essayer de nouveau, elle était prête à en faire autant, et patati et patata. Tout ça paraissait très sensé et équilibré, mais masquait sa conviction d'être incapable de se débrouiller sans Al. » Line n'avait encore pris, en réalité, aucune décision et s'accrochait désespérément à « leur relation ».

Entre-temps, la thérapeute avait vu Al et savait qu'il avait décidé de rompre. Comment Line, aussi dépendante de son amant, allait-elle le prendre ?

« En fait, derrière la façade de sa préoccupation apparente au sujet d'Al, il s'était passé beaucoup de choses dans la vie de Line, continua Marcia Goldstein. Elle avait trouvé un travail plus intéressant. De plus, et c'était très important, elle avait eu de bien meilleurs contacts avec ses amis pendant ce temps de séparation — avec des femmes et même avec certains de ses anciens soupirants. Ils avaient fait des promenades, des pique-niques, ils avaient discuté. Comme tant de femmes dépendantes, Line avait tout simplement refermé la porte sur elle et l'élu de son cœur et en était arrivée au point où elle ne pouvait même plus établir de rapports avec les gens. »

Line continuait à se croire profondément dépendante d'Al, mais c'était une conviction fondée sur son ancienne façon de se percevoir et non sur la réalité de sa nouvelle vie. « Sachant que Line avait commencé à mettre sur pied une structure efficace de vie personnelle, je lui demandai si elle voulait à tout prix poursuivre sa relation avec Al. Elle réfléchit un moment, puis me dit : " Non. S'il continue à m'en vouloir et à voir en moi l'unique raison qui l'empêche de se consacrer à son art, s'il devait avoir l'impression de me faire une faveur en restant avec moi, alors non, là je ne marcherai pas. " »

Quand Line vint à la séance suivante, avec Al cette

fois, elle était dans un état émotionnel de « courageuse vulnérabilité », comme le qualifie Marcia Goldstein. Elle dit en gros à Al : « Je ne vais pas te mentir. Nous avons vécu trop de choses ensemble pour que je fasse semblant. » Et encore : « Notre relation a beaucoup d'importance pour moi, en partie pour ce qu'elle représente dans ma vie, en partie par habitude, mais essentiellement parce que je tiens beaucoup à toi. Et si je sentais que tu veux vraiment la vivre, que tu peux vraiment t'y engager à fond, totalement, et que nous essayions en même temps de vivre chacun notre vie — si je sentais que tu veux tout cela, je souhaiterais que nous restions ensemble. Mais si tu as la moindre hésitation et si tu ne veux pas, même si cela doit me faire mal, je suis vraiment prête à ce que nous nous séparions. »

Marcia : « Al dit à Line qu'il ne pouvait pas lui donner ce qu'elle cherchait ; et ils ont rompu à ce moment précis, dans mon bureau. J'ai trouvé ça incroyablement beau. Line accédait enfin à l'indépendance. »

Depuis leur séparation, Line est « plus tendre et plus vulnérable, elle aime davantage ses amis », dit sa thérapeute. Et elle projette de faire un voyage en Europe. « C'est important ; quand les gens sortent vraiment de la dépendance, ils le font d'une manière positive. Ils vivent le côté liberté de l'indépendance, pas son isolement. S'ils continuent à se sentir dépendants, quoi qu'ils fassent ils vivent le côté isolement et s'apitoient sur eux-mêmes : " Je suis seule au monde et je n'aurai jamais plus de relation profonde avec quelqu'un, jamais plus je ne serai heureuse. " Line est en train de se dire : " Je n'ai pas à me soucier qu'il m'aime ou ne m'aime pas. Je peux aller passer trois mois en Europe ; ensuite, je peux revenir, m'organiser, investir dans mon travail. " C'est le vrai baromètre indiquant si oui ou non vous êtes dégagée de la dépendance ; si vous

n'avez pas cette énergie, cette confiance, c'est que vous
n'êtes pas encore libre. »

NOTES

1. Selon Joan Wexler et John Steidl qui analysent cette « réabsorption », « la fusion est une tentative pour éviter l'isolement,
renoncer à l'intuition et à l'empathie mature, et reconquérir un
stade d'empathie primitive ».

2. Les études ont montré que la santé mentale des femmes
mariées était moins bonne que celle des femmes célibataires ou
celles des hommes mariés ou célibataires.

Une étude réalisée en 1960 et portant sur un échantillon de 2 000
hommes et femmes mariés observait un degré d'anxiété considérablement plus élevé chez les femmes que chez les hommes. D'après
les auteurs de cette étude, l'inquiétude des femmes traduisait « leur
investissement dans la vie ». Les maris sereins manquaient, à leurs
yeux, de cet « engagement » et de ces « aspirations ».

CHAPITRE VI

LA PANIQUE DES GENRES

Comment, lorsqu'on n'a jamais rien osé dans la vie, se lance-t-on ? Qu'est-ce qui vous donne le petit coup de pouce, l'impulsion nécessaire pour aller jusqu'à la limite du monde familier et sauter ? Pour beaucoup de femmes, c'est le désespoir.

Quand je me décidai enfin à écrire, ce ne fut ni à l'université ni dans les bureaux de *Mademoiselle,* mais dans un petit cinq-pièces minable à proximité d'un chemin de fer au nord de Greenwich Village, alors que mon deuxième bébé avait un mois. Je me rappelle avec précision cette fameuse nuit, car je fus prise entièrement au dépourvu. Ce fut un geste impulsif, complètement gratuit (du moins m'apparut-il ainsi après coup) — un besoin soudain, urgent d'écrire, de mettre des mots sur le papier. Ces mots marquaient un commencement ; ils allaient directement de ma tête au papier, sans aucune ingérence des Autres. C'était splendide, net et clair, ma première expérience profondément indépendante depuis mon mariage. L'appartement était calme et en ordre. Mon mari s'était endormi sur le canapé du salon. Mon fils prenait sa tétée de minuit. Je me revois le calant contre mon sein et commençant à griffonner de ma main restée libre. Pendant que le bébé tétait, les idées affluaient à mon esprit, quelque chose que je voulais communiquer aux autres. J'écrivais d'une traite, comme sous l'effet de la fièvre, m'arrêtant à peine pour coucher le bébé. J'étais seule à ma table, tout juste consciente des cheminées des toits voisins pendant que le jour se levait.

Je m'étais mise à écrire parce que je ne voulais plus être seule. C'était un vieux sentiment de solitude, bien antérieur à celui que j'avais ressenti dans le mariage. Il datait de la petite école paroissiale de Valley Stream, de Long Island, des religieuses étranges et renfrognées, de mon corps frêle ; de mes dents écartées ; du fait que je me sentais trop jeune, trop maigre, jamais en harmonie avec le monde qui m'entourait, avec mes parents, mes camarades de classe, mes amies. Des années durant, j'avais été à la fois un franc-tireur et un leader, renfermée et extravertie. J'avais toujours existé en étant légèrement décalée par rapport à l'image que j'avais de moi, d'où cette impression de solitude et d'aliénation. Aussi, quand je finis par émerger de mon cocon, fus-je motivée par l'envie de dire : « Répondez-moi. J'ai quelque chose de commun avec vous. J'éprouve des sentiments que vous reconnaîtrez sûrement. » Je pense qu'à ce moment-là, comme maintenant, j'écrivis pour créer un sentiment de communion avec les autres femmes.

Au début, je m'avançai sur un terrain sûr (les sentiments que je décrivais n'avaient rien de dangereux) : mes frustrations de jeune femme et de jeune mère essayant de se débrouiller au mieux dans une grande ville sale et bruyante. Dans ma solitude, je m'imaginais que les femmes qui lisaient mes articles me verraient réellement en train de me tailler tant bien que mal une robe sur la base d'un patron de *Vogue* dans mon salon donnant sur une cour et des jouets cassés jonchant le sol. Elles sauraient, pensais-je, que parfois je ne désirais rien de plus que de pouvoir tracer un trait d'eye-liner net et sans bavure pour sortir et oublier que je n'avais pas encore trente ans et que je me sentais vidée. Une fille qui, sans savoir pourquoi, était devenue vieille et fatiguée avant même d'avoir eu la possibilité de s'épanouir.

Le temps passant, les frustrations devenaient plus profondes et le risque qu'il y avait à en parler, plus grand. Sept ans après la parution de mon premier article, j'étais prête à commencer à le faire. J'étais prête aussi, et ce n'était pas une coïncidence, à mettre fin à mon mariage. Deux besoins qui, me semblait-il, se rejoignaient — le besoin de rejeter la fausse sécurité de ma relation de couple et celui d'utiliser ce que j'écrivais pour me définir. Je commençais enfin à penser pour moi. Les opinions de mon mari, auxquelles je m'étais accrochées au début avec une fascination de gamine et, plus tard, parce que j'étais devenue incapable de raisonner par moi-même, me paraissaient maintenant quelconques. Je me rendais compte que je voyais presque tout sous un jour différent du sien et qu'un grand nombre des choses qu'il jugeait importantes me semblaient totalement dénuées d'intérêt.

Et puis, je voyais aussi que cet homme était incapable de me protéger dans la vie. J'en étais arrivée à un point où je trouvais moins dangereux de vivre seule que de m'obstiner dans une union qui nous plongeait, l'un comme l'autre, dans un abîme de déception. Bizarrement, cette prise de conscience survint à la fin d'une année où Ed n'avait pas touché une goutte d'alcool. Nous étions des gens ordinaires, sans originalité, sans rien de spécial. Vide de crises, notre vie à deux commençait à ressembler, spirituellement et affectivement, à un désert.

En écrivant, et parce que j'écrivais, j'avais commencé à me réaliser. Ecrire exige qu'on fasse un usage solitaire de son esprit et de ses émotions. Personne n'est là pour vous remonter le moral à mesure que vous alignez les paragraphes, pour vous dire : « C'est bien, ma chérie,

tu es sur la bonne voie. » Vous êtes seule à décider et les
décisions n'en finissent pas. Il existe bien des façons de
se connaître et de s'accepter, de prendre la vie à bras le
corps. Dans mon cas, c'est écrire qui amorça le
processus.

Pourquoi donc avons-nous décidé de rester des
créatures fusionnées, indifférenciées, qui s'obstinent à
ne pas se définir ? Combien d'entre nous sont-elles
encore incluses dans cette statistique cachée, dans cet
énorme réservoir de dons inexploités enterré sous la
surface de la population féminine bourgeoise ?

« Les gens passent leur temps à me répéter que
j'avais l'esprit créateur, m'écrivait une femme de Bed-
ford Village, banlieue aisée du Westchester County,
dans l'Etat de New York. Plusieurs de mes amies, avec
une patience d'ange, sont toujours persuadées que je
vais soudain me manifester dans le monde artistique
comme une comète longtemps attendue. Alors que de
neuf heures du matin à cinq heures du soir, chaque jour
que Dieu fait, elles tapent — et que j'ai tapé — des
rapports d'électrocardiogrammes. Et alors que je suis
restée dans une sorte d'état larvaire à essayer de décider
ce que j'allais faire plus tard. Aidez-moi. Ou je me
rassieds à mon piano ou je vais soigner mes choux dans
mon jardin. » (L'auteur de cette lettre a trente-sept
ans.)

Un début d'explication au fait que les femmes
hésitent tant à utiliser leurs dons nous est venu d'Ann
Arbor à la fin des années soixante. Frappée par la
panique d'un type très particulier qu'elle avait elle-
même éprouvée pendant sa difficile progression vers un
doctorat en psychologie, Matina Horner commença à
subodorer que la réussite — l'idée de la réussite — avait
une signification très différente suivant le sexe. Les
femmes ne semblent pas rechercher la réussite comme
le font les hommes. Elles s'en protègent. Elles éprouvent

autant d'anxiété quand les choses vont bien que lorsque le rejet ou l'échec paraissent imminents. On dirait que bien se débrouiller — devenir vraiment efficace dans un domaine donné, réussir — terrifie un nombre incroyable de femmes possédant les qualités requises pour produire quelque chose d'important au cours de leur vie. Horner jugea que le phénomène valait la peine d'être examiné de plus près. S'embarquant dans une série de travaux qui devaient la catapulter aux premières lignes d'un terrain nouveau, la psychologie féminine, elle commença par étudier un échantillon de quatre-vingt-dix filles et quatre-vingt-huit garçons à l'université du Michigan. Ces tests l'amenèrent à identifier un phénomène auquel personne n'avait même songé : la tendance qu'ont les femmes à tellement se crisper à la seule idée de réussite que la volonté de réussir n'existe plus. C'est ce qu'elle a appelé la peur de réussir.

Il est très vite apparu, à mesure que les données affluaient, qu'un pourcentage élevé de femmes souffraient de cette peur — tellement plus de femmes que d'hommes qu'on pouvait voir d'une certaine façon dans ce phénomène une composante propre à la psyché féminine. Ce n'était pas simplement une incertitude quant au fait de posséder les qualités nécessaires pour réussir. *Plus les femmes étaient douées, plus elles étaient anxieuses.* « Les femmes qui souhaitent le plus réussir », dit Matina Horner, sont aussi celles que paralyse le plus la peur d'y parvenir [1].

Cette découverte suscita peut-être des controverses dans les milieux académiques, mais nous — dûment informées par les médias — nous reconnûmes aussitôt de quoi il retournait. Ainsi, les femmes se barraient elles-mêmes la voie de la réussite ? Cette anxiété à propos des hommes, de l'amour, de la sécurité affective, tout ce qu'on fourrait dans ce terme lourdement lesté : « Féminité », aurait donc été sinon la raison majeure, du moins un élément important de ce qui nous freinait ?

La crise en matière de réussite

Pour démasquer cette peur bizarre et jusqu'ici non identifiée, Matina Horner eut recours à la méthode dite des « éléments projectifs dans le récit complété ». Grâce à elle, la psychologue put explorer les attitudes inconscientes des étudiants et découvrir ce qu'ils ressentaient vraiment, et non ce qu'ils pensaient ou auraient aimé ressentir. On demandait aux étudiants des deux sexes d'écrire une histoire imaginée à partir d'un « indice », une phrase de départ conçue de façon à leur faire dire ce qu'ils pensaient et éprouvaient sur certains points. Pour les étudiantes, l'indice était le suivant : « A la fin des examens du premier trimestre, Anne se retrouve en tête de sa classe à l'école de médecine. » (Pour les étudiants, la phrase était la même, « John » remplaçant Anne.) Les récits étaient ensuite analysés par l'équipe de chercheurs. Le principe est le suivant : dans ces tests de récits-projection, le scénario imaginé exprime indirectement les attitudes réelles du sujet et ses attentes.

Matina Horner repérait que la « peur de réussir » était à l'œuvre quand le sujet émettait des affirmations indiquant qu'il ou elle s'attendait à ce que des conséquences négatives emboîtent le pas à un succès universitaire particulièrement remarquable. Ces conséquences négatives incluaient la peur d'être socialement rejeté, ou de perdre sa qualité de flirt éventuel ou de candidat au mariage, et celle de se retrouver isolé, seul ou malheureux du fait de cette réussite.

Le bruit des travaux de Matina Horner se répandit comme une traînée de poudre dans les universités. Elle constata qu'il existait d'énormes différences dans la façon dont les hommes et les femmes réagissaient à la perspective du succès. Les garçons faisaient preuve d'enthousiasme devant la possibilité d'avoir une carrière brillante, perspective qui ratatinait d'angoisse les filles. Quatre-vingt-dix pour cent des sujets masculins de Horner pensaient pouvoir non seulement s'accommoder parfaitement de la réussite dans le monde du travail, mais aussi qu'elle les aiderait à mieux se placer auprès des femmes. Soixante-cinq pour cent des sujets féminins de Horner se faisaient de la réussite une idée qui allait du découragement à la panique pure et simple, en passant par toutes les nuances imaginables. D'après Horner, la raison principale en était la suivante : *les femmes pensaient que leur réussite professionnelle compromettrait leurs rapports avec les hommes.* C'était aussi simple que cela. Les filles pourvues de soupirants pensaient qu'elles les perdraient. Celles qui n'en avaient pas pensaient qu'elles n'en auraient jamais.

Plutôt que de risquer de vivre sans amour, les femmes renoncent à beaucoup de choses, semble-t-il — elles renoncent à leurs ambitions, les ignorent et vont anxieusement se réfugier dans l'anonymat des « quatre-vingts pour cent ». A d'autres le destin de la solitaire privée d'amour et moisissant sur le trône glacé de la réussite professionnelle. *Les femmes veulent, plus que tout, se percevoir en fonction d'un autre.* Cela est essentiel et passe avant tout le reste.

Calamity Anne

Voyons un peu comment les étudiantes de l'université du Michigan traitèrent la situation embarrassante dans laquelle se trouvait Anne à la faculté de médecine.

Dans les récits imaginés par une grande majorité des filles, Anne aurait pu tout aussi bien être atteinte de lèpre compte tenu de l'isolement auquel la condamnait sa réussite anormale. Son intelligence supérieure allait lui attirer tant d'ennuis que mieux valait la cacher. Une étudiante suggéra qu'Anne renonce immédiatement à sa position de tête. En lâchant un peu de lest dans son travail et en aidant son ami Carl, Anne pourrait se marier rapidement, laisser tomber ses études et « se concentrer sur l'éducation des enfants (de Carl) ».

Le même thème revenait régulièrement dans les récits des étudiantes : Anne ne pouvait pas prétendre à l'affection masculine si elle s'entêtait à réussir avec autant d'ostentation. Son cas les inquiétait et les agaçait. Elle n'était pas « heureuse », disaient-elles. Ou elles la trouvaient d'une agressivité peu faite pour séduire. Cette « Anne », laissaient-elles entendre, piétinait sans scrupules les autres — famille, mari, amis — dans la poursuite odieuse de ses ambitions.

Toutes les filles semblaient surtout craindre d'être socialement rejetées. « Anne est un rat de bibliothèque bourré d'acné, écrivait l'une. Elle court vers le tableau d'affichage et voit qu'elle est la première. " Comme toujours ", crâne-t-elle. Le reste de la classe répond par un chœur de grognements. »

Une autre étudiante, se demandant si une femme aussi brillante et ambitieuse n'était pas un peu anormale, estimait qu'Anne devait faire marche arrière au plus vite. « Malheureusement, Anne a maintenant des doutes sur sa vocation de médecin, écrivait-elle. Elle se pose des questions et se demande si elle est vraiment normale... Anne décide de ne pas poursuivre ses études de médecine, mais de s'inscrire à des cours qui auront une signification plus personnelle et plus profonde. »

Certaines histoires étaient franchement bizarres. Une étudiante se sentait si révoltée à l'idée qu'Anne puisse se réjouir de son succès qu'elle la punissait avec une brutalité effarante : « Anne commence à proclamer sa surprise et sa joie », écrivait-elle, mais elle « dégoûte » tellement ses condisciples par son attitude « qu'ils se précipitent sur elle en bloc et la rouent de coups. Elle est estropiée à vie ».

Si extrême qu'elle soit, la peur exprimée par ces

femmes, à savoir que la réussite handicape leur vie sociale, n'est pas entièrement dénuée de fondement. Les idées traditionnelles sur ce qui est désirable chez les femmes continuent à occuper une place étonnamment importante chez la fine fleur du contingent de célibataires : les jeunes loups de l'Ivy League[2]. Une étude récente portant sur six collèges et universités mixtes du Nord-Est des Etats-Unis révélait un fait pour le moins surprenant : *la vaste majorité des étudiants pensent épouser des femmes qui ne travailleront pas et resteront à la maison.* Ils se voient en soutien de famille, tandis que leurs épouses resteront chez elles avec les enfants. « Peut-être une fois que les gosses iront en classe », disent-ils. *Peut-être.*

Dans son livre *l'Avenir du mariage,* Jessie Bernard écrit que l'agressivité, la pulsion et le désir de réussir — qualités indispensables pour avoir des métiers bien rémunérés dans notre société — « sont précisément ce que les hommes ne veulent pas trouver chez leur femme ». Les étudiants pleins d'avenir — ceux des grandes écoles en tout cas — continuent à chercher des mères pour leur progéniture. Pas des femmes poursuivant une carrière et capables de se débrouiller dans la vie avec autant d'aisance — et d'indépendance — qu'eux.

Il apparaît peu à peu que ce conflit sur le travail est fortement lié à la classe sociale. Dans les études réalisées par Matina Horner, les femmes que troublait le plus l'éventualité d'une future réussite venaient en général de familles de la moyenne et haute bourgeoisie dotées de pères réussissant — de pères assez semblables au cru actuel de ces garçons souhaitant pour épouses des femmes sans ambitions. Dans ces familles, les mères ne travaillaient pas ou le faisaient en amateur, sans vraiment s'engager à fond sur le plan professionnel.

Les femmes moins bloquées par la réussite venaient de familles des classes inférieures, où les mères étaient souvent plus instruites que leurs maris et travaillaient

habituellement pendant toute leur vie. La réussite et la
féminité ne créaient pas de conflit chez les filles de ces
femmes parce qu'elles avaient grandi en voyant ces
deux composantes harmonieusement intégrées chez
leurs mères.

Le rapport entre les différences de classes et le conflit
des femmes devint encore plus manifeste quand, dans
des études ultérieures, Horner repéra un parallélisme
fascinant entre les femmes blanches et les hommes
noirs. Les premières comme les seconds craignent
nettement plus de réussir que les hommes blancs et les
femmes noires. Dix pour cent seulement des hommes
blancs étaient aux prises avec la « peur de réussir », et
vingt-neuf pour cent seulement des femmes noires.

Les résultats des travaux de Matina Horner étaient si
dérangeants qu'elle voulut aller plus loin et voir dans
quelle mesure les attitudes des femmes exprimées par
les tests où on leur demandait de terminer une histoire
coïncidaient avec leur réussite réelle dans la vie. La
« peur de réussir » réduisait-elle vraiment leurs possibilités ? *Les femmes qu'inquiétait la réussite avaient-elles moins de*
chances de réussir ?

On fit passer aux mêmes étudiants que dans l'étude
précédente des tests comportant une série de tâches qui
faisaient ou non appel à l'esprit de compétition. D'après
Horner, les résultats « montraient on ne peut plus
clairement » que lorsque les femmes attendent les pires
conséquences de leur réussite, elles font tout pour
l'éviter.

Le processus constitue une sorte de prophétie s'ac-
complissant d'elle-même :

l'attente des conséquences négatives → conduit à →
l'éveil de la peur de réussir
la peur de réussir → conduit à → moins de réussite

Une fois que la peur de réussir est éveillée chez les
femmes, le niveau de leurs ambitions chute aussi

brutalement que le mercure rencontrant un front froid. Les femmes ne courtisent pas l'échec : elles évitent le succès. Par exemple, même si la moyenne de leurs notes se situait dans les tranches supérieures, les femmes redoutant beaucoup de réussir optaient pour des professions moins stimulantes et dites « féminines » — femme au foyer, mère, infirmière, enseignante — comme si, en se gardant de carrières plus rudes, elles pouvaient se prouver qu'elles étaient encore acceptables en tant que femmes. Pour la femme prise en tant qu'individu, éviter la réussite sera moins visiblement destructeur que rechercher l'échec, mais on ne peut sous-estimer les conséquences de ce phénomène sur les femmes en général. *La tendance que nous avons à nous limiter, à reculer devant nos capacités naturelles plutôt que de risquer de ne plus être aimées, découle de ce que j'ai appelé plus haut « la confusion des rôles »* — *notre nouvelle incertitude sur notre identité de femmes. Plutôt que de connaître l'anxiété liée aux réalisations (et risquer, ce faisant, de nous sentir non féminines), nous ne faisons rien.*

Les femmes jouent à un triste jeu de négation d'elles-mêmes. Les étudiantes fortement soumises à la « peur de réussir » réduisent le niveau de leurs ambitions à mesure qu'elles avancent dans leurs études, constatait Matina Horner. Si Julia entre en première année de médecine avec l'espoir d'exercer un jour, il y a de fortes chances qu'en dernière année elle ait décidé que rien ne lui plairait davantage qu'une carrière paramédicale. Le crack de deuxième année d'histoire visant l'agrégation se dit en terminant sa dernière année que ce serait formidable d'enseigner l'histoire à une classe de dixième, quitte à décrocher une ou deux unités de valeur supplémentaires pour entrer dans l'enseignement. Maman dit que c'est la voix du bon sens ; papa aussi.

Comme son ami, d'ailleurs. « Tu pourras toujours te

recaser comme prof quand les enfants seront grands »,
lui assure-t-il.

Et les femmes immunisées contre la « peur de
réussir »? Leur avenir s'annonçait sous un jour considérablement plus rose. Fait étrange, alors qu'elles
étaient naturellement moins douées que les femmes
craignant beaucoup de réussir, elles envisageaient des
études supérieures et des carrières dans les sciences
exactes — maths, physique et chimie. Sur ce point, les
femmes craignant peu de réussir ressemblent aux
hommes. Ceux-ci ont souvent des ambitions qui ne
correspondent pas à leurs possibilités réelles. Cela les
conduit tout simplement plus loin dans la vie que s'ils
ne les avaient pas eues. *Les hommes fonctionnent à plein
rendement. Ils peuvent engendrer un type d'anxiété qui leur est
propre en se lançant sur la mince couche de glace en outrepassant
les moyens que leur a donnés le Seigneur, mais au moins ils vont
jusqu'au milieu de l'étang. Les femmes tournent au ralenti. Elles
rétrogradent devant leurs possibilités et visent très au-dessous de
leur niveau naturel d'accomplissement.*

Si bien que beaucoup ne quittent jamais le bord de
l'étang.

Quand, en 1968, Matina Horner publia les résultats
de ses premières observations, beaucoup pensèrent que
les femmes avaient sûrement dépassé ces peurs navran-
tes — en admettant qu'elles les eussent jamais connues.
A quoi le mouvement des femmes s'était-il employé, en
effet, sinon à élargir et à assouplir les frontières
culturelles de la « féminité »? Les travaux originels
de Horner remontaient à l'âge des ténèbres — à 1964.
Désormais, les étudiantes faisaient des pieds et des
mains pour s'assumer et se tirer seules d'affaire... non ?

Horner poursuivit ses recherches, seulement cette fois
elle prit pour sujet des femmes « libérées » de la fin des
années soixante et du début des années soixante-dix. Ce
qu'elle découvrit contredisait toutes les idées que nous
nous faisions, médias aidant, sur « la femme nou-

velle » : une proportion encore plus élevée de femmes présentaient tous les symptômes de la « peur de réussir ».

Et s'effondraient dans les situations qui faisaient appel à l'esprit de compétition.

Et réduisaient leurs ambitions professionnelles pour se tourner vers des métiers moins exigeants, plus « féminins ».

En 1970, Horner déclarait : « *Les attitudes négatives exprimées par les femmes blanches sont passées des soixante-cinq pour cent constatés dans l'étude de 1964 à quatre-vingt-huit pour cent.* »

Il en coûte cher de piétiner ses ambitions

Rappelez-vous comme on encourage les adolescentes à éviter tout ce qui les rend anxieuses et vous commencerez à comprendre pourquoi ces femmes ambitieuses et douées pour les études peuvent abdiquer avec autant d'empressement. Elles veulent fuir la « confusion des rôles ». Elles craignent tant de risquer de perdre leur valeur de « femme » en faisant ce dont elles sont capables qu'elles se mettent en quête de choix moins menaçants. Elles essaient de devenir des Femmes, avec un F majuscule. Et elles échouent. Les femmes craignant la réussite parviendront à se rendre plus ou moins banales, à plus ou moins correspondre à l'image acceptable de « la-fille-d'à-côté », mais elles seront vite assaillies par une foule d'autres problèmes. « L'agressivité, l'amertume et la confusion, dit Matina Horner, sont le lot des femmes qui imposent silence à leurs capacités. »

Une jeune femme de Washington qui avait renoncé à sa carrière d'assistante parlementaire très vite après son mariage commençait à s'ennuyer, à se sentir mécontente. Mais au lieu de reconnaître que le problème

venait d'elle — et de le résoudre — elle trouvait plus
facile de s'en prendre à son mari.

« J'étais tenaillée par un sentiment de frustration
chaque fois que mon mari partait en voyage d'affaires,
disait-elle. Pourquoi était-ce lui qui prenait l'avion pour
aller dans des endroits et chez des gens que je ne
connaissais pas, et pas moi ? Il revenait avec plein de
choses à raconter et en super-forme et je devais me
forcer à avoir l'air intéressé, mais intérieurement, j'étais
furieuse et je lui en voulais. »

« J'ai toujours envié la vie de mes amies qui n'avaient
pas d'enfants », déclarait une autre, une actrice qui, dès
le jour où elle s'était mariée, ou presque, avait eu le
sentiment que quelque chose lui avait été retiré — alors
qu'en réalité c'était elle qui avait abdiqué. « La vie du
théâtre me manquait et il me semblait que le destin
m'avait piégée trop tôt. » (Ne reconnaissant pas que ce
sont elles-mêmes qui fuient ce qu'elles désirent tant, les
femmes ont l'impression d'être manipulées, d'être
« la » victime. *Comment cela peut-il m'arriver à moi ?*)

Pendant quelques années, c'est-à-dire jusqu'au
moment où elle fut suffisamment écœurée par ce genre
de vie, cette actrice envia ses amies qu'elle croyait plus
libres qu'elle. « Un jour, j'ai essayé de collaborer à une
pièce avec une amie célibataire, mais cette femme était
si libre de ses mouvements pour faire des recherches et
se déplacer comme elle voulait qu'à côté d'elle, je me
sentais tendue et idiote. »

La comparaison débordait sur d'autres secteurs de
l'amitié. « Je lui enviais sa minceur et le genre de
vêtements qu'elle pouvait s'offrir parce qu'elle gagnait
sa vie, tandis que moi, je devais attendre qu'il y ait
assez d'argent dans la cagnotte du ménage pour
m'acheter une nouvelle paire de chaussures. Nos rapports se sont détériorés. A côté de cette femme, je me
sentais un vrai ruminant, clouée au sol par la maternité
et le fait d'avoir constamment à m'occuper de ces

mômes au nez qui coulait et qui passaient leur temps à tourner autour de nous quand nous voulions travailler à notre pièce. J'ai fini par éviter complètement mon amie. Elle faisait irruption dans mon appartement jonché de couches et de jouets, fraîche comme une rose et débordante de vitalité, l'esprit fonctionnant au quart de tour, me sortant mille mots à la minute, et moi, tout ce qui me venait à l'esprit, c'était : " Quand dois-je mettre en route le repas des enfants ? " Cela me rend triste d'y repenser, mais j'ai fini par laisser tomber ce projet. J'en étais arrivée au point que je ne supportais plus la vue de cette fille libre comme l'air. »

Les femmes paient très cher leur peur de réussir. Matina Horner et les chercheurs de son équipe concluaient que les filles douées s'empêchent même souvent de chercher à réussir. Dans les situations de compétition mettant en jeu les deux sexes, elles auront des résultats inférieurs à leurs possibilités et beaucoup de celles qui finissent par réussir malgré elles essaient de minimiser ensuite leurs performances. Leur pouvoir et leurs dons mettent ces femmes mal à l'aise. Troublées et inquiètes, elles préféreront avoir des ambitions professionnelles plus modestes plutôt que d'éprouver cet inconfort.

Certaines, en fuyant tout ce qui relève de près ou de loin de la compétition, sabotent leur avenir. Elles ne soupçonnent pas, et c'est bien là le pire, que leurs vies sont gouvernées par la « confusion des rôles ».

La « belle vie » de l'épouse qui travaille

Prenez, par exemple, l'histoire d'une femme que j'appellerai Adrienne Holzer. Appartenant à cette race de femmes brillantes et dynamiques qui ont presque toujours travaillé, Adrienne avait oublié depuis longtemps ses ambitions d'adolescente, désormais reléguées dans le dépotoir des rêves puérils. Or, pour une raison qu'elle ne s'expliquait pas, ces rêves étaient de retour et agaçaient sa conscience à la façon de ces lettres auxquelles on oublie de répondre. C'était une sensation inconfortable qui lui donnait l'impression d'avoir laissé quelque chose en suspens, comme si, à un tournant quelconque, elle avait pris la mauvaise route. Au moment précis où elle commençait à se dire que tout allait bien et sans heurts, quelque chose d'imprévu se produisit en elle, qui allait changer sa vie intérieure.

Un après-midi d'hiver, comme nous bavardions en faisant un sort à une bouteille de vin, Adrienne me confia d'un bloc ses vieux rêves — et se découvrit des peurs inconnues jusque-là.

« Je me suis remise à travailler très vite après avoir eu des enfants, trois ou quatre ans à peine, mais ma vie n'était plus celle que j'avais lorsque j'étais célibataire. Je ne pensais plus en termes " d'avenir ", de futur personnel. Une mère vit au jour le jour, vous savez. J'ai ramené à mon travail cette mentalité à la petite semaine. Deux ans ont passé avant que je songe à me dire : Et ta promotion, ma petite ? Et puis, la seule idée de réclamer me rendait folle. »

A trente-quatre ans, Adrienne avait recommencé à travailler comme attachée de presse à la Fondation Ford, « un métier de prestige accompagné d'une image prestigieuse », comme elle disait. « Je gagnais un salaire assez décent si l'on considère que je n'avais pas à en vivre. Mais j'ai l'impression maintenant d'être en dehors du coup. A vrai dire, je me fiche éperdument des intérêts de la Fondation. Ça m'a toujours suffi d'être une femme mariée qui travaille, avec un " bon " boulot et une bonne paire de bottes de cuir. Du moment que je pouvais déjeuner dehors avec mes amies et avoir un peu d'argent de poche à moi, je me trouvais suffisamment libre.

« Et dire qu'il y a quatre ans que ça dure ! s'exclamat-elle soudain en remplissant de nouveau son verre. Quatre ans qu'on ne voit même pas passer, mais qui ne vous empêchent pas d'arriver à trente-huit ans. » Cette prise de conscience de l'âge mûr était caractéristique de la femme qui bloque son horizon à vingt ans et ne prend conscience de la réalité qu'à quarante. A présent, les déjeuners la rasaient, son travail l'assommait. « C'est dingue quand j'y pense. A la fac, tout le monde était persuadé que je continuerais mes études. Je réussissais vraiment bien. A un moment, j'ai voulu me présenter au concours des Affaires étrangères. »

Et qu'avait-elle fait à la place ? Comme tant de femmes, une transaction capitale. « Je suis devenue une femme au foyer. Puis une femme au foyer qui se trouvait travailler à l'extérieur. Si Gerry disparaissait demain, je ne sais vraiment pas ce que je ferais. Quand j'y pense, je suis vraiment paniquée. Veuve et chargée des relations publiques d'une grosse société apathique à but non lucratif ? » Stupéfaite, elle lève les yeux. « Si je n'étais pas mariée, je ne pourrais même pas m'offrir le luxe de ce genre de travail ! »

L'idée la prenait de court. Dans quel guêpier s'était-elle fourrée si elle n'était même pas capable de subsister avec son salaire ? Le tableau se précisait : « Mon mari me fait vivre et mes enfants me disent au revoir chaque matin pour que je puisse aller rédiger quelques échos pour la presse dans mon tailleur de chez Saint Laurent ! » disait-elle.

L'heure de la prise de conscience avait sonné, amenant dans la foulée la question qu'Adrienne Holzer avait passé le plus clair de son temps, pendant vingt années, à éviter : *Pourquoi fais-je ce que je fais ?*

Question aussitôt suivie d'une autre, encore plus dérangeante : « *Et sinon, qu'est-ce que je ferais d'autre ?* »

Elle n'avait jamais songé à se la poser. Les femmes *sont,* elles ne *font* pas. Quand elles décident de travailler, c'est encore quelque chose qui passe après leur qualité d'épouse et de mère. En tout cas, c'est ainsi qu'Adrienne et ses amies l'avaient toujours ressenti. Mais l'imminence d'un quarantième anniversaire opérait un changement de perspective. Adrienne Holzer avait le sentiment d'avoir laissé passer quelque chose. Dans son esprit la nuit (en fait, à tous ses moments perdus), s'attardait la fille de vingt ans pleine d'espoir et d'enthousiasme. Pendant des années, Adrienne avait perdu de vue cette fille mince aux longs cheveux blonds, à l'idéal lumineux. Or elle resurgissait brusquement et s'épanouissait comme une fleur oubliée. Après sa réapparition, tous les déjeuners avec les amies, les invitations à dîner et les courses chez Sacks pour habiller les enfants étaient devenus des rituels vides. Et puis il y avait eu ce mari d'une amie qui, âgé de quarante-trois ans seulement, avait fait un infarctus! La vie avait perdu son insouciance et son éternité.

A la maison, les choses avaient changé aussi; les enfants grandissaient, Gerry passait plus de temps à Washington — on semblait ne plus avoir autant besoin d'elle. Elle se sentait plus isolée, plus seule. Du même coup, les questions s'amoncelaient : « *Que serai-je en train de faire dans cinq ans ? Dans dix ans ?* »

Dix ans! Cela paraissait impossible. Quarante-neuf ans et continuer à inviter toute la bande chaque samedi soir à prendre un pot et regarder le feuilleton sur l'écran géant de leur télévision? Quarante-neuf ans et continuer à aller religieusement au Vitatop du coin trois fois par semaine pour faire fondre sa cellulite sur le « Nautilus » en priant le ciel de ne pas avoir à le faire quatre fois par semaine l'année suivante? Elle était fatiguée de passer la semaine de Noël aux Bermudes, de séjourner quinze jours chaque mois d'août dans la fermette aménagée de ses parents, fatiguée que tout soit aussi prévisible. Mais surtout, elle était fatiguée de toutes ces pensées vagues, sans forme ni relief, qui s'agitaient dans les espaces vides de son cerveau. Des pensées obsessionnelles. Des protestations étouffées et maussades. Adrienne n'aimait pas les femmes insatisfaites.

Maintenant, soudain, elle en était une.

Naturellement, le terrain avait été préparé. Si Adrienne était allée à l'université du Michigan au lieu de Smith, elle aurait pu faire partie du premier échantillon étudié par Matina Horner. Ses ambitions avaient été rognées très tôt, mais au moment décisif, en 1964, soit six mois avant de quitter l'université, elle ne se rendait absolument pas compte de ce qui se passait.

Adrienne avait dit à son flirt de l'époque qu'elle envisageait de s'inscrire à l'Ecole de sciences politiques de l'université de Georgetown et de faire une carrière dans les Affaires étrangères. Il avait poussé un hurlement : « Les Affaires étrangères ! Ça va prendre un temps fou ! » Se sentant menacé, il s'en était tiré par une boutade : « Reste avec moi, bébé, et tu n'auras pas besoin d'être une espionne. »

Ce qu'Adrienne avait compris comme : « Je n'ai pas de temps à perdre avec une bête à concours. » Finalement, elle avait renoncé. Ou plus exactement, elle ne s'était pas sentie assez sûre d'elle pour ne pas renoncer. Son ami et elle ne remirent jamais vraiment la question sur le tapis. Lui, auréolé de gloire, s'inscrivit à une école de cinéma de New York ; elle suivit tant bien que mal son sillage. Un an après avoir entamé une « carrière » de démarcheuse chez J. Walter Thompson, elle cessait de le voir. Gerry était entré dans sa vie, cet amour de Gerry qui avait dit : « Tu peux faire tout ce dont tu as envie : je gagne assez pour deux. » Si bien qu'Adrienne ne s'était plus inquiétée de savoir que *faire* de sa vie. Le mariage, les enfants, Gerry — peu à peu tout cela prit le pas sur son développement personnel. Au lieu d'être un

individu apprenant, évoluant, mûrissant, elle était ce
qu'on attendait d'elle : une femme au foyer.

On est frappé de voir avec quelle facilité les femmes
renoncent aux stimulus et aux défis. Très vite, nous
n'avons même plus conscience qu'ils ont disparu de nos
vies. Nous choisissons le confort et là sécurité plutôt que
la stimulation et l'anxiété que celle-ci fait souvent
naître. Le problème d'Adrienne venait pour une part de
ce qu'elle avait eu la vie facile — assez facile pour la
protéger de la terreur existentielle qui est notre lot
commun à tous. Même maintenant, son anxiété ne va
pas plus loin qu'une vague appréhension. Elle n'a pas
encore reçu cet ordre terrifiant et comminatoire du moi
profond : « *Attention, sinon tu vas bientôt être portée dispa-*
rue. » La façon dont Adrienne ressent les choses
continue à dépendre de ce que fait ou ne fait pas Gerry.
S'il mourait (ou si, Dieu l'en préserve, il devait passer
encore plus de temps à Washington), la crise menace-
rait. Si celle-ci ne se produit pas, Adrienne continuera
probablement à vivre ainsi, sans jamais prendre
conscience de sa profonde insécurité, jusqu'au jour où
quelque événement extérieur l'obligera à le faire.

Il est tellement dommage que des femmes sur le point
de parvenir à cette conscience de soi semblent si
souvent avoir besoin d'une catastrophe pour regarder
en face ce qu'elles sont vraiment. Après cet après-midi
où Adrienne révéla tant de choses sur elle-même
— mais pas tout à fait assez — je ne pouvais m'empêcher de regretter qu'elle n'ait pas rencontré, à ce stade
de sa vie, quelqu'un comme Sulka Bliss.

La mère annulée

J'ai fait la connaissance de Sulka (j'ai changé son
nom) au Centre pour femmes au foyer déracinées
d'Oakland, en Californie. Il se dégage de cet endroit

une impression de marginalité profonde, de camp de travail. *Centre pour femmes au foyer déracinées.* Cela aurait pu être le quartier général d'un groupuscule en lutte qui ne réussirait jamais à être reconnu. Tout ce que vous remarquiez, c'étaient les bouilloires électriques et le Nescafé, les gobelets en carton et les corbeilles à papier en métal vert. Les femmes qui travaillent là sont des bénévoles, elles-mêmes ménagères déracinées qui espèrent que « le parti » leur permettra de se ressaisir. Ce ne sont pas des femmes à bout de souffle. Beaucoup d'entre elles, lorsqu'elles étaient mariées, avaient une vie douillette — trop douillette. Quand leur mariage a sombré, le monde a basculé. Ici au moins, il y a de l'ordre — un bureau derrière lequel s'asseoir, un téléphone, des voix pour remplir le vide. Ici, il y a du travail à faire pour d'autres dont la détresse est encore plus grande, des femmes qui viennent de se faire éjecter avec pertes et fracas et qui ne savent pas ce qui leur est arrivé. Des femmes aux yeux gonflés et ruisselants de larmes, aux ongles rongés. Des femmes qui se réveillent avec du café et s'endorment avec du Valium arrosé de vodka.

Sulka Bliss n'en était pas encore là, mais, quand je l'ai rencontrée, il ne faisait aucun doute qu'elle était déprimée. « La seule chose que je sache encore faire, c'est m'occuper des enfants, me disait-elle. Je me demande si j'arriverais à taper trente mots à la minute. »

N'ayant aucun métier en main et manquant visiblement d'estime d'elle-même, Sulka comptait pourtant à son actif une qualité dont la plupart des employeurs n'entendraient jamais parler, ne serait-ce que parce que peu d'entre eux s'intéresseraient à ses capacités : au lycée, Sulka Bliss avait un quotient intellectuel de 135.

« Je me rappelle mon étonnement quand on nous a fait passer les tests en seconde ou en première, me dit-elle. Je me suis dit que je m'orienterais peut-être vers la

recherche. J'avais toujours été forte en math, mais à ce
moment-là les filles ne se lançaient pas dans des
carrières scientifiques et mon père s'est moqué de moi.
Même ma mère pensait que je cherchais à me faire
remarquer quand je disais vouloir être chimiste. »

Après le lycée, Sulka avait fait deux ans d'études
supérieures et s'était mariée.

Le temps avait oblitéré les ambitions de Sulka. Il y
avait eu une époque — si lointaine qu'elle s'en souve-
nait à peine — où elle avait été une fille mince et
ardente, remplie d'énergie. Quand les bébés étaient nés,
elle avait grossi. Elle était maintenant enveloppée dans
les plis confortables de mètres de tissu indien. Gênée
par ses dimensions, Sulka attache beaucoup d'importance à son aspect extérieur, mais se désintéresse
pratiquement de tout le reste. Les géraniums de son
jardin sont à l'abandon. Comme tout le jardin, d'ailleurs. Le mortier entre les briques a besoin d'être
piqueté. La peinture sous les avant-toits a commencé à
gonfler et à s'écailler. *Incroyable,* pense Sulka, *comme une
maison peut commencer à lâcher de partout en moins d'un an.*

Car cela fait presque un an que Dick est parti. Il ne
l'a pas quittée parce qu'elle est devenue grosse (comme
elle préfère parfois le croire). Non, cet homme avait un
pied hors de chez lui depuis le jour où il avait obtenu
son doctorat en biologie moléculaire — diplôme que
Sulka lui avait *donné* d'ailleurs, en travaillant pour le
faire vivre tandis qu'il effectuait un brillant parcours
universitaire. Non contente de travailler à plein temps
comme secrétaire, elle faisait quelques travaux de
dactylo le week-end et avait attendu pour avoir des
enfants que Dick fût lancé. « Tu ne peux pas arrêter de
travailler maintenant », lui avait-il dit quand il avait eu
son diplôme, le mois où lui était également parvenue
l'offre d'un poste au California Institute of Technology.
Dick fut bientôt confortablement installé dans un
bureau du CIT : de hautes fenêtres, un vieux bureau en

chêne, un tableau noir, des étudiants et un laboratoire
financé par des subventions de l'Etat.

Sulka avait arrêté de travailler avec un énorme soupir
de satisfaction et de soulagement. Maintenant, elle
allait pouvoir bouturer ses bégonias. Et elle connaîtrait
bientôt les joies de la maternité.

Pendant un an, Sulka nettoya, astiqua, chanta, fit son
pain ; au printemps 1965, elle mit au monde son
premier enfant, une fille. Elsie et elle vivaient ensemble
dans leur maison californienne inondée de soleil, si
proches l'une de l'autre qu'elles ne faisaient qu'un. Les
choses bougeaient dans la vie de Dick, mais celle-ci
commençait déjà à lui sembler lointaine, tout comme sa
propre vie s'éloignait de plus en plus de celle de son
mari. Ils recevaient plusieurs fois par an, ils allaient de
temps à autre aux réceptions du département où
travaillait Dick, mais ces festivités intéressaient peu
Sulka. Seule comptait sa maison, le nid.

Elle eut d'autres enfants et prit à chaque grossesse
des kilos qu'elle semblait incapable de reperdre ensuite.
En 1970, elle était très ronde et très gaie, pourvue de
trois petits enfants heureux de vivre qui semblaient
attachés à elle comme une portée de chatons. Sulka n'y
voyait aucun inconvénient. Elle faisait elle-même ses
vêtements (ne trouvant plus rien à sa taille dans les
magasins) et coiffait en nattes ses longs cheveux lui-
sants. Vous ne la voyiez jamais — au supermarché, à la
bibliothèque, au cinéma le soir — sans ses petits. En
général, Dick n'était pas avec eux. Sulka ne semblait
pas s'en formaliser. Les scientifiques sont des gens
préoccupés et obsessionnels. Dick confirmait la règle.
Elle avait ce qu'elle voulait. Dick ne la dérangeait pas.

Et puis, au début des années soixante-dix, les événements se bousculèrent dans la vie de Dick. L'équipe de
chercheurs dont il faisait partie participait à une grande
première technologique ; ils restaient souvent au laboratoire le soir, dormant quelques heures seulement avant

de se remettre au travail. Quand il arrivait à Sulka de le
voir, il avait les joues en feu et l'œil sombre — comme
s'il voulait se couper du monde extérieur de peur qu'il
n'empiète sur ses réflexions. Parfois, Sulka imaginait le
cerveau de son mari comme une de ces machines de
Tinguely, démultipliées, compliquées et, finalement,
absurdes. Dick était un homme d'action. Il ne s'accordait pas une minute de répit ; mais Sulka se demandait
parfois où cette activité démente le conduisait.

Elle le conduisait (d'une façon très soudaine lui
sembla-t-il plus tard) à des recherches nouvelles et
mystérieuses, une de ces entreprises dans laquelle
d'énormes sociétés déversaient des flots de capitaux et
qu'on appelait l'ingénierie génétique. « Cela va résoudre la crise de l'énergie », annonça Dick un soir où il
avait un peu bu. Ses yeux étincelaient : « Cela va
sauver le futur ! »

Sulka se rappelait ce mot, « sauver » ; on aurait dit,
avec le raccourci du souvenir, qu'il l'avait quittée le
lendemain de cette déclaration. Dick s'identifiait-il à
son travail au point de commencer à se considérer
comme le sauveur en question ?

Comme le font si souvent les femmes sur le point
d'être quittées par leurs maris, Sulka se mit à analyser
Dick avec frénésie, à décortiquer ses motivations et à
poser sur lui un regard froid, « objectif ». Elle essayait
de contrôler la situation. Naturellement, il était trop
tard. La désaffection émotionnelle — l'indifférence en
réalité — était depuis longtemps en place. Dick partit
vite conquérir de nouveaux mondes : un nouveau
travail, un nouveau train de vie et, c'était inévitable,
une nouvelle femme.

« Quand j'y pense », dit Sulka en pleurant, la
première fois où elle s'était reprise et était venue au
Centre — elle aimait peu l'étiquette de « femme au
foyer déracinée », mais se sentait au bout de son
rouleau et avait besoin de l'aide de quelqu'un. « A

peine commence-t-il à réussir qu'il me laisse avec trois gosses sur les bras et tout juste assez d'argent pour rembourser l'emprunt de la maison[3]. »

Ce fut seulement après avoir eu quelques entretiens avec une psychologue que Sulka put cesser de considérer que sa vie avait été totalement déterminée par son mari et commencer à percevoir le rôle considérable qu'elle-même avait joué dans ce qui lui était arrivé. Lentement, elle comprit qu'elle avait renoncé à être ce qu'elle était des années plus tôt, avant même d'avoir quitté le lycée. On ne l'y avait que trop encouragée, bien sûr, à commencer par ses parents et ses amies — et même l'orientateur de l'université qui l'avait dirigée, avec son QI de 135, vers une « carrière » de secrétaire. *Pourtant, Sulka ne s'était pas rebellée.* Elle avait accepté. N'ayant jamais fait ses preuves, elle avait toutes les raisons de se sentir si faible, inutile ; à présent, elle commençait à voir qu'elle n'était pas étrangère à ces raisons !

Le mariage et le fait d'avoir mené son mari jusqu'à son doctorat avaient été pour la Sulka de vingt et un ans une voie protégée, faite pour renforcer son ego. « N'est-elle pas merveilleuse ! » avait dit tout le monde à l'époque, quand elle rapportait sa paie hebdomadaire à la maison. « Il a une telle chance de l'avoir. » D'être capable de les faire vivre tous les deux l'avait stimulée malgré le peu de charme de son travail. Mais Sulka n'avait pas vu que le défi était superficiel. Elle ne faisait rien pour développer ses propres possibilités. Et quand elle partait au travail chaque matin en traînant les pieds, c'était avec l'idée sous-jacente que « ce serait bientôt fini ».

Ce fut vite fini en effet. Avec l'abandon de son travail et le retour au nid, les derniers vestiges d'indépendance avaient définitivement disparu. Les difficultés qui stimulent le développement n'existaient plus et le processus de maturation s'était interrompu. Maintenant, soit dix ans plus tard, elle en payait le prix avec la perte de son estime d'elle-même et, pire encore, de son courage. Sulka retrouverait son savoir-faire de dactylo bien plus vite qu'elle ne redeviendrait vraiment forte et confiante[4].

Si Sulka Bliss avait connu Adrienne Holzer, matériellement à l'aise et encore protégée à l'autre bout du pays, elle aurait peut-être oublié un instant sa propre détresse pour lui dire : « Va jusqu'au bout de ta vie, n'attends pas une minute de plus. La voie facile n'est pas du tout sûre. Elle paraît l'être, mais ce n'est qu'une impression ! »

Prise entre deux mondes

On a relevé une corrélation entre l'ambivalence intense et non résolue en matière de rôles et de réussite et l'existence de graves symptômes psychosomatiques chez les femmes. Naguère, les femmes au foyer qui s'ennuyaient, celles qui restaient à la traîne pour astiquer les clayettes du réfrigérateur et balayer les moutons de poussière jour après jour, constituaient le plus fort contingent de femmes alcooliques. Aujourd'hui, cette maladie a gagné les rangs des « actives », de celles qui réalisent quelque chose, qui disent au revoir chaque matin à leur conjoint et sortent de chez elles en trombe pour attraper le train de 8 h 05 qui les conduira au centre-ville. « Les femmes mariées qui travaillent présentent des taux considérablement plus élevés d'alcoolisme que les célibataires qui travaillent ou que les ménagères », dit Paula Johnson, de l'université de Californie à Los Angeles. Le fait que les hommes mariés qui travaillent soient moins atteints par ces problèmes semble indiquer, dit-elle, « que ce type de rôle non traditionnel pour les femmes conduit à un taux accru d'alcoolisme ».

Je crois quant à moi que c'est moins le rôle — la combinaison travail/mariage — qui pousse les femmes à boire que le trouble qu'elles ressentent en le choisissant. La nuance est importante. *Choisir signifie agir librement, en pleine connaissance de cause, en sachant pertinemment qu'il y aura des conséquences, et en s'engageant à accepter celles-ci, quelles qu'elles soient.* Ce n'est facile pour personne, mais c'est particulièrement dur pour les femmes qui ne sont pas habituées à prendre des initiatives qui les exposent au risque et à l'anxiété.

Ignorant quel sera le résultat de leurs nouveaux choix, les femmes ont peur. Nous n'allons pas de l'avant de gaieté de cœur, nous freinons au contraire, sur la défensive, essayant de réussir dans un monde où règne la compétition sans abandonner pour autant notre manière d'être démodée, « féminine » — notre parfum et notre poudre si vous préférez. Nous « laissons » l'homme nous ouvrir la portière ou allumer notre cigarette. « Ça ne peut pas faire de mal », pensons-nous. Or ce n'est pas l'acte en lui-même qui est nuisible, mais le sentiment qu'il fait naître en nous, ce « Comme c'est agréable qu'un homme s'occupe de moi ».

Par de petits détails, les femmes montrent qu'elles veulent continuer à être bichonnées et chouchoutées — surtout par les hommes. Grâce à ces attentions, disent-elles, elles se sentent femmes et fragiles. Elles aiment ces petits gestes protecteurs. Intérieurement, elles se récitent le credo de *Cosmopolitan* : je peux plaire et réussir.

Mais elles se mènent en bateau. Vouloir être protégée et, dans la même foulée, vouloir être indépendante revient à essayer de conduire avec le frein à main. Si on veut qu'une chose se fasse, on doit savoir faire preuve d'agressivité le cas échéant, on doit être capable de défendre ce qu'on croit, quitte à discuter pied à pied s'il le faut.

On doit être capable de supporter les frictions. Les femmes ont trop tendance à éviter d'émettre des affirmations qui risquent d'être jugées hostiles. Ce comportement, croient-elles, risque de les couper des autres. Redoutant l'isolement, les femmes ne cultivent pas l'art et la technique qui assureraient leur promotion professionnelle. Comme l'a observé Lois Hoffman : « *Réussir à faire comprendre ce qu'on veut dire, avoir le dernier mot d'une discussion, battre les autres dans une compétition et accomplir la tâche qui se présente sans être court-circuitée par le souci des rapports avec les autres sont autant d'obstacles que les femmes ont du mal à vraincre, quelle que soit leur intelligence innée.* »

Les femmes, en effet, vont de l'avant tout en se retenant. Notre incapacité de conserver une image positive et harmonieuse de nous-mêmes en temps que femmes-qui-travaillent-féminines-néanmoins contre-carre nos ambitions les plus chères. Au fond, nous avons avec le travail une relation de *réaction*. Les femmes travaillent quand les hommes le leur « permettent ». (Ce qui signifie, bien entendu, quand les hommes ont besoin qu'elles le fassent.) L'état actuel de l'économie fait que les hommes ont besoin de nous aujourd'hui, si bien que la femme mariée qui travaille se trouve soudain sanctionnée. Les femmes ont l'impression que la nouvelle liberté qu'elles ont de travailler — *et* d'être des épouses — ne vient pas d'elles, mais de l'extérieur. On leur a donné la permission. « Mon mari est ravi que nous puissions continuer à aller au restaurant une fois par semaine grâce à mon salaire », se plaignait une enseignante, consciente de l'attitude intéressée de son cher et tendre. « Mais avant que nous ne soyons touchés par cette inflation monstrueuse, il lâchait souvent de petites remarques sur le désordre de la maison et sur mon travail qui posait des problèmes aux enfants. Et il ne fait aucun doute qu'il reviendra à sa première attitude quand l'économie ira mieux. »
Aucun doute, en effet. C'est une attitude à laquelle

« revint » le pays tout entier après la Deuxième Guerre mondiale lorsqu'on dit aux femmes, dont on n'avait plus besoin désormais pour diriger les usines, de reprendre leur place au coin de l'âtre. Ce que nous fîmes. Et, à première vue, l'expérience ne nous a rien appris.

Les femmes sont des êtres essentiellement réactifs. Nous ne nous bagarrons pas, nous ne nous autorégénérons pas. Nous continuons à prendre nos décisions fondamentales en fonction de ce qu' « il » veut, de ce qu' « il » permettra. Parce que, au fin fond de nous-mêmes, nous le considérons toujours comme « le protecteur[5] *».*

Il est très instructif d'observer ce qui se passe chez une femme quand son mariage tombe à l'eau. Soudain, elle progresse. « Ah! ah! pense-t-elle. C'est donc ça, être adulte. » Maintenant qu'elle a été obligée de se prendre matériellement en charge, maintenant que c'est elle qui doit payer les traites de l'appartement et acheter les chaussures des enfants, l'ambivalence disparaît. Quel soulagement de ne plus avoir à lutter contre la « confusion des rôles », de ne pas avoir à se soucier de savoir si ce qu'on fait est « bien » ou de craindre que les autres vous jugent dure, invulnérable, non féminine[6]. Son salaire monte, on lui confie plus de responsabilités. Il existe un rapport nouveau et sain entre le travail et l'argent, un professionnalisme qui lui est désormais permis. La femme semble enfin engagée sur les rails!

Mais n'est-elle pas encore en train de réagir? Ne se conforme-t-elle pas tout simplement à un autre schéma ancien — aussi vieux que le monde animal lui-même? Elle est devenue la tigresse veillant sur ses petits. Et qui irait le lui reprocher?

Observez la même femme qui se remarie ou commence à vivre avec un autre homme, et vous verrez le film repartir en arrière, à toute allure. La femme est

« rentrée au bercail ». De nouveau s'installe le sentiment d'avoir trouvé une planque.

Et avec lui, étrangement, la déférence.

« J'ai commencé à le servir, disait une femme qui, à
trente-trois ans, entamait sa deuxième année de remariage. Chaque fois que j'allais me faire un café à la
cuisine, je lui en apportais aussi une tasse. La première
fois que je m'en suis aperçue, j'ai pensé : Après tout,
c'est agréable, je l'aime, il n'y a rien de mal. " Tu veux
un sandwich, mon trésor ? Une bière ? " Très vite, bien
sûr, c'est tombé dans la routine à sens unique, moi me
déplaçant, lui restant assis sans lever le petit doigt. Et je
savais, par expérience, que ces choses ont de l'importance. Elles ne sont pas " des riens ". Elles signifient
qu'un contrat est en place : " *Tu me prends en charge dans
le monde extérieur, je te prends en charge à la maison.* "
Brusquement, ça lui plaît, ça vous plaît, et vous vous
retrouvez à la case départ. »

Une femme qui avait vécu seule pendant plusieurs
années après son divorce se rendait compte que son
comportement à l'égard de son nouveau compagnon
avait commencé à se modifier dès qu'elle avait partagé
avec lui son espace vital. « Mon travail a pris un petit
peu moins d'importance, le sien un petit peu plus.
Après moins de six mois de vie commune, son avenir
était devenu pour moi notre avenir. Mon avenir, lui,
avait quelque peu disparu du tableau. »

Quand ils vivaient chacun de son côté, ils étaient
deux individus menant deux carrières distinctes, dont
aucune n'avait le pas sur l'autre. « Mais lorsque nous
nous sommes retrouvés dans le même appartement, je
me suis sentie redevenir une femme au foyer. » Fusionnée. Indifférenciée. La moitié d'un tout — et pas la plus
passionnante.

Exactement comme naguère à l'école, les priorités
permutent sans que nous en ayons même conscience.
L'association prend le pas sur l'indépendance. Nous

commençons à tout partager — nos projets, nos idées, nos insécurités profondes — pour ne pas être obligées de les assumer seules. C'est tellement facile soudain de chercher auprès de lui le soutien et la validation de tout ce que nous faisons et pensons. Comme le déclarait sans ambiguïté une jeune patiente de Ruth Moulton : « J'ai besoin d'un homme pour donner de l'importance à ce que je sens être important. »

Une fois qu'elle dispose de cet homme, une femme a tendance à ne plus croire à ce qu'elle croyait jusque-là. Bientôt, ses convictions — en mettant les choses au mieux — ne sont plus qu'un « sentiment ». Lentement, elle commence à abdiquer, se détournant de sa propre authenticité. Un processus très particulier se met progressivement en place : elle rejoue les anciennes interactions. Sans le vouloir, elle restructure les choses pour qu'elles ressemblent — et lui donnent l'impression de ressembler — à ce qu'elles étaient entre papa et maman, papa étant le point focal de la vie de maman et maman son auxiliaire heureuse de l'être. « J'ai épousé un homme aussi différent de mon père que je l'étais moi-même de ma mère, constatait avec stupéfaction Celia Gilbert, une femme écrivain qui vit à Cambridge, et pourtant, j'ai fait tout ce que j'ai pu pour que mon mariage ressemble à celui de mes parents. »

Pourquoi ? Nous disons détester tout cela. Nous proclamons que nous ne voulons pas vivre avec un homme comme nos mères ont vécu avec nos pères — dociles, soumises, n'ayant jamais ce qui permet d'être vraiment en position d'indépendance : de l'argent à soi et en quantité suffisante. Mais ce sont des affirmations superficielles. Emotionnellement sinon intellectuellement, la décision de faire dans la vie le contraire de maman (car c'est ainsi que nous voyons si souvent les choses) est terrifiante. Ce n'était peut-être pas le Pérou pour maman, mais en tout cas, nous savons au moins comment elle s'y prenait.

La petite fille se fait sa propre idée de la « fémini-
nité » en observant les femmes qui l'entourent. Elle
« sait » ensuite, de manière définitive, ce qu'elle est
censée faire. Si elle choisit de faire le contraire, explique
le psychiatre Robert Seidenberg, elle prendra une
décision si fondamentalement perturbante que celle-ci
constituera une crise morale. « La petite fille qui voit sa
mère, ses tantes, ses grand-mères complètement inves-
ties dans la tenue de la maison et méprisant les femmes
qui sont actives hors de chez elles », écrit Robert
Seidenberg, peut avoir finalement le sentiment que tous
les autres rôles sont, pour les femmes, « non naturels et
immoraux ».

Qu'arrivera-t-il à la femme qui s'écartera du modèle
présenté par sa mère ? Intérieurement, la femme se sent
comme une enfant qui s'attend à ce qu'il lui arrive des
ennuis si elle fait un pas vers l'indépendance — se
séparant ainsi de sa mère pour suivre sa propre voie. Et
puis, se demande-t-elle, où trouver une gratification
dans la vie si elle refuse la voie maternelle ? *La femme
manquant d'un modèle qui lui convienne est prise dans un
dilemme psychologique profond. Elle ne veut pas être « comme sa
mère ». Elle ne veut pas non plus être « comme son père ».*
« *Comme qui* » *sera-t-elle ?* Cette confusion sur l'identité
liée au sexe est l'essence même de ce que j'appelle la
« panique des genres ».

L'épouse/mère/femme qui travaille frénétique

Mettre ses ambitions en veilleuse est une façon de
« résoudre » le problème de la « panique des genres ».
Une autre consiste à essayer de coller au vieux rôle
domestique tout en poursuivant nos nouvelles et exi-
geantes carrières. Les effets négatifs de cette « solution
multirôles » — la fatigue, l'anxiété, l'irritation venant

de ce qu'on en fait trop — sont largement analysés chez les femmes aujourd'hui. On commence à voir des livres et des articles consacrés à ce thème. Mais personne ne se penche sur la cause. Pourquoi les femmes mettent-elles une telle frénésie à se surmener ? C'est dans notre conflit inconscient et toujours caché qu'il faut en chercher la raison.

> « Le travail, c'est l'endroit où vous passez toute votre journée et d'où vous repartez chaque soir pour retrouver votre boulot numéro deux : cordon-bleu, femme de ménage et gouvernante. »

> « Je passe mon temps à être tellement fatiguée que je rêve de ne travailler que quelques heures par semaine, mais ce serait agréable, bien sûr, de continuer à gagner autant qu'en trimant quarante heures. »

> « Si seulement je pouvais avoir une heure à moi au milieu de la journée, juste pour être seule à la maison, sans être sollicitée par mon enfant, mon mari, mon chien, mon chat, mon employeur — juste un peu de temps pour me retrouver complètement seule... »

Ces femmes répondaient à une enquête de la Commission nationale du travail féminin, à la suite de laquelle il est apparu que ce dont se plaignaient principalement les interviewées était ce qu'on appelle souvent « la double charge » du travail rémunéré à l'extérieur et des occupations domestiques.

Chez les femmes de notre époque, l'épuisement pur et simple est à l'ordre du jour. Natalie Gittelson disait que « Je suis si fatiguée » revenait comme une litanie dans les milliers de lettres que les femmes avaient envoyées à *McCall's* en réponse à une enquête récente de ce magazine. « Bien sûr, de nombreuses femmes qui travaillent apprécient leur paie, écrit Natalie Gittelson, et plus nombreuses encore sont celles qui disent que leurs maris l'apprécient autant et même davantage. Mais c'est une énorme fatigue qu'elles expriment

devant les exigences parfois inhumaines de la double vie
— la maison et le travail — qui est le lot de tant de
femmes actives. »

Les femmes, si désireuses naguère de quitter la
maison pour rejoindre les rangs de ceux qui travaillent,
commencent à crier « Pouce ! » *Le problème est qu'elles
sont entrées dans la vie active, mais sans sortir vraiment de chez
elles.*

« Mon énergie est tellement dispersée, écrivait une de
ces femmes à *McCall's.* Je travaille toute la journée et je
rentre dans une maison sale où m'attendent du linge
sale et un dîner qu'il faut préparer. Le week-end, je
passe en général tout mon temps à rattraper mon retard
à la maison. C'est le bagne ! »

« Nos rapports sexuels sont devenus notre problème
numéro un, disait une autre à propos de sa vie de
couple. Je passe dix heures par jour à mon travail et le
soir, je m'occupe encore pendant quatre heures de la
maison. Je suis tout le temps fatiguée. »

« C'est pratique pour lui, renchérissait une troisième
épouse. J'apporte un second salaire indispensable, je
m'occupe de ses enfants et de sa maison, je suis un bien
qui ne manque pas de charme. Mais je me sens
tellement sous pression avec les factures à payer et le
fait de devoir travailler ! J'en avais envie au début, mais
maintenant, j'ai l'impression de rater beaucoup de
choses de mes enfants. »

A la fin des années cinquante et au début des années
soixante, les femmes soviétiques travaillaient, nous
disait-on, comme de vraies bêtes de somme. Malgré
toute cette égalité hautement proclamée, nous les
soupçonnions d'avoir une vie plus sinistre que tout ce
qu'on imaginait. Pour la femme russe, l'idéal de la
félicité consistait à balayer les rues le jour durant et à
rentrer chez elle le soir pour faire la cuisine et le
ménage. Je me rappelle que cela faisait rire les femmes

américaines. A l'époque, nous étions encore plus anti-
soviétiques que féministes et il nous semblait que nos
homologues russes se faisaient rouler sans le savoir.
Aujourd'hui, vingt ans plus tard, nous faisons exactement la même chose. Les femmes américaines sont les
nouvelles bêtes de somme, travaillant à la limite de
leurs possibilités, épuisées et émotionnellement sous-
alimentées. La majorité des femmes exerçant une
profession en Amérique fait des semaines de quatre-
vingts à cent heures, travail ménager compris. Dans
notre économie gorgée d'inflation, les maris ne gagnent
plus assez pour faire vivre leurs familles et encouragent
leurs épouses à mettre le nez dehors et à gagner elles
aussi leur croûte. Or, pour la plupart des hommes, la
maison reste le havre où ils peuvent se reposer et être
servis. « Rares sont les maris disposés à assumer une
part importante des travaux ménagers », constate froidement le *Wall Street Journal* dans une série d'articles sur
les épreuves et les tribulations de « la nouvelle femme
qui travaille. »

A l'automne 1980, les principales agences de publicité du pays publièrent les résultats d'une étude qui
avait pour objet de déterminer comment « la femme
nouvelle » modifiait « le mari américain ». Batten,
Barten, Durstine et Osborne (BBDO) n'y allaient pas
par quatre chemins : « L'homme moderne veut que sa
femme fasse deux métiers, déclaraient-ils, un à l'extérieur, un autre à la maison... la majorité [de ces
hommes modernes] ne tient pas à décharger leurs
épouses des responsabilités domestiques traditionnelles. »

Parmi les hommes interviewés par BBDO, plus de
soixante-quinze pour cent déclaraient que leurs femmes
étaient responsables de la cuisine ; soixante-dix-huit
pour cent estimaient que l'entretien de la salle de bains
était son apanage. Barbara Michael, vice-présidente de
l'agence Doyle Dane Bernbach, concluait dans son

rapport : « Pour le mari typique, le fait d'avoir une femme qui travaille présente surtout un inconvénient : les conséquences de ce travail non sur les enfants, mais sur lui-même ; un mari doit consacrer plus de temps aux corvées ménagères qui lui déplaisent. Et, exception faite de la pelouse à tondre et du bricolage dans la maison, ce sont des tâches qu'il n'apprécie absolument pas. »

Après avoir interrogé un échantillon de mille sujets masculins, la société Cunningham et Walsh aboutissait, quant à elle, à la conclusion suivante : « Le statut que se sont acquis les femmes par leur travail n'a pas eu d'effet retentissant sur le rôle traditionnel de leurs maris à la maison. »

Ce genre de recherche est peut-être utile pour les annonceurs, mais il n'apprend rien de nouveau aux femmes. Je n'en ai jamais rencontré une qui répartisse les tâches du foyer à égalité avec son mari ou son compagnon. *Indépendamment du fait qu'elle travaille à plein temps, ou ait des enfants, ou gagne plus que son mari, lorsqu'il s'agit de tenir la maison et de s'occuper des enfants, la femme en fait toujours plus.* « Je n'arrive pas à " lui faire faire " ceci ou cela », gémit-elle à longueur de temps.

Pourquoi les femmes sont-elles d'une aussi incroyable inefficacité ? Il suffit de se pencher un peu sur la question pour découvrir que le problème tient autant aux besoins des femmes qu'à ceux des hommes.

Dans une enquête menée à l'échelon national il y a tout juste deux ans, on demandait aux employées ce qu'elles trouvaient personnellement le plus satisfaisant : les travaux ménagers ou le travail à l'extérieur. « Les travaux ménagers ! » répondirent-elles en chœur.

« Mais que veulent-elles donc ? » demandait le directeur littéraire d'une grande maison d'édition en essayant de comprendre les attitudes contradictoires de sa femme. « L'autre soir, sa mère est venue dîner. Nous avons préparé le repas tous les trois ensemble. Ensuite, j'ai pris le tablier et je me suis mis à faire la vaisselle.

Moyennant quoi toutes deux ont entamé un véritable duo : " Non, non, surtout pas, c'est à nous de la faire. " " Mais non ", ai-je dit, " je m'en charge. " »

« C'est étrange, continuait cet homme. On aurait dit qu'elles pensaient qu'en m'occupant de la vaisselle alors que j'avais déjà aidé à préparer le dîner, j'en faisais plus que ma part. Ça les agaçait prodigieusement. Elles ne voulaient pas que j'en fasse plus. Mais il ne semble pas leur être venu à l'idée que si elles se chargeaient de la vaisselle ce soir-là, elles aussi en faisaient plus. »

Il se trouve que l'épouse de cet homme est une femme d'affaires qui réussit et gagne un très haut salaire. Ses amies et elle passent beaucoup de temps à discuter de l'inégalité persistante de la position des femmes dans le monde. Elle-même réclame un traitement équitable dans sa vie professionnelle comme dans sa vie personnelle, mais il semble que, à bien y regarder, l'abandon des vieux rôles domestiques la dérange. « C'est comme si en faisant la vaisselle je lui retirais quelque chose », réfléchissait notre homme. « Ou plutôt leur retirais quelque chose », rectifia-t-il avec un sourire, car il se rappelait ce qui était probablement au cœur de l'épisode : le fait que la mère de sa femme ait été présente. (Quand maman est là, beaucoup de femmes se prennent les pieds dans leurs libertés toutes neuves.)

L'impasse ménagère n'a rien à voir avec la quantité d'argent que nous pourrions gagner. « LA ROMANCIÈRE MILLIONNAIRE REPASSE PENDANT QUE MONTENT LES ENCHÈRES », aurait pu titrer à la une votre quotidien du 18 septembre 1979. L'auteur en question était Judith Krantz, dont le premier roman, *Scrupules,* avait été un best-seller fracassant et dont le second, *Princesse Daisy,* était mis aux enchères pour l'édition en livre de poche. Que faisait Judith Krantz, en Californie, le jour où les offres des éditeurs new-yorkais atteignaient des sommets vertigineux ?

« Mon mari et moi sommes rentrés hier d'un voyage en Europe, dit-elle à un reporter, si bien que depuis sept heures ce matin, je suis en train de liquider le repassage. »

Le repassage ! Voilà ce que nous apprenait la « une » du *New York Times ;* et aussi que les droits du roman de Judith Krantz avaient finalement été cédés pour trois millions deux cent mille dollars (seize millions de francs de l'époque) — un million de plus que le roman le plus cher de toute l'histoire de l'édition. Judith Krantz en fut réduite à s'abriter derrière une boutade, naturellement ; le repassage, déclara-t-elle, constituait « une thérapie active pour neutraliser l'angoisse de l'attente ».

Dans les années soixante, l'entretien de la cuvette des toilettes posait un problème à nombre de femmes. « Même s'il m'aide beaucoup dans la maison, il y a *une chose qu'il ne fera jamais* », répétaient les épouses en parlant de leurs maris et en hochant la tête d'un air entendu. « On dirait qu'il ne regarde jamais les cabinets. Leur propreté, c'est le boulot de la femme ! »

Aujourd'hui, les femmes doivent faire face à un nouveau défi ; il ne s'agit plus de savoir comment convaincre leurs maris de mettre un peu plus la main à la pâte, mais comment gagner autant que lui sans renoncer à tous les petits rituels domestiques qui vous donnent la certitude d'être encore « une vraie femme ».

« Je lui ai appris à accomplir avec maladresse les tâches domestiques les plus simples », déclare Cynthia Sears, diplômée de Bryn Mawr, qui a fini par se séparer de son mari et vit aujourd'hui avec ses deux filles à Los Angeles. Dans un livre autobiographique intitulé *Working It Out,* Cynthia décrit un mode de vie familiale que nous connaissons bien. « Quand j'annonçais aux amis avec une certaine fierté (camouflée en exaspération) qu'il n'avait jamais touché une couche, jamais fait dîner les filles, qu'il ne s'était jamais levé la nuit quand un enfant était malade, je ne me rendais pas compte que ma " tolérance " l'empêchait en réalité d'avoir le sentiment de vraiment participer à l'éducation de nos enfants. Tout ce que je voyais, c'était l'avantage immédiat : j'évitais les critiques et les protestations. » A trente et un ans, raconte Cynthia, « j'ai commencé une thérapie. A cette époque, mon irritation se traduisait par une sensation physique — une barre en travers de la poitrine et le sang qui battait. »

En tenant à tout prix à jouer les « tornades blanches » dans nos maisons, non seulement nous évitons mieux l'anxiété liée à l'ambition et aux réalisations, mais nous ignorons plus facilement d'autres problèmes. L'activité frénétique peut faire écran et dissimuler une foule de choses [7]. Nous connaissons toutes des femmes — et sommes parfois ces femmes — qui pourraient s'offrir une aide ménagère, mais ne le font pas. Pourquoi ? Précisément parce que nous redoutons la liberté que nous permettrait cette aide.

Les femmes commencent à découvrir que rien n'est plus effrayant que de prendre sa liberté. C'est une peur que n'atténue pas le fait qu'elle survient en général avec la violence d'une bombe à retardement dès que les besoins essentiels ont été satisfaits et que les contraintes matérielles ne sont plus là pour justifier les ambitions de l'épouse.

Se tuer à la tâche pour travestir le conflit

Evelyne et Richard Melton, couple doué s'il en est, font des métiers qu'ils n'aiment pas, mais qui leur assurent un revenu de beaucoup supérieur à la plupart des nôtres. Richard rapporte à la maison quelque soixante-dix mille dollars (quatre cent quatre-vingt-dix mille francs) par an au titre de directeur artistique d'une agence de publicité. Evelyne gagne à peu près autant comme mannequin. A eux deux, ils disposent de plus de cent mille dollars (sept cent mille francs) par an. Toutefois, à la suite d'une série d'erreurs financières qui leur ont fait acquérir plus qu'ils ne pouvaient entretenir (en partie pour compenser leur ennui de faire un travail qui ne les intéressait plus), Richard et Evelyne disent qu'ils ne peuvent plus payer quelqu'un pour les aider. Evelyne fait donc tout dans la maison et cela représente — comme toujours — non seulement récurer les sols et les toilettes, mais assurer les repas et s'occuper des enfants. Trois ou quatre fois par semaine, elle prend le train jusqu'à Manhattan pour son travail ; elle fait aussi le ménage, la cuisine, les courses, la lessive. C'est elle qui prend les rendez-vous pour toute la famille et veille à ce qu'ils soient respectés. Elle sert de chauffeur aux enfants pour leurs activités extra-scolaires et en période de vacances. « C'est juste l'histoire de quelques années encore », pense-t-elle — cinq ou six, en fait. Son petit dernier est encore au cours élémentaire. (L'un comme l'autre ont déjà été mariés une première fois.)

Et que fait Richard pendant ce temps ? Eh bien, Richard a un travail fou. Entre ses poids et haltères et ses leçons de plongée, sans parler des heures qu'il passe le soir à faire des photos et à les développer dans sa chambre noire, il n'a pratiquement pas une minute à lui. Disons, à sa décharge, que Richard n'est pas un dilettante. Il envisage de prendre un nouveau tournant, une nouvelle orientation dès qu'il en aura la possibilité matérielle : la photo. Le conflit de Richard à propos de sa situation actuelle — passer quarante heures de la semaine à faire quelque chose qu'il déteste au lieu de se consacrer à sa nouvelle passion — prime sur tout le reste. A quarante-six ans, Richard Melton ressemble à un homme que la mort talonne. Dire qu'il a perdu tant d'années à faire ce boulot assommant pour trouver enfin sa voie alors qu'il frise la cinquantaine ! Il n'est pas question que Richard gaspille une seconde de son précieux temps en travaux ménagers. Le moindre

gramme de son énergie est consacré à ce qu'il appelle
son « vrai boulot », la photo. A force de faire de la
gymnastique et de se concentrer sur ses clichés, il a les
joues creuses et le regard intense et brûlant. Cet homme
abrite un secret dans son cœur : on lui a donné une
seconde chance.

Evelyne, sa femme depuis deux ans, naguère en
adoration devant son mari, sent monter maintenant en
elle des bouffées de colère et de rancune. Richard lui
laisse tout ce qui touche de près ou de loin à la maison,
avec une force d'inertie dont elle n'arrive pas à bout.
Tout ce qu'elle a réussi à obtenir de lui, c'est qu'il fasse
la salade. Une fois en passant, il coupera quelques
feuilles de laitue — surtout quand elle n'est pas là pour
le faire à sa place. Sinon, Richard ne voit rien et paraît
incapable de comprendre qu'elle passe son temps à faire
les courses, à tout organiser, à se traîner jusqu'au centre
commercial, à faire le ménage et la cuisine pour recevoir
ses amis et sa famille à lui, à s'occuper de son fils quand
il vient passer quelques jours chez eux, en plus de ses
enfants à elle.

« Tu n'es pas obligée, dit Richard quand elle se
plaint.

— Mais il faut bien que quelqu'un le fasse »,
répond-elle.

Il hausse les épaules. Pourquoi ? s'interroge-t-il,
comme seuls peuvent le faire les gens dont les besoins
domestiques ont toujours été assurés par quelqu'un
d'autre. Après tout, c'est son affaire, décrète-t-il, à elle
de « résoudre son problème ». (Intuitivement, il a
raison, c'est à elle de s'affirmer, mais il ne sait pas
comment expliquer sa propre irritation de se sentir
poussé et houspillé et il préfère ignorer ce problème.)

A l'heure qu'il est, la situation est intenable pour l'un
comme pour l'autre. Richard est sincèrement dérouté
par le fait que sa femme soit devenue si nerveuse et si
irritable. Pour Evelyne, c'est pourtant limpide. Mais il

y a quelque chose qui lui échappe, à elle aussi.
Inconsciemment, Evelyne ne *s'autorise* pas à aborder
nettement le problème de la maison avec Richard. C'est
étrange. Elle ne craint pas de dire ce qu'elle aime ou
pas, ce qu'elle redoute ou ce qui l'irrite, sur pratiquement presque tout. Elle sait se prendre en charge, mais
elle semble incapable de voir qu'elle est complètement
bloquée par ce rôle de *hausfrau* et de s'en libérer.
    Pourquoi ?
    Parce que le fait de s'accrocher à la maison n'a pas
que des aspects négatifs pour elle. Dans sa vie, Evelyne
n'a pas l'équivalent de ce que représente la photo pour
Richard — pas de travail qu'elle aime, rien dans quoi
s'investir avec passion en dehors de chez elle, juste son
mari et ses petits. Bien qu'elle gagne presque autant
d'argent que son mari, elle sent que, du fait de sa
créativité, Richard occupe un monde séparé et elle a le
sentiment d'être coupée de lui et seule. Dans son esprit,
la chambre noire de Richard est devenue sa garçon-
nière. Elle éprouve presque de la jalousie. Quand il s'y
enferme, c'est comme s'il se désintéressait d'elle et la
quittait, comme s'il entrait dans la chambre d'une autre
femme.
    La jalousie sévit dans les moments où, intérieure-
ment, nous sommes le moins sûres de nous et le moins
solides. En regardant son mari ardent et aimant investir
sa passion dans son art, Evelyne s'est trouvée aux prises
avec une crise dans sa vie personnelle — que faire,
précisément, de cette vie ? Peu stimulée depuis longtemps par un travail qui ne faisait appel qu'à une infime
partie de ses dons, elle avait appris à se perdre dans une
activité ménagère et maternelle débordante. A une
époque, ce rôle de « parfaite maîtresse de maison » lui
avait enfin donné l'impression d'être utile. Mais cette
période était révolue, d'où le sentiment de ratage qu'elle
éprouvait. Les temps — et les critères dont vivaient les
femmes — avaient changé.

Il y a dix ans, Evelyne avait ce que beaucoup jugeaient être une vie enviable, avec un métier séduisant qui lui assurait l'indépendance matérielle. Les gens s'émerveillaient de son habileté à concilier son travail et sa vie domestique. Elle était une cuisinière hors pair. Elle avait rempli sa maison de ravissants meubles anciens dénichés dans les salles de ventes et chez les brocanteurs. Tous les ans, elle donnait de somptueux goûters d'anniversaire pour ses enfants ainsi que de grands dîners. Au réveillon, il n'était pas rare de se retrouver une trentaine autour de sa longue table à rallonges nappée de blanc et couverte d'argenterie.

Mais à présent, l'objectif semblait être de faire dans la vie quelque chose de difficile, de gratifiant. Le degré de participation des femmes dans le monde extérieur était monté d'un cran.

Ce qui expliquait en partie que la vieille « solution » des rôles multiples — l'épouse / mère / femme qui travaille / frénétique — ne satisfasse plus Evelyne. Mais elle s'y accroche parce qu'elle a peur de s'engager dans une voie nouvelle. Durant l'année qui vient de s'écouler, elle a tout envisagé, depuis s'inscrire à un cours de création littéraire à l'université voisine jusqu'à tout envoyer promener et faire sa médecine. Mais quand il faut se décider, Evelyne semble atteinte de paralysie. Elle parcourt depuis si longtemps les mêmes sentiers battus qu'elle ne veut pas recommencer à réfléchir. Depuis qu'elle a eu dix-huit ans et qu'elle est arrivée à New York, elle a fait tout ce qu'il fallait pour rester dans le peloton de tête de sa profession. Elle s'est débrouillée comme un chef. Elle connaît toutes les ficelles ! Pourquoi tout bazarder maintenant ? Vous en connaissez beaucoup, vous, des filles de plus de trente ans qui seraient capables de gagner leur vie comme mannequins ?

Mais une petite voix intérieure s'insurge. Elle a besoin d'une nouvelle orientation. Elle ne peut plus

différer le conflit. Il frémit avec une urgence douloureuse sous les émotions de surface — la colère, la
rancune, le sentiment d'avoir été blessée et maltraitée.
Extériorisant son conflit profond, elle rend Richard
responsable de ce qu'elle ne se sent pas elle-même
capable de faire. C'est-à-dire de sortir de chez elle, de
faire quelque chose. De vendre leur maison de campagne, d'engager une employée de maison, de prendre les
dispositions voulues pour pouvoir recommencer des
études ou faire un nouveau métier, bref, quelque chose
qui la débloquerait et lui insufflerait une énergie
nouvelle.

Les femmes continuent à privilégier le rôle domestique, qu'elles exercent ou non une profession à l'extérieur, parce qu'elles se sentent toujours dépendantes de
leurs maris et ont besoin de quelque chose — un service
— qui compense cet arrangement. C'est pourquoi les
femmes investissent plus que les hommes dans la notion
globale de famille, qu'oubliant le nombre d'heures
qu'elles passent au bureau elles continuent à mitonner
les repas de la famille de A jusqu'à Z, préférant les vrais
haricots verts aux légumes surgelés, et à matelasser
elles-mêmes un dessus-de-lit assorti au papier de la
chambre des enfants.

La sécurité du mariage — être aimée et se sentir
indispensable à quelqu'un — peut avoir son revers pour
la femme qui éprouve le besoin de faire quelque chose
seule, mais qui a peur. Une pression négative venant de
« lui » sera parfois habilement transformée et servira à
la distraire superficiellement de ses peurs profondes. Le
travail, surtout s'il est vu comme la recherche d'un
développement personnel et pas seulement comme « un
peu de beurre dans les épinards », peut conduire à
l'individuation ou à l'autonomie. Il risque alors d'être
ressenti comme un éloignement de l'autre — prise de
distance redoutable s'il en est. Mieux vaut lambiner

dans « le mariage ». « Ma famille compte vraiment pour moi » devient alors l'argument qui justifie le repli.

L'épuisement que les femmes expriment aujourd'hui et qui est lié à leur « double charge » résulte du conflit entre le désir de s'accrocher à la sécurité domestique que les femmes confinées chez elles ont toujours apprécié, et le désir d'être libres et de s'accomplir. Ce conflit non résolu, donc paralysant, est à l'origine de la « panique des genres » ; il maintient les femmes dans des emplois inférieurs ou dans une profession qui a cessé de les intéresser et fait qu'elles se surmènent chez elles.

Nous n'avons pas encore vraiment décidé, pour la plupart d'entre nous, ce que seraient nos vies. En essayant de préserver une situation dans laquelle nous ne renonçons ni à notre indépendance ni à notre dépendance, nous nous vidons de notre énergie. Consciemment, nous reprochons aux hommes de ne pas changer, mais inconsciemment, nous ne demandons qu'une chose : qu'ils restent ce qu'ils sont.

NOTES

1. Les femmes s'attendent moins que les hommes à réussir dans toute une variété de tâches et de groupes d'âge. On a montré que les personnes voulant réussir obtiennent de meilleurs résultats que celles qui manquent d'ambition, et cela indépendamment de leurs capacités réelles. « Les femmes ne s'attendent pas à réussir, écrivent Hyde et Rosenberg, ce qui fait qu'elles ne réussissent pas. Quand elles échouent, leur conviction d'être moins capables s'en trouve renforcée, diminue encore leurs attentes et rend de ce fait plus improbable leur réussite. Quand elles réussissent, elles attribuent leur succès à la chance et leurs attentes ne s'en trouvent pas augmentées. »

2. Ivy League : nom collectif des « collèges aristocrates » dont la fondation remonte à l'époque coloniale. [N.D.T.]

3. Les enfants de Sulka auront peut-être des problèmes autres que matériels. « La mère schizophrène par excellence, écrit Robert Seidenberg, est celle qui est conduite par son absence d'objectifs dans la vie à s'accrocher à ses enfants avec le désespoir de quelqu'un qui se noie. L'enfant n'a jamais la possibilité de faire par lui-même l'expérience de la réalité, il n'apprend jamais quelles sont ses frontières, souvent il ne fait pas la différence entre ce qui est animé et ce qui ne l'est pas. Il traite son univers comme une " chose ", de la façon dont l'a traité une mère ne possédant pas cette " chose ". Une mère ayant quelque chose se conduira très différemment. » (Par « chose », l'auteur ne veut pas dire le pénis, comme l'aurait soutenu Freud, mais une identité à soi qui sépare la mère de sa relation à son enfant, une identité qui lui vient de sa propre relation au monde extérieur.)

4. Le déchirement du divorce réactive souvent de « graves problèmes d'identité » chez les femmes pour qui le mariage est devenu le point de référence essentiel, la principale définition du moi. « Pour la femme qui n'a jamais réellement affronté le problème de son identité et qui est passée de l'identité-rôle de la fille à celle de l'épouse, le divorce peut être la première occasion qui lui soit donnée, dans sa solitude et son sentiment d'échec, de réfléchir sur ses valeurs, ses besoins et ses objectifs », écrit Judith Bardwick.

5. Les femmes de pionniers étaient moins indépendantes qu'on pourrait le croire, du moins sur le plan psychologique. Comme les femmes modernes, quand leurs hommes étaient absents, elles étaient capables d'avoir un comportement indépendant pour survivre, mais cela ne les enthousiasmait guère. Les exigences de la vie adulte les décourageaient. Une de ces femmes écrivait dans son journal le soir (avant de souffler la bougie) : « Comme j'ai toujours eu quelqu'un sur qui m'appuyer, c'est très nouveau pour moi d'avoir à m'occuper des affaires et ça m'ennuie beaucoup. » Les lettres et les journaux intimes de ces pionnières montrent qu'elles n'avaient qu'un désir : retrouver leurs humbles tâches dès que leur époux rentrerait à la maison après avoir massacré les Indiens. La vie domestique « donnait un sens à leur existence ».

6. Même une femme aussi douée pour la réussite que Margaret Mead évitait de se poser en « concurrente » avec les hommes et se jugeait plus féminine que les femmes de son époque engagées dans la vie active. Dans son autobiographie, *Du givre sur les ronces,* elle évoque son retour après une longue étude de terrain. Son mari et elle « avaient une foule de choses à raconter ». Mais quand ils

rencontrèrent l'anthropologue Gregory Bateson, Margaret resta discrètement à l'arrière-plan afin de permettre aux deux hommes de passer la nuit à discuter « sans être interrompus ».

7. Dans un article du *New York Times Magazine* d'octobre 1979, intitulé « La femme libérée à ses fourneaux », Anne Taylor Fleming constatait avec effarement : « Après avoir trouvé du travail et des psychanalystes, et dans certains cas de nouveaux maris, les femmes sont revenues à leurs fourneaux où elles cuisinent avec sérieux et un brin de tendresse. Peut-être faut-il y voir un acte d'expiation. Ou un recours contre les déceptions professionnelles. Peut-être que faire la cuisine est nettement plus drôle que la plupart des occupations qu'elles se sont trouvées hors de chez elles. Pour celles qui se sont aperçues que la réussite était moins gratifiante qu'elles ne le rêvaient, les bureaux moins hospitaliers qu'elles ne l'imaginaient, la cuisine redevient le cocon dans lequel elles peuvent se reglisser en toute sécurité après une journée difficile. »

Et le *coup de grâce* : « Les repas qu'elles préparent et les réceptions qu'elles donnent leur valent plus de compliments que leur travail. Les maris admirent, ils sont fiers et émus de trouver au logis des épouses fleurant bon la levure, saupoudrées de farine, les mèches collées par la vapeur. »

CHAPITRE VII

LA LIBERTÉ CONQUISE

Après que j'eus divorcé et recommencé à vivre seule, d'étranges signes contradictoires manifestant la présence d'une perturbation affleurèrent très vite à la surface. Il y avait une fatigue incroyable, et puis des crises de larmes, et des périodes où je n'arrivais pas à dormir. Pourtant, ces symptômes dépressifs étaient contrebalancés par des bouffées de joie et d'énergie inexplicables, des moments d'exaltation apparemment si peu justifiés qu'ils avaient quelque chose de cyclothymique.

Les plus beaux instants étaient ceux où j'imaginais qu'un jour je serais enfin reconnue. Je ne savais pas bien ce que cela signifiait, sinon que ce serait une sorte de sauvetage. « On » me découvrirait, « on » reconnaîtrait ma personnalité profonde, mes talents cachés, et « on » m'emmènerait loin de ce grand appartement vide et sans vie, dans quelque royaume électrisant où m'attendaient des satisfactions inconnues. Il m'arrivait le soir, légèrement ivre, de danser pour moi devant la glace. Je mettais juste un chapeau, un feutre souple orné d'une longue et splendide plume. Si je garde cette image, c'est en partie parce qu'elle forme un contraste brutal avec un autre aspect de moi-même — la collégienne hésitante et timide, jeune, inexpérimentée, inquiète. C'était la partie de moi qui voulait rester à l'arrière-plan, contente de simplement réussir à se débrouiller. C'était la fille à la vie étriquée, qui demandait seulement de pouvoir payer son loyer et repousser d'un mois sa note de téléphone. De quoi manger, un peu de chaleur, que me fallait-il de plus ? Vers la fin de cette période de ma vie, l'aspirateur tomba en panne. Attitude symptomatique : je n'essayai pas de le faire réparer. « Un balai, c'est bien suffisant, me disais-je, en faisant voler la poussière dans mon appartement, jour après jour. Les femmes s'en contentaient bien avant qu'il y ait des aspirateurs. »

Comme j'avais peur à cette époque, comme ma vie était rétrécie et crispée ! J'étais submergée de reconnaissance quand on me donnait des places de théâtre ou qu'on me demandait d'écrire quelque chose sur la danse et que je pouvais aller dans les coulisses du New York State Theater. Là, les yeux écarquillés, je regardais une jeune danseuse chercher à donner le meilleur d'elle-même, obligeant son corps à se hisser au niveau de la musique implacable et triomphante de Stravinsky. Je préférais pourtant voir en elle quelque chose de magique. Je n'arrivais pas à concilier sa technique superbe et la sueur qui ruisselait de son corps ou les grimaces de son visage quand je la voyais pendant une pause, le dos tourné au public, suffoquer aussi désespérément qu'un poisson-chat échoué sur le sable. Elle semblait vaincue, vulnérable, épuisée d'être allée jusqu'au maximum de ses possibilités. Je refusais de faire le rapprochement entre la splendeur de son art et le travail acharné, impitoyable qu'il exigeait. Ce que j'entrevoyais en coulisses me montrait la vérité : une femme haletante, qui ne se contrôlait plus, affreuse à regarder — même si cela ne durait que quelques minutes. Ses efforts contrastaient péniblement avec mes rêves de gloire — des rêves teintés de revendications et d'esprit vindicatif : je ne serais pas obligée de travailler pour être reconnue. Cela viendrait sans effort de ma part, comme une cape de soie qui tomberait doucement sur mes épaules.

De forts courants antagonistes étaient à l'œuvre. Je me faisais de moi et de mes capacités une idée douloureusement peu élevée, mais en même temps, mes fantasmes étaient grandioses. La perspective d'être obligée de me donner du mal pour réussir était humiliante ; elle semblait valider l'autre opinion, insupportable, que j'avais de moi : j'étais une tâcheronne, pas très intelligente et certainement pas originale — la terne belle-sœur dont la seule raison d'être consistait à entretenir les feux de la maison. Comme Cendrillon, j'attendais une marraine de conte de fées, un prince, n'importe qui capable de m'offrir une porte de sortie.

Si on n'aspire à rien d'autre qu'à la sécurité, on se satisfait d'une vie morne et limitée. Je n'étais pas satisfaite. Assise sur mon grand lit vide en ce triste hiver 1973, les tuyauteries gargouillant et l'air chaud des radiateurs couvrant de buée les vitres, je laissais affleurer à mon esprit des images de moi : forte, la tête claire, fonçant dans la vie. Quand j'avais vingt-sept ans, coincée dans un autre appartement, plus petit celui-là, avec trois jeunes enfants, je m'imaginais souvent en minijupe et en bottes, remontant à pleins gaz la 5e Avenue sur une Honda rouge vif. Maintenant, je rêvais d'autre chose : j'écrivais, d'une plume nerveuse, libérée. Des fragments de poèmes enfiévrés me venaient à l'esprit la nuit, dans mes moments d'insomnie. Je ne les utilisais pas, à l'époque, dans mes articles, mais ils exprimaient l'intensité de ma vie intérieure. Je rêvais aussi de voyages, d'allées et venues avec de nouveaux amis, de nouveaux amants, l'âme sereine, dans un nouvel accord joyeux avec moi-même.

Soudain, et pour la première fois, je me rendis compte que j'étais un être de désir. *Je veux, je veux, je veux,* criait en moi une voix ; pourtant, on aurait dit que je ne pouvais toujours pas avoir. C'était comme si j'avais vécu à l'intérieur d'une membrane solide, mais transparente. Je voyais au travers, mais je ne pouvais pas en sortir. Ce que je m'étais découvert vouloir n'appartenait pas au domaine des choses matérielles, mais à celui des émotions, n'était pas quantifiable, mais désespérément évanescent : la liberté d'agir et d'être, symbolisée par un désir intense de plus de lumière, de plus d'air, de mois au bord de la mer, d'une maison à la campagne.

Bien enfouies au fond de moi-même, mes aspirations conflictuelles à la liberté et à la sécurité me tenaient pieds et poings liés. Je râlais, je dansais, je pleurais. Le sable sous moi bougeait. Tant mieux. Encore quelques années et les amis seraient partis. Les gens diraient que j'avais changé. Je serais devenue différente — une personne différente. L'anxiété aurait disparu, mais aussi la griserie qui m'envahissait quand je dansais devant la glace. Pour que mon moi éclaté redevienne entier, il me faudrait renoncer à beaucoup de choses. Finies les douceurs de la sécurité, finies les heures de gloire qu'on imagine quand on vit seulement dans sa tête.

« Perlaborer » le conflit profond

Peut-on, une fois que le conflit profond entre la dépendance et l'indépendance a été dépisté, identifié, isolé dans la trame serrée de la vie quotidienne, sortir enfin de la chambre étroite et étouffante de la peur et s'élancer vers les espaces ouverts de la liberté ?

Pas tout de suite. Il faut respecter un processus que les thérapeutes appellent la « perlaboration ». Inutile d'entreprendre une thérapie dans les règles pour apprendre comment effectuer cette progression et résoudre le conflit. Ce qu'il vous faut, c'est un esprit systématique et de la persévérance. La conscience vague et généralisée de l'existence du conflit ne vous mènera pas très loin. A la différence d'un travail sur ce conflit. Un effort conscient et délibéré pour suivre — et démêler — les fils embrouillés de ce conflit profond est indispensable si l'on veut descendre de la balançoire immobilisée de la stagnation.

Le conflit entre le désir d'être libre et celui d'être enfermée et protégée est d'autant plus insidieux qu'il s'accompagne d'un gain secondaire caché : il nous permet de rester exactement au point mort. Ce que nous admettons désirer — l'indépendance — camoufle quelque chose que nous désirons tout autant, mais sans pouvoir l'admettre : la dépendance, le besoin d'une délicieuse sécurité primale. Mues par ces deux désirs contraires, nous demeurons en veilleuse. C'est un état qui présente des avantages : pas franchement brûlant, pas glacé non plus, ni palpitant. En tout cas pas la mort.

Une chose est certaine : vous ne résoudrez pas ce problème de dépendance si vous êtes incapable de le reconnaître. L'identification de cette tendance est le premier pas vers son dépassement. Il faut que vous en cherchiez, consciemment, les manifestations. A l'époque de ma vie où je restais des heures à me pavaner avec mon chapeau à plume, je passais aussi mon temps à me plaindre : si je n'arrivais pas à gagner ma vie en écrivant, c'est parce que « ils » (les rédacteurs en chef et les éditeurs) ne nous reconnaissaient pas à notre juste valeur d'auteurs. Faisant alliance avec tous les écrivains brimés de tous les temps, je m'attachais à ce rôle de victime. Je « refusais » de faire quoi que ce soit qui pût compromettre mon idéal, je maudissais le système et je continuais, parce que cela m'arrangeait, à faire le même travail sempiternel. Il ne me vint jamais à l'idée que j'avais peut-être peur de tenter quelque chose de nouveau, que je n'avais peut-être pas le courage de risquer ma chance, d'essayer de m'engager sur un chemin encore inexploré. Mes problèmes restaient confortablement cachés pendant que je continuais à gémir.

Le travail n'était pas le seul secteur de mon existence que ce conflit empêchait de se développer. Ma vie amoureuse était en lambeaux, coincée comme je l'étais entre mon désir d'être aimée et celui, tout aussi fort, de refouler ce besoin. Le narcissisme apparent de ces rendez-vous nocturnes avec mon miroir contrastait abruptement avec ce que je ressentais quand je me voyais dans la lumière crue du jour. « Tu vieillis, me disais-je en scrutant mon visage dans la glace pour détecter de nouveaux signes de décrépitude. Tu n'es plus ce que tu étais. » Cette préoccupation de l'âge — de tout ce qui me donnait une idée négative de moi-même, aurait dû m'avertir.

J'avais à l'époque une relation insatisfaisante avec un homme marié. Tout en posant devant ma glace le soir, je craignais, à la lumière du jour, de ne pas être capable de « retenir » cet homme dont le caractère distant me fascinait. N'obtenant pas l'amour que cette autre partie de moi-même réclamait, je lui reprochais d'être superficiel, de ne pas avoir le courage de se jeter tête baissée dans une relation folle et passionnée avec moi. C'était de la projection pure et simple, bien sûr. C'était moi qui manquais de courage. Pendant toute une année, je continuai à voir cet homme plusieurs après-midi par semaine, restant ainsi à l'abri — et malheureuse.

Dans le travail comme dans l'amour, je pliais sous des inhibitions de toutes sortes. Je croyais éprouver les peurs inévitables d'une femme nouvellement née émergeant de la stagnation d'un mariage long et oppressant. C'était peut-être vrai en partie, mais il y avait bien plus. La pulsion qui me portait à rester ainsi en veilleuse était forte et se heurtait à celle, tout aussi puissante, d'éclater, de me surpasser, de « me faire un nom ». Ces deux

pulsions — l'une vers l'expansion, l'autre vers le
rétrécissement — semblaient s'annuler en m'immobili-
sant exactement au milieu. La lassitude recouvrit ma
vie comme la suie les toits voisins. Je continuai à
travailler, mais en passant un temps fou à faire quoi que
ce soit. Je me maudissais pour ma lenteur. Je me
rongeais les ongles.

La fuite d'énergie

Les femmes profondément divisées peuvent avoir des
zones entières de leur personnalité qui sont escamotées
en raison de la quantité d'énergie qu'elles devront
utiliser pour supprimer — ou nier — un côté ou l'autre
de leur conflit fondamental. Car c'est ainsi que nous
essayons de parvenir à l'harmonie psychologique. J'essayais sans cesse de nier, par exemple, ma pulsion vers
la dépendance — et m'épuisais ce faisant. Comme l'a
expliqué Karen Horney, la partie de nous-mêmes que
nous essayons de supprimer reste « suffisamment active
pour intervenir, mais ne peut pas être utilisée de façon
constructive ». Ce processus, disait-elle, « constitue une
perte d'énergie qui pourrait être utilisée autrement pour
l'affirmation de soi, la coopération ou la mise en place
de rapports humains satisfaisants [1] ».
Le manque d'énergie est un autre signe du conflit à
propos de la dépendance cachée. La « fuite d'énergie »
se traduit par l'indécision et l'inertie [2]. La femme en état
de conflit passe son temps à hésiter. Dois-je accepter ce
poste-ci ou celui-là ? Dois-je rester à la maison ou
reprendre mes études ? Dois-je l'aimer ou le quitter ? Ce
mouvement de bascule gaspille l'énergie comme une
chaudière qui essaierait de chauffer une maison dont les
fenêtres sont grandes ouvertes. Qu'il s'agisse de choix
minimes ou de grandes décisions, le processus demeure
identique : les problèmes s'obscurcissent. La remise au

lendemain conduit à l'autopunition et à une sorte de frustration sans objet, marquée par la colère.

Un état mental aussi divisé nous vide de notre énergie et compromet notre efficacité. Il nous faudra des heures, par exemple, pour écrire un simple rapport, ranger l'armoire à linge ou composer un menu. Pour la femme en état de conflit, même les tâches les plus simples semblent exiger une quantité d'efforts inhabituelle.

L'inefficacité résultant de la tension intérieure se manifeste aussi, en général, dans les rapports que nous avons avec les gens. Si, par exemple, une femme veut s'affirmer, mais en même temps se conformer, elle finira par faire preuve d'hésitation dans ses actions.

Si elle a besoin de demander quelque chose, mais sent en même temps qu'elle devrait l'ordonner, elle aura un comportement impérieux.

Si elle veut des rapports sexuels, mais a le désir profond de frustrer son partenaire, elle aura des difficultés à atteindre l'orgasme. Elle imputera ses problèmes au fait qu'elle travaille trop, qu'elle ne dort pas assez, qu'elle « n'a pas de résistance » ou n'importe quoi, mais son état de tension est certainement davantage lié aux courants antagonistes de son conflit profond.

Débrouiller l'écheveau

Pour dépasser ce conflit, un replâtrage précaire des fentes et des fissures qui vous divisent ne suffit pas. Il faut aller à la racine des causes pour que le besoin d'être ainsi éclatée disparaisse définitivement.

Comment y parviendrez-vous ? En vous examinant avec une attention scrupuleuse. En n'omettant rien quand vous explorez vos motivations, vos attitudes, votre façon de considérer les choses. Lorsqu'un fil apparaît — une petite attitude bizarre ou un fragment de comportement qui ne vous semblent pas cadrer avec le reste de votre personnalité — suivez-le. Ne dites pas : « Oh, c'est juste une petite incohérence de mon caractère ; ce n'est pas vraiment moi. » C'est vous. Et vos illogismes, si vous les dépistez et les analysez, vous conduiront à la veine mère du conflit souterrain.

Par exemple, vous remarquerez que vous effectuez la navette entre les deux extrêmes, que vous ne savez pas si vous devez vous montrer dure avec vous-même ou au contraire indulgente. Vous vous apercevrez que vous hésitez entre rabaisser les autres et croire en secret qu'ils vous sont supérieurs. Ou que votre besoin de vous rabaisser bat en brèche votre capacité de réussir dans une situation de compétition, tandis qu'en même temps votre besoin de triompher sur les autres vous rend absolument nécessaire la victoire. Observez en particulier comment vous vous arrogez tous les droits et pensez en même temps n'en avoir aucun. (Plutôt que de vous apitoyer sur vous-même dans ce dernier cas, posez-vous des questions sur l'autre attitude. Se reconnaître tous les droits revient à être obligée de faire comme on l'entend — et trahit une personnalité dépendante.)

Une chose est à ne pas oublier : les « bizarreries » de la personnalité ne sont pas toujours des aberrations mineures ; elles reflètent probablement des divisions importantes de la vôtre. Examinez-les, froidement et objectivement, sans vous culpabiliser ni vous réprimander parce que vous êtes imparfaite, et elles vous conduiront à des aspects essentiels de vous-même que vous ignoriez encore. En regardant — et en acceptant — ces composantes cachées, vous finirez par découvrir un moi nouveau, unifié et vigoureux.

Dans mon cas, ce furent des incohérences dans mes rapports avec l'argent qui me révélèrent des déformations importantes dans mes rapports avec les autres. En suivant les fils épars de mon problème à cet égard, je fus amenée jusqu'à la pelote géante qui, pendant des années, s'était enroulée autour d'une perturbation centrale de mon caractère : le désir que quelqu'un d'autre fasse le boulot difficile, le désir d'être sauvée.

Comme je l'ai décrit au chapitre premier, cinq ans environ après la rupture de mon mariage (et au bout d'un an de vie commune avec Lowell), je constatai avec un certain chagrin que je ne voulais rien avoir à *faire* avec l'argent. S'il l'avait fallu, j'aurais parfaitement pu me contenter de vivre d'une pension. Pendant presque deux ans, c'est d'ailleurs exactement ce que je fis : Lowel payait tout ; frappée d'une apathie envahissante, je ne gagnais pratiquement rien. Mon compte dans la banque locale était presque toujours vide. (En même temps que, de plus en plus, les coffres de mon estime de moi.)

Ma fâcheuse situation était la suivante : d'une part, il m'en coûtait de demander de l'argent à Lowell chaque fois que je voulais faire ressemeler mes chaussures, d'autre part (et c'est ce que je découvris après avoir démêlé tant de longs fils embrouillés), j'aimais cette situation plus qu'elle ne m'était pénible.

Il fallut beaucoup d'affrontements avant que je veuille bien entendre — et accepter — ce que Lowell me disait : que je m'appuyais sur lui à ses dépens autant qu'aux miens ; qu'il pouvait consacrer son énergie à quelque chose de plus satisfaisant que faire vivre cinq personnes. Finalement, je ne pus plus ignorer le bien-fondé de ses protestations.

La pression exercée par Lowell, cependant, ne fut pas le seul facteur qui me précipita dans ce conflit. Plus je lui permettais d'être responsable de mon bien-être, pire était l'opinion que j'avais de moi-même.

Après m'être intérieurement débattue et avoir aussi éprouvé une énorme colère, je finis par m'extraire de l'ornière et fis enfin un travail productif. L'argent commença à rentrer — et même plus d'argent que je n'en avais jamais gagné. Mais le fait que j'aspirais encore à être prise en charge se manifestait dans la façon dont je gérais — ou plutôt ne gérais pas — mes nouveaux gains. J'avais toujours pris pour acquis que si j'avais assez d'argent, je pourrais éviter d'avoir à m'en occuper. C'est une attitude caractéristique. Si seulement j'avais assez d'argent, pensais-je, je ne serais jamais obligée d'être responsable de moi-même! Je ne serais jamais obligée de toujours dominer la situation, de l'administrer, d'être consciente, d'être attentive; je ne serais jamais obligée de reconnaître à quel point tout est terriblement réel.

Ma grande astuce, comme je le découvris, consistait à éviter de tenir correctement mon carnet de chèques. Comme cela, je ne savais jamais combien j'avais d'argent. Plus je négligeais de soustraire mes débits, plus l'image de ma vie en général devenait floue. Ne sachant pas très bien quelle quantité d'argent je possédais à un moment donné, je pouvais continuer à me sentir impuissante. comment étais-je capable de calculer correctement si j'allais dépenser mon argent dans une nouvelle paire de bottes ou si je pouvais me permettre le luxe d'une assurance sur la vie (ou celui de m'en passer)? L'image mentale que je conservais en moi était toujours celle du dernier gros versement. (Mes rentrées, en tant que travailleur indépendant, étaient irrégulières, mais importantes.) Indépendamment du nombre de chèques que j'avais faits *depuis,* je gardais en tête le chiffre de départ.

Finalement, quelque instinct de survie de la onzième heure m'aiguillonnait. « Il serait peut-être temps que tu fasses tes comptes », me disais-je. En général, quand je réussissais à prendre sur moi et à voir où j'en étais, je me retrouvais fauchée comme les blés. Refusant de m'occuper de mon petit pécule, refusant de le protéger, de le mettre en lieu sûr, de ne le sortir qu'en cas de besoin, je me demandais devant ces restes pitoyables : « Mais où est-il passé? »

Le refus de m'occuper de l'argent était à la fois le symbole de mon impuissance et la cause de celle-ci. Je ne remarquais jamais que mes fonds diminuaient, si bien que, encore et toujours, j'éprouvais un choc quand ils avaient disparu. Pourquoi passais-je mon temps à jouer les autruches ? Je ne voulais pas regarder en face le fait que j'allais devoir réalimenter mon compte en banque — indéfiniment — pendant le restant de mes jours.

« Tiens ton chéquier en ordre, décidai-je, et vois ce que ça donne. »

« Ça donnait » que je me sentais incompétente. Le sable continuait à s'envoler de mon sablier. Je perdais toujours, je ne gagnais jamais. Je ne serais jamais capable de rattraper mon retard, de créer un équilibre entre les rentrées et les sorties.

Au bout d'un moment, je commençai à voir que toute cette opération d'équilibre budgétaire était une métaphore. Ne pas faire ses comptes est une manière d'éviter. J'aimais ne pas savoir où j'en étais parce que cela me permettait de ne pas me sentir responsable des conséquences de ma conduite. Combien de fois ne mettais-je pas les notes de dentiste des enfants dans un coin en secouant la tête d'un air lugubre et en disant : « On est trop fauché ce mois-ci ! » Pourtant, d'autres que je connaissais et qui gagnaient moins d'argent que moi arrivaient à être à jour avec leurs factures. Ils cotisaient à la Sécurité sociale, ils prévoyaient leur retraite — prenaient une assurance couvrant les risques d'invalidité — toutes ces dispositions sans joie, mais réalistes, que prennent les adultes pour protéger leurs enfants et leur vieillesse. Je m'obstinais à tourner le dos à ces réalités, croyant d'une certaine manière qu'elles ne me touchaient pas ; que si je tenais bon suffisamment longtemps — payais assez de loyer, assez de notes de téléphone, assez de ce que je devais — les vicissitudes

de cette chienne de vie, si épouvantable, si exigeante,
me seraient épargnées et que je serais sauvée !

*Tenir ses comptes est une bonne politique non seulement sur le
plan financier, mais aussi sur celui des émotions. Cela signifie
qu'on garde au jour le jour, ou même à tout instant, le contact
avec la réalité. Cela signifie que je ne laisse pas se créer une
source de colère à l'égard des enfants ou de l'homme avec qui je
vis. Cela signifie que je ne laisse pas les choses m'échapper si je
suis déprimée, mais que je m'arrête, que je m'assieds et que je fais
le point : Où en suis-je ? Où va mon énergie ? D'où vient ma
gratification ? L'énergie produite correspond-elle à la gratification reçue ou y a-t-il déséquilibre ? Est-ce que je dépense autant
que je reçois, et si oui, comment recevoir plus ?*

Ces questions font partie du processus d'autostabili-
sation. J'essaie de suivre les conseils que je me donne. Je
deviens responsable de mon propre bonheur ou mal-
heur au lieu de reporter cette responsabilité sur quelqu'un d'autre. En tenant les comptes de mon budget
psychique, je limite les risques d'avoir des choses une
image déformée et peu réaliste. Je sais ce que j'ai à mon
actif, mais je connais aussi mes limites. Je suis capable
de déterminer, dans le cadre que me fournissent ces
réalités, des buts importants et des priorités qui me
permettront de vivre en prise directe avec le présent.
Tenir ses comptes, c'est s'engager dans les possibilités
qu'offre la vie, activer son propre développement et sa
propre maturation au lieu d'attendre que « quelque
chose se produise » : c'est devenir son propre prince.

Le rêve indiscret

Parfois, nos sentiments d'impuissance et de frustration affleurent seulement dans nos rêves. Une femme de
cinquante ans, belle et séduisante, qui essayait de
rassembler le courage voulu pour sortir de dix-huit ans

d'union malheureuse, me décrivait la précision et la richesse de ce qu'elle appelait son « rêve-aquarium ». Il précédait d'un an exactement la signature de la requête en divorce et l'avait suffisamment impressionnée pour la réveiller une nuit :

> Je flottais comme un cadavre dans un énorme aquarium en verre et j'essayais de parler, mais n'arrivais pas à me faire comprendre. Jim (son mari) était à l'extérieur de l'aquarium, de l'autre côté de la paroi, et voulait parler à mon « moi » mort. Mon « moi » vivant se tenait lui aussi à l'extérieur de l'aquarium, de l'autre côté, et criait : « Ne lui parle pas ! Tu ne vois donc pas que ce n'est pas le vrai moi ? Hé, regarde-moi ! Je suis le vrai moi ! »

La triste vérité révélée par ce rêve était que son mari ne regardait jamais dans sa direction. Plus important encore, il montrait qu'elle faisait tout pour garder le vrai « moi » caché. C'était ce qu'il y avait de tragique et, quand elle s'en rendit compte, assise dans son lit au beau milieu de la nuit, elle éclata en sanglots. Elle ne se cachait pas seulement de « lui » — l'époux indifférent — mais de toute personne avec qui elle aurait pu avoir une relation intime et satisfaisante. Elle avait beau vouloir cette relation, la désirer désespérément, elle n'y parvenait pas : libérer « le vrai moi » la paniquait trop.

Alexandra Symonds raconte l'histoire d'une patiente qui vint la voir parce qu'elle se sentait déprimée. Peu de temps avant de commencer sa thérapie, la femme avait eu un rêve. Elle était suspendue dans le vide, à l'extérieur de l'immeuble qu'elle habitait, et s'agrippait désespérément au rebord de la fenêtre avec ses ongles. Elle vit son mari de l'autre côté de la vitre et essaya de l'appeler, mais ne réussit à émettre qu'un murmure étouffé. Son mari passa près de la fenêtre sans l'entendre.

Le puissant symbolisme de tels rêves représente,

selon le docteur Symonds, toute une catégorie de femmes qui, malgré une splendide réussite professionnelle, sont considérablement effrayées par leur besoin profond d'être prises en charge. Pour certaines, ce type de rêve peut constituer la première indication — surprenante — que quelque chose ne va pas.

Il peut signifier aussi que les anciens schémas sont en train d'éclater et qu'un changement se produit. Une femme professeur d'université, qui avait du mal à s'affirmer, avait rêvé qu'elle était dans une voiture et essayait de dire au conducteur ce qu'il devait faire. Quelques mois plus tard, après qu'elle eut un peu mieux compris qu'elle avait besoin de contrôler davantage sa vie, elle rêva qu'elle était dans une voiture en marche et constatait avec effroi que le siège du conducteur était vide.

Un rêve comme celui-ci est parfois dérangeant, mais il peut aussi, comme dans ce cas, marquer un progrès. Cette femme commençait à reconnaître qu'elle était seule et non protégée dans la vie, assise dans une voiture à côté de la place vide du conducteur. (Une fois que vous en avez pris conscience, vous pouvez parfaitement décider d'occuper cette place.)

Un rêve peut aussi être le présage lumineux d'un nouveau monde, d'une vie qui ne doit rien à la gloire ni à la fortune, mais qui vient de ce qu'on a résolu un conflit profond. Après plusieurs années d'analyse, j'eus ce que j'ai toujours appelé par la suite mon « rêve de Harlem ». Dans ce rêve, Harlem symbolisait la vie, un monde étrange et bigarré, vibrant d'imprévu, de bonheur et de risque.

> Je marche dans une grande artère de Harlem, proba-
> blement la 7ᵉ Avenue, avec deux amies. Il me semble
> qu'il y a longtemps que je ne suis pas venue là. C'est
> effrayant, mais en même temps j'ai l'impression que ça

ne l'est pas tellement. « Il faut que je me débrouille »,
me dis-je à moi-même. « On apprend à se débrouiller à
Harlem, il y a des techniques. Ce n'est pas seulement
une question de chance. »

L'animation et la presse dans les rues — la foule, le
bruit, les voitures — me troublent. Je me demande si je
suis en sécurité quand nous nous arrêtons pour regarder à travers la vitre l'étalage appétissant d'un cuchi-
frito. Mes amies entrent directement dans le magasin,
mais moi, étourdie par la quantité de choses qui
s'offrent à moi, je reste dehors, paralysée. Finalement,
j'entre dans le magasin — je m'oblige à le faire —
espérant que le seul fait d'avoir bougé m'aidera à
choisir quand je serai à l'intérieur.

Le comptoir est rempli de choses tentantes — des
coquilles Saint-Jacques grillées à cinq *cents* pièce,
d'énormes moitiés d'avocats. Soudain, je pense que je
n'aurai peut-être pas assez d'argent. Je fouille mes
poches et trouve avec soulagement trente-cinq *cents*.
« Je prends deux huîtres », dis-je au grand Noir qui est
derrière le comptoir. Il est habillé en cuisinier, une
haute toque blanche en équilibre sur la tête. Il me jette
un regard méchant et soupçonneux en me tendant les
huîtres. Je cherche maladroitement la monnaie et il me
saisit par l'épaule : « Je vous ai vue! crie-t-il. Vous
essayiez de cacher les cinq *cents* pour me faire croire que
c'est une pièce de vingt-cinq *cents.* »

Je proteste, furieuse : « Ce n'est pas vrai, je me suis
trompée, c'est tout. » Je prends mes huîtres et sors du
magasin.

Dans la 7e Avenue, des hommes jouent, faisant claquer
une mince corde à une trentaine de centimètres du sol.
Je les regarde, décide qu'ils n'ont pas d'intentions
belliqueuses et saute par-dessus la corde; mais j'en
veux à mes amies de ne pas m'avoir prévenue. Je leur
crie : « Pourquoi ne me l'avez-vous pas dit avant que je
descende du trottoir ? »

Elles haussent les épaules et je pense : « Peut-être que
je fais toute une histoire pour rien. Peut-être qu'on

traverse sans se poser de questions une rue pleine de monde et de circulation. »

Quand j'arrive de l'autre côté de la rue, mes amies sont en train de m'attendre et la foule, sur le trottoir, n'a plus l'air aussi menaçante. C'est samedi après-midi à Harlem. Il fait beau. Des arbres feuillus bordent le trottoir. Nous nous arrêtons pour observer des petites filles qui jouent.

Quand j'essaie d'apprendre à partir d'un rêve, je fais attention à ce que j'ai ressenti et éprouvé pendant qu'il se déroulait. Ce rêve commençait avec une impression d'anxiété et de malaise : l'endroit était inconnu. Puis avec le sentiment qu'on éprouve devant une pléthore de choix tentants et qu'on est incapable de se décider soi-même. En repensant à ce rêve, je me rappelle que c'était d'une intensité douloureuse, à peine supportable. J'avais des foules de bonnes choses à portée de la main, mais j'étais incapable de faire un pas dans leur direction. Quelque chose me gardait enracinée sur le trottoir, figée.

Puis venait le moment capital du rêve : « Vas-y, m'avait enjoint une voix intérieure. Tu ne peux pas rester là à ne rien faire. »

A cet instant, quelque chose en moi me décidait à bouger.

Après être entrée dans le magasin, je m'étais sentie troublée et inquiète. Il avait fallu que je vérifie plusieurs fois ma monnaie. J'avais eu beaucoup de mal à trouver les bonnes pièces pour payer la nourriture choisie. Finalement, j'avais eu le sentiment d'être injustement — de manière absolument irrationnelle — bousculée par l'homme derrière le comptoir. Non seulement il avait tort, mais était méchant avec moi, carrément, arbitrairement méchant.

Et alors ? Ce genre de bêtise ne pouvait plus m'atteindre. La méchanceté des hommes, leur comportement arbitraire, c'était leur problème. A présent que je

pouvais me prendre en charge, j'étais pour le moins
libre, si on me traitait incorrectement, de partir. Ce que
je faisais. Je disais à l'homme qu'il se trompait et je
sortais du magasin.

J'avais peur dans la rue — mais je traversais.

J'étais furieuse contre mes amies qui ne m'avaient
pas protégée — mais je voyais que j'étais idiote.

Je traversais la rue — j'avançais le pied, je regardais
s'il arrivait des voitures ou des camions, je me frayais
un passage dans toute cette activité, cette circulation et
cette bousculade — toute seule.

Une fois de l'autre côté, je me sentais mieux, moins
vulnérable, vraiment contente de la façon dont l'après-
midi s'annonçait. J'avais traversé la rue sans me faire
renverser. J'avais mes huîtres (bien frites, deux pour
trente-cinq *cents*). J'avais refusé de me laisser intimider
par l'homme en toque blanche qui m'avait provoquée.
Je n'éprouvais pas d'anxiété, mais du plaisir. Je me
sentais bien en regardant les petites filles jouer. Je
sentais la chaleur du soleil dans mon dos.

En un mot, je me sentais entière.

Le moment où le moi intérieur disait « Vas-y ! »
n'avait rien à voir avec la volonté, précisons-le. On ne
peut pas « se prendre par la main » coûte que coûte et
agir face à un conflit dévastateur. Si on pouvait tout
résoudre par la volonté, je n'aurais jamais écrit ce livre.
Ce bond en avant vers le moi profond était le résultat
d'un processus long et important : l'identification de
mes contradictions intérieures et le travail par lequel je
les avais résolues[3]. Quand il n'y a plus de conflit et que
tout est limpide, la volonté opère automatiquement.

Mais quand vous êtes submergée par des sentiments
et des attitudes contradictoires, votre volonté démis-
sionne. Autrement dit, vous n'êtes plus capable de
choisir ce que vous faites dans la vie, vous agissez parce
que vous y êtes poussée. Vous continuez à faire le même

travail peu stimulant parce que vous l'aimez et choisissez de le faire ou parce que, comme certaines femmes
vous le diront, « mon travail compte moins pour moi
que mon mari et mes enfants ». Comme cette avocate,
Vivian Knowlton, vous vous y incrustez parce que votre
besoin de vous subordonner est en conflit direct avec
votre besoin de réussir et que vous préférez stagner
entre ces deux besoins.

Dans le domaine de l'amour, vous ne choisissez pas
votre compagnon pour la joie de vous partager avec un
autre être humain. Si vous êtes en conflit, vous vous
mariez, comme Carolyn Burckhardt, à cause de votre
besoin compulsif et indiscriminé d'être aimée, désirée,
approuvée, prise en charge.

C'est le même besoin qui vous cache le fait que tout le
monde n'est pas gentil ni digne de confiance dans la vie
— si bien que vous vous effondrez dès qu'on est
méchant ou hostile.

C'est ce besoin qui vous pousse à faire tout ce qui est
en votre pouvoir pour éviter les disputes, la désappro-
bation, les regards de colère.

C'est ce besoin enfin qui vous fait vous subordonner,
prendre la seconde place, endosser automatiquement
les reproches. Là, vous n'êtes plus qu'à un pas du
syndrome de la « pauvre-petite-chose-que-je-suis ». Les
femmes mues par la compulsion de se mettre à la
seconde place finissent par endommager leurs capacités. Dans une certaine mesure, vous devenez ce que
vous êtes poussée à devenir : hésitante, inquiète, excessivement vulnérable.

S'arracher au piège de la dépendance

Peu de temps après avoir renoncé à sa vie de « jeune
fille rangée » et pris son envol vers la liberté sans
entraves de Paris, Simone de Beauvoir rencontrait, à

l'automne 1929, l'homme qui allait être son ami, son mentor et son amant pour le reste de sa vie : Jean-Paul Sartre. Tous deux avaient un peu plus de vingt ans, lui étant légèrement plus âgé qu'elle. Son attachement rapide et solide à cet homme lui permit, par bien des aspects, de se défaire des liens familiaux qui l'avaient tellement freinée pendant son adolescence. C'était une échappée vers des terres intellectuelles particulièrement étrangères. Dès le début, les deux amants passèrent presque tout leur temps ensemble, lurent les mêmes livres, recherchèrent les mêmes amis et, d'une façon générale, réfléchirent tellement en symbiose que Simone de Beauvoir écrirait dans ses mémoires des phrases comme « nous pensions » ou « notre idée ».

Quand je commençai à lire *la Force de l'âge* (qui reprend la vie de Simone de Beauvoir là où l'avaient laissée les *Mémoires d'une jeune fille rangée*), je fus stupéfaite devant l'ampleur de la fusion qu'elle décrivait dans sa relation avec Jean-Paul Sartre. Elle semblait si totalement prise dans sa sensibilité à lui qu'on voyait mal comment elle réussirait à suffisamment s'en dégager pour poursuivre de son côté la splendide œuvre intellectuelle et créatrice qui serait la sienne. D'accord, Sartre était un génie ; cependant, cette femme brillante, pleine d'élan, était pratiquement son esclave. « J'admirais qu'il tînt son destin dans ses seules mains, écrivit-elle, mais loin d'en éprouver de la gêne, je trouvais confortable de l'estimer plus que moi-même. »

Elle avait vingt et un ans seulement et était à première vue aussi sentimentale que quiconque à cet âge. Mais il semblait que si elle voulait sortir du schéma destructeur qu'elle commençait à mettre en place si clairement dans sa relation avec Sartre, il lui faudrait faire quelque chose de plus radical. « Je lui faisais si totalement confiance, écrit-elle, qu'il me garantissait, comme autrefois mes parents, comme Dieu, une définitive sécurité. »

Simone et Jean-Paul arpentaient ensemble les rues de Paris, parlaient sans fin, buvaient de l'aquavit dans les bars jusqu'à deux heures du matin. Elle avait l'impression de ne plus toucher terre, si grand était son bonheur : « Tous mes vœux les plus lointains, les plus profonds étaient comblés ; il ne me restait rien à souhaiter, sinon que cette triomphante béatitude ne fléchît jamais. »

Cette euphorie dura plus d'un an — jusqu'à ce qu'un sentiment perturbant s'insinue en elle et vienne troubler ce bonheur parfait. Elle commençait à soupçonner qu'elle avait renoncé à une composante essentielle d'elle-même. Sa démission devant les distractions sensuelles et intellectuelles que Paris lui offrait l'entamait peu à peu. Elle s'essayait au roman, mais sans enthousiasme ni conviction : « J'avais l'impression tantôt de m'acquitter d'un pensum, tantôt de me livrer à une parodie. »

Pendant dix-huit mois, Simone de Beauvoir fut en proie à un conflit aigu. « Je ne cessais pas de me donner avec emportement à tous les biens de ce monde, écrit-elle. Et pourtant ils m'éloignaient, pensais-je, de ma vocation : j'étais en train de me trahir et de me perdre. » Elle qui avait toujours eu un goût obsessionnel des livres, lisait maintenant d'une manière désordonnée, qui ne la menait nulle part. Elle ne tenait plus son journal intime que par intermittence. Son conflit, le désir de tout avoir, la paralysait ; elle se retrouvait « incapable de rien sacrifier, donc de rien choisir ».

Simone de Beauvoir avait commencé à douter d'elle-même. Plus elle restait inactive — intellectuellement et émotionnellement esclave de Sartre — plus elle était convaincue de sa médiocrité. « Décidément, j'abdiquais », écrivit-elle plus tard. Le fait d'exister dans une relation ancillaire avec Sartre lui avait procuré une fausse tranquillité d'esprit, l'avait plongée dans un état de béatitude d'où l'anxiété était absente et où l'on attendait tout juste d'elle qu'elle fût une compagne à l'esprit alerte.

Inévitablement, cette vivacité d'esprit commença à se détériorer. « Mais autrefois, Castor, disait Sartre en utilisant le surnom qu'il lui donnait, vous pensiez un tas de petites choses. » (Il continuait : « Prenez garde à ne pas devenir une femme d'intérieur. »)

Avec le recul de l'âge mûr, Simone de Beauvoir voyait avec quelle redoutable facilité elle existait, en tant que jeune femme, dans l'assujettissement à un autre. Quelqu'un sur qui elle pouvait attacher son regard, qu'elle pouvait idolâtrer et à l'ombre de qui elle se sentirait toute petite et en sécurité.

Bien sûr, il y avait un prix à payer. Une petite voix humble s'insinuait jusqu'à la conscience de la jeune femme. « Je ne suis rien », disait cette voix. « J'avais cessé d'exister pour mon compte, constatait Simone de Beauvoir, je vivais en parasite. »

Bien que les féministes voient en elles une des grandes voix fondatrices du féminisme moderne, Simone de Beauvoir n'estimait pas que la solution à son problème fût purement culturelle. Tout en reconnaissant qu'il se posait à elle sous cette forme parce qu'elle était une femme, « c'est en tant qu'individu que j'essayais de le résoudre », écrit-elle.

Simone décida soudain, avec détermination, d'accepter pendant un an un poste d'enseignante à Marseille — loin de Sartre, loin de Paris. La solitude, espérait-elle, la fortifierait « contre la tentation que pendant deux ans j'avais côtoyée : abdiquer ».

A Marseille, elle se lança dans une activité rigoureuse et obsessionnelle pour essayer d'exorciser son besoin de dépendance. Elle passait les deux journées de liberté qu'elle avait dans la semaine à marcher, pas à se promener ni à traîner, mais à marcher avec la persévérance de quelqu'un de résolu à dominer un grave handicap. Elle enfilait une vieille robe et des espadrilles et préparait son déjeuner dans un sac ; puis elle partait à l'aventure, escaladant tous les sommets, descendant au fond de tous les creux, explorant « les vallées, les gorges, les défilés ».

A mesure que croissaient sa force et son endurance, le kilométrage couvert s'allongeait. Au début, elle ne marchait que cinq ou six heures, mais elle fut vite capable d'accomplir des trajets de neuf ou dix heures. Bientôt, elle fit plus de quarante kilomètres dans la journée : « Je visitais des villes, des bourgs, des villages, des abbayes, des châteaux... Je retrouvai, tenace... la mission d'arracher les choses à leur nuit. »

Elle qui avait « dépendu si étroitement d'autrui », comptant sur lui pour délimiter ses cadres et ses buts, se débrouillait maintenant seule, sans aide aucune. Elle arrêtait les camions pour couvrir plus rapidement les parties ennuyeuses du trajet. Elle faisait preuve d'initiative et d'agressivité dans ce qu'elle entreprenait : « En montagne, grimpant à travers les rochers, dévalant les éboulis, j'inventais des raccourcis : chaque promenade était un objet d'art. »

Cette année-là, trois incidents l'effrayèrent. Une fois, un chien la suivit dans sa randonnée solitaire et devint affolé par la soif à mesure que les heures passaient. (Il finit par se plonger dans le premier ruisseau qu'ils rencontrèrent.) Une autre fois, deux garçons qui l'avaient prise en auto-stop quittèrent soudain la grand-route et obliquèrent vers le seul endroit désert de la région. Quand elle s'en aperçut, elle imagina vite un plan. Dès que la voiture ralentit pour franchir un passage à niveau, elle ouvrit la portière et menaça de sauter en marche. Les garçons, « assez penauds », dit-elle, s'arrêtèrent et la laissèrent descendre.

Le troisième épisode avait pour décor une série de gorges abruptes dans lesquelles elle se hissa par un chaud après-midi. Le sentier était devenu de plus en plus difficile et elle crut qu'elle ne pourrait jamais

redescendre par où elle était venue. « Une muraille
m'arrêta définitivement, écrit-elle, et je dus rebrousser
chemin, de cuvette en cuvette. J'arrivai à une faille que
je n'osai pas sauter. »

Elle affrontait un véritable rite de passage — une
situation dans laquelle peu de femmes se seraient
délibérément aventurées. « Des serpents détalaient
parmi les pierres sèches, aucun autre bruit ; personne,
jamais, ne passait dans ce défilé ; si je me cassais une
jambe, si je me tordais la cheville, que deviendrais-je ?
J'appelai : pas de réponse. Pendant un quart d'heure,
j'appelai. Quel silence ! »

Simone avait créé une situation dans laquelle elle ne
pouvait abdiquer sans courir le risque d'y laisser sa vie.
Que fit-elle ? La seule chose *possible* : elle rassembla son
courage et, écrit-elle, « j'atterris saine et sauve ».

Ses collègues s'inquiétaient : ces randonnées solitai-
res étaient dangereuses. Elles insistaient surtout pour
qu'elle renonce à faire de l'auto-stop. Mais elle s'était
engagée dans une mission beaucoup plus exigeante
qu'elles ne le soupçonnaient. Avec une obstination
passionnée, Simone sauvait son âme.

Cela veut dire quoi, devenir soi ? Cela veut dire qu'on
devient responsable de son existence. Qu'on crée sa vie.
Qu'on fixe son ordre du jour. Ces randonnées devinrent
pour Simone à la fois la méthode et le symbole de sa
renaissance en tant qu'individu. « Seule, je me perdis
dans un ravin du Luberon : ces moments dans leur
lumière, leur tendresse, leur fureur n'appartenaient
qu'à moi. »

Le 14 juillet, quand elle fut prête à regagner Paris,
elle était devenue, fondamentalement, une autre personne. Elle s'était fait des amis et avait pris toute seule
la mesure des gens. Elle avait goûté la solitude. Faisant
le point sur ce que lui avait appris cette année
remarquable, elle écrivait : « Je n'avais pas beaucoup
lu, mon roman ne valait rien ; mais j'avais exercé mon

métier sans ennui, je m'étais enrichie d'une passion nouvelle ; je sortais victorieuse de l'épreuve à laquelle j'avais été soumise : l'absence, la solitude n'avaient pas entamé mon bonheur. » Et puis, la phrase d'envoi, si petite, si précieuse une fois qu'on est passé par les épreuves nécessaires pour atteindre cet équilibre : « Il me semblait que je pouvais compter sur moi. »

Quand nous commençons à voir comment nous contribuons à notre faiblesse et à notre vulnérabilité, comment nous nourrissons et défendons notre dépendance profonde, nous commençons aussi, lentement, à nous sentir plus fortes. « Plus nous affronterons nos conflits et chercherons nos propres solutions, écrivait Karen Horney, plus nous gagnerons de liberté et de force intérieure. » C'est quand nous assumons la responsabilité de nos problèmes que le centre de gravité amorce son déplacement fondamental de l'Autre au Moi. Un phénomène remarquable se produit alors : notre énergie grandit — celle qui se perdait jusque-là dans la « fuite d'énergie », quand nous nous épuisions à refouler les aspects de notre personnalité que nous trouvions inacceptables ou effrayants. Une fois que nous n'avons plus besoin de défendre ni de protéger, cette énergie devient disponible pour des entreprises plus positives. Peu à peu, nous sommes moins inhibées, moins assaillies par la peur et l'anxiété, moins étouffées par le mépris de nous-mêmes. La vieille « panique des genres », avec laquelle nous vivions depuis si longtemps, disparaît. Nous avons moins peur des autres. Nous avons moins peur de nous-mêmes.

La liberté conquise

Et nous accédons enfin à la spontanéité émotionnelle, à cette vivacité intérieure qui envahit tout ce que nous faisons, tous nos projets de travail, toutes nos rencontres, toutes nos relations où l'amour est inclus. Elle jaillit d'une certitude : « Je suis la force première de ma vie. » Et elle conduit à ce que Karen Horney appelle « *wholeheartedness* », l'adhésion totale — la capacité « d'être sans faux-semblant, d'être sincère dans ses émotions, d'être en mesure d'engager la totalité de soi dans ses sentiments, dans son travail et dans ses convictions ».

J'ai réfléchi aux femmes que j'ai rencontrées et qui semblent posséder cette adhésion totale. Certaines sont des personnalités complexes, artistes, extrêmement douées ; d'autres ont des vies moins spectaculaires, plus simples. Mais qu'il s'agisse des femmes sophistiquées de la ville aux multiples talents ou de celles qui vivent à la campagne, plongées jusqu'aux coudes dans la glaise, leur « présence », leur « conquête de la liberté » sont indéniables. Leur vie est qualitativement différente de celle des femmes qui n'ont pas conquis cette liberté : plus riche, moins prévisible, moins bridée par les règles et les empreintes institutionnelles. Même leur façon d'exprimer leur expérience vécue est autre :

La chorégraphe Pearl Primus racontait comment elle s'était orientée sans hâte vers un doctorat d'anthropologie, simplement en « étant » :

> J'ai vécu comme si je remontais un fleuve. De temps à autre, j'entendais chanter de l'autre côté d'un méandre, j'allais voir de cet autre côté, et je m'occupais de vivre. Il s'écoulait parfois des années avant que je me dise soudain : « Mon Dieu, il faut que j'aie ce doctorat ! » Si bien que tout en y travaillant, j'ai vécu de nombreux fleuves et de nombreux peuples. L'anthropologie en est venue à faire partie de moi au lieu d'être quelque chose en surimpression.

Vient alors un moment — un « moment psychologique » qui peut s'étendre sur des semaines ou même des mois, mais qui est souvent perçu comme limité dans le temps — où les conditions de la personnalité créant le conflit semblent se dégager, dans le sens où le ferait un engrenage, et où la femme est libérée du blocage qui l'immobilisait. Alors, toutes sortes de choses deviennent possibles — changer de métier, aller vivre ailleurs, établir de nouvelles relations, entreprendre une activité artistique à laquelle on n'avait jamais osé rêver jusquelà.

Les femmes qui ont conquis leur liberté ont, soudain, l'énergie d'entreprendre. Elles s'accrochent avec ténacité à la vie, libres en permanence de s'accorder au rythme de ses tumultes. Elles s'aperçoivent qu'elles ont envie de jouer, elles se sentent pleinement vivantes, plus libres qu'elles ne l'ont jamais été d'exercer leur faculté de choix, d'accepter ou de refuser en fonction des désirs de leur vrai moi.

Des moments d'émotion intense attendent celles qui vivent leur authenticité. Une femme de Chicago, âgée d'un peu plus de quarante ans et vivant avec un mari qu'elle aime, est en même temps profondément éprise d'un homme avec qui elle travaille. Lui aussi est marié et ils ne peuvent passer que peu de temps ensemble. Ils attendent avec impatience les voyages d'affaires qui les réunissent plusieurs fois par an. Au cours d'un de ceuxci, la femme décida au bout de quelques jours d'aller faire du ski. L'homme n'était pas skieur et, de toute façon, ne pouvait quitter Boston. « J'ai résolu d'y aller toute seule, me disait-elle. J'ai pris le car au milieu de l'après-midi et, tandis que nous roulions dans les montagnes du Vermont, il a commencé à neiger. Je me revois assise dans cet autocar Greyhound, regardant par la fenêtre les lumières s'allumer dans les petites villes que nous traversions. Je me sentais si bien, si sûre de moi parce que je savais que je pouvais être moi-même, faire ce que je veux — et aussi être aimée — que je me suis mise à pleurer. »

La femme qui a accédé à la liberté n'est pas figée dans ses émotions. Elle est capable d'aller vers ce qui la satisfait et de s'éloigner de ce qui ne la satisfait pas.

Elle est libre aussi de réussir : de se fixer des objectifs et de prendre les décisions nécessaires pour les atteindre sans craindre d'échouer. Sa confiance lui vient de ce qu'elle évalue avec réalisme ses limites comme ses capacités. Un des exemples les plus inspirants que je connaisse de femme qui fût libre de réussir est celui de Jean Auel. (Son premier roman, *The Clan of the Cave Bear*, devint immédiatement un best-seller.) C'est une femme qui a refusé de laisser les événements extérieurs déterminer sa vie. Elle a pris au contraire la responsabilité de la façonner elle-même — malgré le fait que d'autres dépendaient d'elle.

Jean se maria à dix-huit ans. A vingt-cinq ans, elle avait cinq enfants. Responsable de sa maisonnée, travaillant comme mécanographe dans une usine Tektronix à côté de chez elle, à Portland, elle s'inscrivit à des cours du soir et décrocha un diplôme d'études supérieures de commerce. Grâce à lui, elle s'éleva jusqu'au poste de gestionnaire des comptes clients de Tektronix — représentant un montant global de huit millions de dollars (cinquante-six millions de francs). Puis, quelques mois après son quarantième anniversaire, elle donna sa démission : elle avait décidé d'écrire un roman.

Le projet partit d'une idée qu'elle eut une nuit, l'histoire d'une jeune fille de Cro-Magnon qui se retrouve vivre dans une société primitive de Néandertal. Jean Auel lut plus de cinquante livres sur les mœurs des peuples primitifs. Puis elle dactylographia une première ébauche — quatre cent cinquante mille mots. Ce faisant, elle découvrit qu'elle n'en savait pas assez

sur l'art d'écrire un roman. La réaction fut caractéristique : elle potassa le sujet. Elle commença par lire les
manuels de sa fille étudiante sur la création littéraire.
Plusieurs fois, elle remit son texte sur le chantier. Puis,
son manuscrit ayant été refusé par plusieurs éditeurs,
elle écrivit à un agent littéraire new-yorkais qu'elle
avait rencontré à un séminaire d'auteurs, à Portland.
Huit semaines plus tard, elle signait un contrat de cent
trente mille dollars pour *The Clan of the Cave Bear*.

Voilà une femme qui a permis au vent du changement de souffler tout au long de sa vie. Une femme qui
n'a pas peur de travailler, de s'essayer à des domaines
inexplorés, à ce qui lui est inconnu, étranger, nouveau.
Une femme qui croit en elle, et croire en soi est
fondamental.

J'ai appris que la liberté et l'indépendance ne s'arra-
chaient pas aux autres — ni à la société en général ni
aux hommes — mais qu'elles se conquéraient de haute
lutte, intérieurement. Pour y parvenir, nous devons
renoncer à la dépendance que nous avons utilisée
comme une béquille pour nous sentir en sécurité.
L'échange n'est pas si périlleux. La femme qui croit en
elle n'a pas à se leurrer avec des rêves vides sur ce qui
est situé hors de son atteinte. En même temps, elle ne
doit pas se laisser intimider par les tâches qui sont de sa
compétence et auxquelles elle est préparée. Elle est
réaliste, solide sur ses pieds, et elle s'aime. Enfin, elle est
libre d'aimer les autres — précisément parce qu'elle
s'aime elle-même. Car tel est l'apanage de la femme qui
a conquis sa liberté.

NOTES

1. Ce chapitre est fondé sur les théories de Karen Horney pour qui le conflit — le heurt entre deux pulsions contraires — est à la racine de la névrose. Une tendance à l'effacement et un besoin excessif d'amour, par exemple, entreront en conflit avec une pulsion opposée d'exubérance et d'esprit de compétition, parfois accompagnée d'un besoin d'amour moindre. Ce qui, me semble-t-il, est exactement la situation dans laquelle se trouvent les femmes aujourd'hui.

Et apparemment celle dans laquelle elles se trouvaient dans les années trente et quarante, lorsque Karen Horney entreprenait de réviser la théorie psychanalytique sur les femmes. Elle fut la première psychanalyste de renommée mondiale (Karen Horney est morte en 1952) à se démarquer complètement des idées freudiennes touchant aux femmes et à concevoir une théorie dynamique et globale selon laquelle l'individu et la société, les forces internes et externes, les influences présentes et passées agissent en interaction, les effets de cette interaction sur la personnalité — ses défenses et ses symptômes — étant difficiles à démêler.

Dans un article intitulé « La surévaluation de l'amour », qu'elle publia en 1934, elle réexaminait à la lumière de son expérience d'analyste le problème de la femme moderne dans une « société patriarcale ». Elle observait que beaucoup de femmes ont le désir compulsif d' « aimer un homme et d'être aimées » et qu'elles poussent ce désir à un point extrême. Incapables d'avoir une relation satisfaisante et durable avec les hommes, inhibées dans leur travail et s'intéressant peu aux choses, elles finissent souvent par se sentir anxieuses, inadaptées et même laides. Dans certains cas, elles présentent des tendances compulsives à la réussite qu'au lieu de suivre, elles projettent sur leurs partenaires masculins.

Dans sa communication suivante, « Le besoin d'amour névrotique » (inclus dans *Feminine Psychology*), Karen Horney reprenait et développait ces idées, marquant la distinction entre le besoin d'amour sain et spontané et le besoin d'amour compulsif et narcissique.

Les féministes ont adopté Karen Horney parce qu'elle contestait la théorie freudienne de l'envie du pénis. Elle accordait aussi beaucoup d'importance aux situations de la vie courante et aux attitudes destructrices, les vieilles pulsions de l'enfance passant au second plan en tant que *causes* de la névrose. La théorie de Karen

Horney est considérablement plus optimiste et constructrice que celle de Freud. Nous sommes la cause de notre névrose et nous la maintenons en nous, c'est donc en nous qu'il faut que nous cherchions la force et le moyen de la vaincre.

2. Karen Horney montre que la personnalité souffre de plusieurs types d' « appauvrissement » quand le conflit n'est pas résolu : un sentiment de tension, une détérioration de l'intégrité morale (souvent remplacée par une « pseudo-moralité » qui contribue à entretenir des faux-semblants inconscients : on croit aimer, être bonne, être vraiment responsable) et un sentiment d'impuissance. L'impuissance vient de ce qu'on sait, à un niveau ou à un autre, que le fait de modifier les facteurs externes n'accomplira pas des miracles. Le conflit s'est construit strate après strate et il semble impossible d'en sortir. L'impuissance est ressentie sous la forme d'un pessimisme, d'un état dépressif ou d'une hypersensibilité aux déceptions, passagers ou chroniques.

3. Voir la description détaillée de ce processus dans l'ouvrage de Karen Horney traduit en français, *Nos conflits intérieurs*.

BIBLIOGRAPHIE

JUDITH BARDWICK, *The Psychology of Women : A Study of Biocultural Conflicts,* New York, Harper & Row, 1971.
— *Readings on the Psychology of Women,* New York, Harper and Row, 1972.
JESSIE BERNARD, *American Family Behavior,* New York, Harper, 1952.
— *The Future of Marriage,* New York, Macmillan, 1971.
RUBIN BLANCK et GERTRUD BLANCK, *Marriage and Personal Development,* New York, Columbia University Press, 1968.
HILDE BRUCH, *Les Yeux et le ventre : l'obèse, l'anorexique et moi dedans,* trad. par Florence Verne et Monique Manin, Paris, Payot, 1975.
HORTENSE CALISHER, *Herself,* New York, Arbor House, 1972.
PHYLLIS CHESLER et EMILY JANE GOODMAN, *Women, Money and Power,* New York, William Morrow, 1976.
SIMONE DE BEAUVOIR, *La Force de l'âge,* Paris, Gallimard, 1960.
— *Le Deuxième Sexe,* Paris, Gallimard, 1949.
HELEN DEUTSCH, *La Psychologie des femmes : étude psychanalytique,* trad. par le docteur Hubert Benoit, Paris, PUF, 1969 (d'après la 5ᵉ édition américaine).
ELIZABETH DOUVAN et JOSEPH ADELSON, *The Adolescent Experience,* New York, John Wiley and Sons, 1966.
ERIK ERIKSON, *Enfant et société,* trad. par A. Cardinet, Neuchatel, Paris, Delachaux-Niestlé, 1976.
BETTY FRIEDAN, *La Femme mystifiée,* trad. par Yvette Roudy, Paris, Gonthier, 1964.
— *Ma vie a changé,* trad. par Eve Dessarre, Paris, Fayard, 1977.
VIVIAN GORNICK et BARBARA MORAN, éd., *Woman in Sexist Society,* New York, Basic Books, 1971.
GERALD GURIN, JOSEPH VEROFF et SHEILA FIELD, *Americans View*

Their Mental Health : A Nationwide Interview Survey, New York, Basic Books, 1960.

KAREN HORNEY, *in* HAROLD KELMAN, *Feminine Psychology*, New York, Norton, 1967.

— *Neurosis and Human Growth : The Struggle Toward Self-Realization*, New York, Norton, 1950.

— *Nos conflits intérieurs*, trad. par Jean Paris, Paris, L'Arche, 1955.

— *L'Auto-analyse*, trad. par Dominique Maroger, Paris, Stock, 1978.

JANET SHIBLEY HYDE et B. G. ROSENBERG, *Half the Human Experience : The Psychology of Women*, Lexington, Massachusetts, Heath, 1976.

JULIE JEFFREY, *Frontier Women*, New York, Hill and Wang, 1979.

J. KAGAN et H. A. MOSS, *Birth to Maturity*, New York, John Wiley and Sons, 1962.

ELEANOR MACCOBY, *The Development of Sex Differences*, Stanford, Stanford University Press, 1966.

— et CAROL NAGY JACKLIN, *The Psychology of Sex Differences*, Stanford, Stanford University Press, 1974.

M. S. MAHLER, *in* M. SCHUR, *Drives, Affects and Behavior*, New York, International Universities Press, 1953.

BARCLAY MARTIN, *Anxiety and Neurotic Disorders*, New York, John Wiley ans Sons, 1971.

D. MARTIN, *Battered Wives*, San Francisco, Glide Publications, 1976.

FLOYD MANSFIELD MARTINSON, *Family in Society*, New York, Dodd, Mead, 1970.

MARGARET MEAD, *Du givre sur les ronces, autobiographie*, trad. par Marie Matignon, Paris, Seuil, 1977.

JEAN BAKER MILLER, *Psychoanalysis and Women*, Baltimore, Penguin Books, 1973.

— *Toward a New Psychology of Women*, Boston, Beacon Press, 1976.

National Manpower Council, *Womanpower*, New York, Columbia University Press, 1957.

ANTHONY PIETROPINTO et JACQUELINE SIMENAUER, *Husbands and Wives*, New York, Times Books, 1979.

SYLVIA PLATH, *La Cloche de détresse*, trad. par Michel Persitz, Paris, Denoël-Gonthier, 1972.

FREDERICK REDLICH et DANIEL FREEDMAN, *The Theory and Practice of Psychiatry*, New York, Basic Books, 1966.

JACK RUBINS, *Karen Horney*, New York, The Dial Press, 1978.

SARA RUDDICH et PAMELA DANIELS, *Working It Out,* New York, Pantheon, 1977.

MAGGIE SCARF, *Unfinished Business,* New York, Doubleday, 1980.

MARTIN SELIGMAN, *Helplessness,* San Francisco, W. H. Freeman and Company, 1975.

J. A. SHERMAN, *On the Psychology of Women : A Survey of Empirical Studies,* Springfield, Illinois, Charles C. Thomas, 1971.

PHILIP SLATER, *The Pursuit of Loneliness,* Boston, Beacon Press, 1970.

JANET SPENCE et ROBERT HELMREICH, *The Psychological Dimensions of Masculinity and Feminity : Their Correlates and Antecedents,* Houston, University of Texas Press, 1978.

L. M. TERMAN et MALITA OGDEN, *The Gifted Child Grows Up,* Stanford, Stanford University Press, 1947.

CLARA THOMPSON, *On Women,* New York, Basic Books, 1964.

REMERCIEMENTS

Je voudrais remercier Lowell Miller et mes enfants, Gabrielle, Conor et Rachel, qui ont compris — et accepté — que je ferme la porte de mon bureau. Pendant la dernière année que j'ai passée sur ce livre, cette porte est souvent restée close jusqu'à minuit. Les protestations ont été rares et jamais injustes.

Dès le début de mes recherches, j'ai été enthousiasmée par le travail que m'ont permis de réaliser deux bibliothèques et il m'est apparu qu'on omettait trop souvent de citer ces institutions dans les remerciements. C'est pourquoi je tiens à exprimer les miens à la bibliothèque de l'université de Princeton et à celle de l'académie de médecine de New York. La première ouvre largement (même au public) des rayons qui font la joie du chercheur. Si la seconde est réservée aux seuls spécialistes, elle met cependant à la disposition de tous ceux qui font appel à son aide un personnel compétent, rapide et d'une courtoisie à toute épreuve.

Les femmes que j'ai interviewées se sont montrées merveilleusement confiantes et prêtes à m'aider. Ce sont elles qui ont fourni le matériau essentiel de ce livre. L'information que j'ai recueillie dans les bibliothèques et en interviewant des spécialistes des sciences humaines a constitué l'ossature du *Complexe de Cendrillon,* mais ce qu'ont dit les femmes en a été la chair et le sang.

Mon propre travail avec mon analyste, Steven Breskin, a de toute évidence joué un rôle capital dans la mise en place de mon indépendance personnelle et explique le besoin urgent que j'ai éprouvé de communiquer aux autres femmes ce que j'avais appris. Il a été le premier adulte de ma vie — professeurs, employeurs et compagnons compris — à ne pas avoir encouragé ma dépendance. Le second fut Lowell Miller. (Il est d'ailleurs intéressant de prendre aujourd'hui du recul et de voir que ce ne furent pas une ou des femmes qui refusèrent de cautionner mes attitudes dépendantes, mais deux hommes.)

Paul Bresnick, des Éditions Summit, a peiné sur la version définitive du manuscrit et amélioré, grâce à ses efforts, le résultat final.

Quant à Ellen Levine, elle fut non seulement un agent littéraire comme peu d'auteurs ont la chance d'en rencontrer, mais sa propre indépendance grandissante a été pour moi une source continue d'inspiration.

Enfin, je veux remercier ma fille Gabrielle, qui a commencé à dactylographier ce manuscrit quand elle avait seize ans et l'a terminé, après trois refontes successives, quand elle en a eu dix-sept, et qui en a si intelligemment compris le contenu qu'à la troisième version, elle a encore été capable de le perfectionner grâce à ses suggestions.

TABLE

Achevé d'imprimer en mars 1989
sur presse CAMERON,
dans les ateliers de la S.E.P.C.
à Saint-Amand-Montrond (Cher)
pour le compte des éditions Grasset

N° d'Édition : 7878. N° d'Impression : 439.
Première édition : dépôt légal : octobre 1982.
Nouveau tirage : dépôt légal : mars 1989.
Imprimé en France

ISBN 2-246-28281-0